AAN HET MEER VAN BUTTERNUT

Mary McNear

Aan het meer van Butternut

Uit het Engels vertaald door Yolande Ligterink

VAN HOLKEMA & WARENDORF
Uitgeverij Unieboek | Het Spectrum bv, Houten – Antwerpen

Oorspronkelijke titel: *Up at Butternut Lake*
Vertaling: Yolande Ligterink
Omslagontwerp: Johannes Wiebel | punchdesign, München
Omslagfoto: Gennady Stetsenko, Yuri Arcurs en Greg Henry |
Shutterstock.com
Opmaak: ZetSpiegel, Best

ISBN 978 90 00 33034 8 | NUR 302

www.unieboekspectrum.nl

Van Holkema & Warendorf maakt deel uit van
Uitgeverij Unieboek | Het Spectrum bv,
Postbus 97, 3990 DB Houten

1

'Oké, slaapkop, tijd om wakker te worden.' Allie gaf haar vijf-jarige zoontje Wyatt, die op de achterbank zat, een zachte por. 'We zijn er. We zijn bij het huisje.' Wyatt bewoog even, maar werd niet wakker. Ze kon het hem niet kwalijk nemen. Het was een lange dag geweest. Maak daar maar een lange week van, corrigeerde ze zichzelf. En nu ze toch aan het tellen was, kon ze beter van twee lange jaren spreken. Maar dat probeerde ze zo min mogelijk te doen. Tellen liet de tijd niet sneller verstrijken en maakte het verlies niet gemakkelijker te dragen.

Ze ademde langzaam uit en bood weerstand aan het verlangen om haar hoofd op het stuur te leggen. Ze was uitgeput – 'uitgeput' was eigenlijk nog zwak uitgedrukt – en ze bedacht opeens dat ze die nacht ook gewoon in de auto konden slapen. Ze waren er moe genoeg voor.

Maar het idee was nog niet bij haar opgekomen of ze had het alweer verworpen. Dit moest een nieuw begin voorstellen. De start van een nieuw leven. Voor hen allebei. Ze hadden er niets aan om morgenochtend in gekreukte kleren en met stijve ledematen in de auto wakker te worden. Ze gingen in het huisje slapen. Het huisje dat vanaf dit moment hun thuis zou zijn.

Het enige probleem was dat het huisje er niet echt huiselijk uitzag, bedacht ze toen ze het bekeek in het licht van de koplampen. En dan hield ze zich nog in. Er waren verscheidene spanen van het dak gevallen. Het kniehoge gras stond tot aan de voorveranda. En de veranda zelf helde gevaarlijk over. Maar hij stond nog overeind, hield ze zichzelf voor. Dat was toch mooi? Er waren meer dan tien jaar voorbijgegaan sinds ze het huisje voor het laatst had gezien. Ze had half verwacht dat het helemaal verdwenen zou zijn, opgeslokt door het bos eromheen. Dat was natuurlijk niet gebeurd. Dit was geen sprookje. Dit was het echte leven. Dat zou zij toch moeten weten. Ze was er op de harde manier achter gekomen.

Ze deed de koplampen uit en het huisje verdween in de duisternis. Onwillekeurig huiverde ze. Ze had de laatste paar jaar in een doodlopend straatje in een buitenwijk gewoond en was vergeten hoe donker het kon zijn.

Misschien moest ze gewoon doorrijden. Als haar geheugen haar niet in de steek liet, was er een motel aan Highway 169. Ze konden er in een kwartier zijn. Maar dan? Ze zouden morgen gewoon terug moeten komen. En het huisje zou er bij daglicht niet beter uitzien. Eerder slechter.

'Mama?' Het stemmetje van Wyatt haalde haar uit haar overpeinzingen. 'Zijn we er al?'

'Ja, we zijn er.' Ze deed haar best om opgewekt te klinken en draaide zich met een glimlach naar hem om. 'We zijn bij het huisje.'

'Het huisje?' Wyatt deed pogingen om uit zijn autostoeltje te komen.

'Dat klopt,' zei Allie. 'Ik zal het je laten zien.' Ze pakte de zaklamp uit het handschoenenkastje en knipte hem aan. Maar zodra ze uitstapte, zag ze dat de zaklamp niet was opgewassen tegen de nachtelijke duisternis. De zwakke lichtstraal wist amper het donker te doorboren. Ze keek op naar de hemel. Geen maan, voorzover zij kon zien, en ook geen sterren.

Ze huiverde nogmaals en probeerde het gevoel te negeren dat de duisternis tastbaar was en als een gewicht op haar drukte. Zelfs de lucht leek wel uit watten te bestaan, merkte ze. Ze deed het achterportier open, maakte Wyatts gordel los en tilde hem uit zijn autostoeltje. Met het kind op haar heup richtte ze de zaklamp op het huisje.

'Daar is het,' zei ze. Ze hoopte dat haar stem geruststellend klonk. Vooral omdat ze zelf ook wel wat geruststelling kon gebruiken. Wyatt fronste.

'Ik kan het niet zien,' fluisterde hij. 'Het is zo donker.'

'Het is inderdaad donker,' beaamde Allie nog wat moedelozer dan daarvoor. Maar ze herpakte zich. Hou op. Dit is toch wat je wilde? Rust. Stilte. Eenzaamheid. Laat je je nu afschrikken omdat het een beetje donker is?

Ze pakte de canvastas die ze naast Wyatt op de achterbank had gezet. Daarin had ze alles gedaan wat ze tijdens de eerste nacht nodig hadden. De rest van de bagage pakte ze morgenochtend wel uit. Op dit moment was het belangrijker om Wyatt binnen en in bed te krijgen.

Arm jochie, dacht ze toen ze het autoportier had dichtgeslagen en over de gebarsten en overwoekerde flagstones naar de veranda liep. Ze had hem die ochtend bij het krieken van de dag wakker gemaakt omdat de verhuizers waren gekomen om hun meubilair naar de opslag te brengen, en op een paar goed geplande rustpauzes na had hij de hele middag en avond in de auto gezeten. Maar hij had niet geklaagd. Dat deed hij bijna nooit meer. En daar maakte Allie zich zorgen om. Klagen was tenslotte een van de fundamentele rechten van het kind.

Ze ging voorzichtig de trap op en voelde bij elke tree of die wel stevig genoeg was. Ze hielden stand. En hetzelfde gold

7

voor de kromgetrokken en overhellende veranda. Ze viste de voordeursleutel uit haar tas en maakte het verroeste slot open. Terwijl ze de deur openduwde, deed ze een schietgebedje. Zoiets als: laten er alsjeblieft geen drie generaties wasberen wonen. Maar toen ze het licht aandeed, zag het huisje er nog precies zo uit als de laatste keer dat ze het had gezien. Er sloeg een golf van opluchting door haar heen.

Wyatt vond het echter maar niets. Hij keek snel om zich heen en duwde toen zijn gezicht tegen haar hals.

'Hé, wat is er?' vroeg Allie. Ze sjouwde hem en de tas naar binnen en deed de deur achter hen op slot.

Wyatt weigerde zijn hoofd op te tillen. Hij drukte het nog steviger tegen haar aan.

Ze fronste en keek de woonkamer door. In haar ogen zag hij er prima uit. Huiselijk, zelfs. Ze zag heus wel dat er een laag stof op de meubels lag en dat er een paar spinnewebben in de hoeken van de kamer zaten. En het was er bedompt omdat het huisje zo lang afgesloten was geweest. Maar over het algemeen had het de tand des tijds opmerkelijk goed doorstaan. Er was niets mis wat met een beetje vlijt niet recht te zetten viel.

Ze probeerde zich in Wyatt te verplaatsen. Hij had tenslotte zijn hele leven in een huis met drie slaapkamers en alle moderne gemakken gewoond. In zijn ogen was het huisje niet een beetje rustiek, maar regelrecht primitief. Maar eng? Dat dacht ze niet.

'Wyatt,' zei ze zachtjes. 'Wat is er, schatje? Ik weet dat het niet op ons oude huis lijkt, maar er is echt niets mis mee. Het is alleen een beetje stoffig, meer niet. En de meubels zijn een beetje oud. Maar daar kunnen jij en ik samen wel iets aan doen.'

Hij schudde heftig zijn hoofd en fluisterde iets wat ze niet verstond.

'Wat zei je?' Ze hield haar rechteroor vlak bij zijn mond.

8

'Ik zei: "Hij kijkt naar ons,"' fluisterde hij.

Allie voelde dat ze verstrakte. 'Wie kijkt er naar ons?' vroeg ze een beetje zenuwachtig. Oké, behoorlijk zenuwachtig. Ze moest denken aan die film over een jongen die dode mensen kon zien, maar Wyatt had nooit blijk gegeven van een dergelijke gave. Voorzover zij wist, tenminste. Ze bedwong een lichte huivering van angst.

'Wyatt, wie kijkt er naar ons?' vroeg ze weer. Maar hij schudde zijn hoofd en sloeg zijn armen nog strakker om haar heen.

Ze dwong zichzelf kalm te blijven. Niemand kijkt naar ons, hield ze zich voor. We zijn hier helemaal alleen. In meer dan één opzicht.

Er zat niets anders op dan de woonkamer nog eens te bekijken. Echt te bekijken. En dit keer viel haar blik bijna meteen op de hertenkop met gewei boven de open haard. Natuurlijk, dacht ze, en ze ademde beverig uit. Zoiets had Wyatt nog nooit gezien. Logisch dat hij hem eng vond.

'Wyatt,' vroeg ze zachtjes. 'Ben je bang voor die hertenkop boven de open haard?' Hij knikte nadrukkelijk, maar keek nog steeds niet op.

'O liefje, je hoeft niet bang te zijn.' Allie drukte hem dichter tegen zich aan. 'Hij is niet echt. Ik bedoel, hij is wel echt, maar hij leeft niet meer. Mijn grootvader, jouw overgrootvader, heeft hem meegenomen van een jachtreisje,' legde ze uit. 'Hij hing daar al voordat jij geboren werd. Voordat ik geboren werd, zelfs. Toen ik nog klein was, zag ik hem niet eens omdat ik er zo aan gewend was, denk ik. Maar ik snap wel waarom jij hem een beetje eng vindt,' gaf ze toe.

Wyatt was natuurlijk niet opgegroeid in een familie van jagers en vissers, zoals zij. De enige wilde dieren die hij had gezien, waren de vuurvliegjes en de kikkers die hij in hun achtertuin in de buitenwijk van Minneapolis ving.

Met enige moeite keek Wyatt op. Hij wierp een snelle blik

op de hertenkop. Maar hij kneep meteen zijn ogen dicht en drukte zijn gezicht weer tegen haar hals.

Ze probeerde een andere aanpak. 'Wyatt, het is net een knuffelbeest,' legde ze uit. 'Alleen groter. Je hoeft er echt niet bang voor te zijn. Ik verzeker je dat hij je geen pijn kan doen.' Wyatt legde zijn handen om haar rechteroor en fluisterde erin: 'Maar hij staart naar ons.'

Allie keek nog eens naar de hertenkop. Misschien was het de hoek waarin ze hem zag. Of de lichtval. Hij leek hen inderdaad aan te staren. Inwendig zuchtte ze. Dit was een probleem waar ze niet op was voorbereid.

Ze voelde een lichte irritatie. Niet om Wyatt, maar om de taxidermist die het dier had opgezet. Moest hij dat hert nou zo realistisch maken? En zo… zo fel? Het beest leek absoluut niet blij dat het daar hing. Eigenlijk keek het gewoon boos. Het moet weg, dacht ze. Dat is wel duidelijk.

'Wyatt, ik haal hem morgen weg,' zei Allie vastberaden. 'Zou het lukken om er tot die tijd gewoon niet naar te kijken?'

Wyatt hief zijn hoofd weer en keek haar weifelend aan. 'Ik zal het proberen,' zei hij. 'Maar mam,' fluisterde hij met een zijdelingse blik op het hert, 'waar is de rest? Dat is alleen zijn kop.'

Opeens was Allie doodmoe. 'De rest… is hier niet,' zei ze eindelijk om de akelige details uit de weg te gaan. 'En morgen is zijn kop er ook niet meer, oké?'

Wyatt knikte, schijnbaar gerustgesteld. Voorlopig, tenminste. Toen hij zich weer lekker tegen haar aan nestelde, voelde Allie een enorm medelijden. Ze had hem weggehaald bij alles wat hem vertrouwd was: zijn huis, zijn familie, zijn vriendjes. En het enige wat ze hem in ruil daarvoor kon bieden, was dit krakkemikkige oude huisje. Maak daar maar een eng oud huisje van, corrigeerde ze zichzelf na een blik op de hertenkop.

Ze probeerde alle negatieve gedachten van zich af te zetten.

Misschien was het een vergissing om hiernaartoe te komen. Maar dat deed niets af aan het feit dat Wyatt naar bed moest. Hoe sneller, hoe beter. Eerst keek ze in het rond of ze iets zag waarmee ze hem op zijn gemak kon stellen, wat dan ook. Iets wat hem enigszins duidelijk zou maken waarom ze als kind zo van dit huisje had gehouden. Ze koos voor de leren bank in de woonkamer. Hij was oud en versleten. Maar ze wist uit ervaring dat hij heerlijk glad en soepel aanvoelde. Ze liep ernaartoe, liet Wyatt erop zakken en ging naast hem zitten.

'Deze bank was mijn favoriete leesplekje toen ik klein was.' Ze legde haar hand op zijn arm. 'Vooral als het regende.'

Wyatt fronste en er verscheen een rimpeltje in zijn lieve voorhoofd. 'Ik kan nog niet lezen,' merkte hij op.

'Dat weet ik.' Ze aaide hem over zijn hoofd. 'Maar dat leer je nog wel. Als het herfst is, ga je naar school.'

Wyatt schudde zijn hoofd. 'Hier is geen school,' zei hij triest.

'Natuurlijk wel.' Allie glimlachte. 'Overal zijn scholen.'

Wyatt keek haar medelijdend aan, alsof hij dacht dat ze gek was geworden. 'Hier zijn alleen maar bomen.' Hij draaide zijn lijfje en keek door een van de vele ramen van het huisje.

Allie onderdrukte een glimlach. 'Dat is waar. Er zijn hier veel bomen. En je hebt gelijk dat er geen school in dit bos is.' Ze trok hem in haar armen en gaf hem een zoen op zijn hoofd. 'Maar er is een school in Butternut. Ik heb je al van alles verteld over Butternut, het stadje waarnaar dit meer is genoemd. Het is maar vijftien minuten met de auto. We gaan er morgenochtend naartoe en dan neem ik je mee naar Pearl's, een eethuisje. Als het nog open is, en dat hoop ik wel, dan bestel ik de lekkerste bosbessenpannenkoeken aan deze kant van de Mississippi. Wat zeg je daarvan?'

Wyatt zei helemaal niets. Hij slaakte alleen een vermoeide zucht.

11

'Tijd om naar bed te gaan,' zei Allie opgewekt. Misschien een beetje te opgewekt. Ze vocht tegen het inmiddels vertrouwde schuldgevoel. Het gevoel dat ze Wyatt tekortdeed, dat ze niet de moeder was die hij nodig had. Gedane zaken nemen geen keer, hield ze zichzelf voor. Ze waren nu hier en daar moest ze het beste van zien te maken. Dus hielp ze hem zijn pyjama aantrekken. En keek ze toe terwijl hij zijn tanden poetste. Er was nog even een moment van spanning toen ze de kraan in de badkamer opendraaide. Er klonk een alarmerend gegorgel en toen kwam er met veel gesputter smerig bruin water uit. Maar na een paar seconden was het water weer helder. En Wyatt was gelukkig te moe om door te hebben dat er iets niet in orde was.

Ze deed natuurlijk haar uiterste best om hem af te leiden en voerde een langdurig, eenzijdig gesprek over alles wat ze die zomer zouden gaan doen: vissen vanaf de pier, zwemmen in het meer en peddelen in de kano.

Tegen de tijd dat ze Wyatt naar zijn slaapkamer bracht, was hij redelijk tevreden. Het was de kamer van Allie geweest in de tijd dat ze haar jeugd aan het meer doorbracht. En ze zag tot haar genoegen dat hij net als de rest van het interieur opmerkelijk goed bewaard was gebleven. Het was een klein kamertje met een steil aflopend plafond en grenen meubels vol knoesten. Op de vloer lag een kleurig gevlochten kleed, op het bed lagen vrolijke rood met wit geblokte dekens die pasten bij de gordijnen en er stond een lamp met een kap van wasdoek, die een zachte gloed over het geheel wierp.

Allie werd overvallen door nostalgische gevoelens toen ze weer in deze kamer stond. Maar voor Wyatt betekende die helemaal niets, bedacht ze. Wat hem betrof konden ze net zo goed de nacht doorbrengen in een motelkamer. Dus keek hij met plechtige afstandelijkheid toe hoe ze het raam openzette, schone lakens op het bed legde en het nachtlampje dat ze gelukkig in de tas had gedaan in het stopcontact stak.

Toen ze hem instopte, probeerde ze hem gerust te stellen en de onbekende plek wat vertrouwder te doen lijken. 'Wyatt, wist je dat ik als kind ook in deze kamer heb geslapen?' vroeg ze terwijl ze op de rand van zijn bed ging zitten.

Hij schudde zijn hoofd.

'Nou, het is zo. En weet je wat het leukste van deze kamer is?'

Weer schudde hij zijn hoofd.

'Dat zal ik je vertellen,' zei ze. 'Als je 's morgens wakker wordt, kun je vanuit het raam het meer zien. Nu niet, want er is vanavond geen maanlicht. Maar als je morgenochtend door het raam kijkt, lijkt het meer zo dichtbij dat je het aan kunt raken. En op mooie dagen is het water blauwer dan je ooit hebt gezien.'

Hij keek sceptisch naar het zwarte raam boven zijn bed.

'Het is er echt,' verzekerde Allie hem. 'Je zult het fantastisch vinden.'

Ze stak haar hand uit en probeerde zijn hopeloos verwarde bruine krullen glad te strijken. Ze gaf het al snel op. Het was onbegonnen werk. Het gebaar leek hem echter gerust te stellen. Hij zuchtte en zijn ogen gingen langzaam dicht. Ze wachtte tot hij in slaap zou zijn gevallen.

Maar een paar tellen later deed hij zijn ogen weer open. Hij leek opeens klaarwakker. 'Mam?' vroeg hij met een bezorgd gezicht.

'Ja.' Ze streelde nog eens zijn haar.

'Wat als papa me hier niet kan zien?' vroeg hij zachtjes. Zo zachtjes dat Allie zich naar hem toe moest buigen om hem te verstaan.

Bij het woord 'papa' voelde ze de bekende spanning in haar borst. Maar ze dwong zichzelf hem recht aan te kijken. 'Wat bedoel je daarmee, dat hij je hier niet kan zien?' vroeg ze.

Hij kronkelde een beetje onder de dekens. 'Nou, je zei dat hij altijd over me zou waken. Nu zijn we niet meer thuis, maar hier. Hoe weet hij dan waar hij me moet zoeken?'

Allie voelde hoe haar ogen vol tranen schoten. Ze knipperde ze weg, vastbesloten om niet te gaan huilen. Niet waar Wyatt bij was, in elk geval. Ze had er later nog tijd genoeg voor, als hij in slaap was gevallen.

'Wyatt, hij weet altijd waar je bent, waar je ook heen gaat,' legde Allie uit. 'Daar hoef je je geen zorgen over te maken.'

'En hij kan me altijd zien?' drong Wyatt aan.

'Altijd,' zei Allie met een glimlach.

Hij kronkelde weer even. 'Zelfs als ik stout ben?' vroeg hij.

Nu was het Allies beurt om te fronsen. 'Hoe bedoel je, als je stout bent?'

'Nou, weet je nog toen Teddy bij ons was en toen we die kikker hadden gevangen?' vroeg hij, plotseling geanimeerd. 'En toen we hem in de wasbak in de waskamer hadden gezet? Zodat hij daar kon wonen. Alleen had ik dat jou niet verteld. Omdat ik niet dacht dat ik hem daar zou mogen houden. En toen vond je hem toch. En je werd kwaad. Zag hij me toen ook? Want als dat zo is, was hij misschien ook wel boos op me.' Hij liet zich een beetje buiten adem terugvallen op het kussen.

Allie schudde heftig haar hoofd, nog steeds vechtend tegen de tranen. 'Nee, Wyatt. Hij was niet boos op je. Helemaal niet. En ik ook niet. Niet echt. Ik was alleen een beetje... verbaasd toen ik die kikker vond, dat is alles.'

Ze glimlachte toen ze zich iets herinnerde. 'Weet je, Wyatt, je vader heeft nog veel stoutere dingen gedaan toen hij klein was. Ik zal je daar wel eens wat over vertellen, oké?'

Hij knikte, duidelijk opgelucht.

'En Wyatt? Zullen we van nu af aan zeggen dat papa alleen naar je kijkt als dat nodig is? Ik bedoel, hij zal er altijd voor je zijn. Maar hij hoeft je niet elke minuut in de gaten te houden. Hij weet dat je nu een grote jongen bent. Hij weet dat je meestal wel op jezelf kunt passen.'

Wyatt knikte weer, dit keer slaperig. En Allie nam zich voor in de toekomst beter op haar woorden te letten, nu ze gemerkt had hoe letterlijk Wyatt alles nog opnam.

Hij kroop dieper onder de dekens en Allie keek door het raam. Ze zag de opening tussen de bomen waar het meer moest zijn. Het was te donker om het water te zien, maar haar blik gleed langs de plek waar ze wist dat de oever zich moest bevinden. Ongeveer een kilometer verderop, aan de overkant van de baai, zag ze een verlichte steiger. Ze fronste. Waar een steiger was, moest een huis zijn en waar een huis was, moesten buren wonen. De vorige keer dat ze hier was, waren er geen buren geweest. Haar familie had het hele meer voor zichzelf gehad.

Ze zuchtte. Ze had moeten weten dat ook hier dingen veranderd zouden zijn. Zelfs in Butternut in Minnesota stond de tijd niet stil. Maar buren? Die pasten niet in haar plan. Ze had naar een plek willen gaan waar geen buren waren. In elk geval niet te dichtbij.

Ze dacht aan de buren in Eden Prairie. Ze hadden geprobeerd haar te helpen. Ze hadden haar en Wyatt een eindeloze reeks ovenschotels gebracht. Ze hadden de bladeren weg geharkt, sneeuw geruimd op hun oprit en het gras gemaaid. En ze had er nooit om hoeven vragen.

Ze wist dat ze dankbaar moest zijn. En dat was ze ook, tot op zekere hoogte. Maar ze vroeg zich toch af of het niet gemakkelijker geweest zou zijn om alleen te zijn met haar verdriet. Om niet het gevoel te hebben dat je een bezienswaardigheid was geworden. Iemand naar wie mensen heimelijk keken in de supermarkt of die haar een beetje verlegen aanspraken in de speeltuin.

Uiteindelijk waren de mensen er natuurlijk aan gewend geraakt dat ze weduwe was, maar de nieuwigheid maakte plaats voor iets ergers. Toen kwamen de zinspelingen, soms van familie en vrienden, soms van terloopse kennissen, zinspelingen dat het misschien tijd werd om verder te gaan met haar leven, om zich eroverheen te zetten. Ze was nog jong, merkten ze op. Er was geen enkele reden om te denken dat ze geen andere man zou kunnen vinden. En misschien zelfs nog een kind zou kunnen krijgen.

Niet de medelijdende blikken, maar dit soort opmerkingen bleken voor Allie het breekpunt te zijn. Toen ze ze steeds vaker hoorde, wist ze dat het tijd was om weg te gaan.

Op de rand van Wyatts bed bewoog ze even haar schouders in een poging iets van de uitputting die haar had overvallen af te schudden. Ze bleef nog een tijdje zitten luisteren naar Wyatts ademhaling. Die had nu het regelmatige ritme van de slaap. Voorlopig was hij onder zeil, wist ze. Hij werd zelden wakker als hij eenmaal lekker sliep. Ze deed het licht uit en verliet de kamer, maar liet de deur openstaan. Dan kon ze hem vanuit haar slaapkamer aan de overkant van de gang horen als hij haar nodig mocht hebben.

Ze maakte het bed in haar kamer op, trok een hemdje en een pyjamabroek aan en poetste haar tanden. Pas toen ze in bed lag en het lampje naast haar bed uitdeed, stond ze stil bij wat ze nu eigenlijk gedaan had. Ze had hun huis verkocht, het enige thuis dat Wyatt ooit had gekend. Ze had het grootste deel van hun spullen laten opslaan. En ze had haar broer zijn aandeel uitbetaald in het huisje aan het meer dat ze van hun ouders hadden gekregen, die tegenwoordig in een woongemeenschap voor gepensioneerden in het zuiden van Florida woonden.

En nu was ze teruggekeerd naar een plek waar ze in geen jaren geweest was. Een plek waar ze sinds haar kindertijd nooit meer een hele zomer had doorgebracht. Ze had hier geen familie. Niemand die ze een vriend kon noemen. De paar vrienden die ze hier had gehad, waren waarschijnlijk allang verhuisd. Ze wist dat ze hier niets te zoeken had. En Wyatt ook niet. En dat deed de vraag rijzen waarom precies ze besloten had om terug te komen.

Ze hoorde een geluid in de verte, spookachtig maar vertrouwd. Ze had het in lange tijd niet gehoord, maar na de eerste keer vergat je het nooit meer. Het was het geluid van huilende coyotes. Geen onbekend iets in de bossen van noordelijk Minnesota, maar ook niet echt geruststellend. Er ging een rilling van angst door haar heen, ook al wist ze dat ze veilig waren in het huisje. Maar de vermoeidheid deed zich al snel gelden, ook al nam die de angst niet helemaal weg. Ik lijk wel gek, dacht ze toen ze in een onrustige slaap viel. Waarom dacht ik dat het een goed idee was om hiernaartoe te verhuizen?

2

Die avond om een uur of elf, toen Walkers mobiele telefoon ging, was hij niet meer te genieten. Hij keek naar het schermpje. Het was zijn broer Reid, de laatste met wie hij op dat moment wilde praten. Maar behalve zijn broer was Reid ook zijn zakenpartner. En nog een veeleisende zakenpartner ook. Het was niet verstandig om de telefoon niet op te nemen als hij belde.

Hij pakte het toestel en drukte op de knop. 'Wat is er?' gromde hij bij wijze van begroeting.

'Jezus, Walk, neem jij tegenwoordig zo de telefoon op?' vroeg Reid vriendelijk.

'Het is elf uur in de avond,' merkte Walker op, en hij leunde achterover in zijn leren bureaustoel. 'We hebben het hier eerder over gehad, Reid.' Hij masseerde zijn slapen, want hij voelde hoofdpijn opkomen. 'Weet je nog? Jij mag dan vierentwintig uur per dag werken, ikzelf ben meer iemand voor werkuren van acht tot acht.'

'Dat kan best wezen.' Reid klonk vaag afkeurend. En ondanks zijn slechte bui voelde Walker zijn mondhoek geamuseerd omhooggaan. Alleen een workaholic als Reid zou een twaalfurige werkdag iets voor luiaards vinden. 'We zullen de fouten in je karakter maar even buiten beschouwing laten,' ging Reid verder. 'Ik heb vanavond de laatste hand gelegd aan de boeken van de Butternut Boatyard.' Hij zweeg om de spanning te laten oplopen.

'En?' Walker wilde dat Reid zou opschieten. Hij was op dit moment niet in de stemming om over zaken te praten.

'Het is je gelukt,' zei Reid eenvoudig. 'Je zei dat je vijf jaar nodig had om de werf weer op poten te krijgen. Je hebt het in drie jaar gedaan. Gefeliciteerd.'

Er viel een lange stilte, waarin hij wachtte op Walkers reactie. Walker gaf geen antwoord.

'Hé, Walk, ik dacht dat dit goed nieuws was.'

'Dat is het ook,' zei Walker ten slotte. 'Natuurlijk is het goed nieuws. Ik heb gewoon een pesthumeur.'

'Ja, daar was ik al achter,' zei Reid. 'En zal ik je eens wat vertellen? Ik kan het je niet kwalijk nemen. Als ik in Butternut woonde, met zijn twaalfhonderd zielen, zou ik ook in een pesthumeur zijn. Echt, Walk, wat doe je daar in je vrije tijd?'

'Welke vrije tijd?' vroeg Walker. Het was niet echt grappig bedoeld.

'Walk, zelfs ik heb vrije tijd,' merkte Reid op. En we weten allebei wat je daarmee doet, dacht Walker. Achter de vrouwtjes aan zitten. En je krijgt ze vaak nog te pakken ook.

'Als je het echt wilt weten, Reid, ik vis,' zei Walker. 'Dat is heel therapeutisch. Je zou het ook eens moeten proberen. Je kunt wel wat therapie gebruiken.'

Die opmerking negeerde Reid. 'Hoor eens, Walk, ik bel niet alleen om je te feliciteren met de werf. Ik wilde ook nog iets anders met je bespreken.'

Walker verstrakte. Ze wisten allebei wat dat andere was.

'Ik vind dat je terug moet komen naar Minneapolis,' zei Reid zonder Walker de kans te geven iets te zeggen. 'Je bent hier op het hoofdkantoor nodig. We hebben afgesproken dat je in Butternut zou blijven zo lang als nodig was om de werf weer overeind te krijgen. Nou, dat heb je gedaan. Meer nog zelfs. Die werf is niet langer een verliespost, maar een van de winstgevendste ondernemingen die we hebben. Je moet hetzelfde doen met een andere werf. En daarna nog een. Niemand is beter in de dagelijkse leiding dan jij, Walk. Zelfs ik niet.'

Dat was wel heel veel lof. En ze wisten het allebei. Maar Walker gaf geen antwoord.

Reid gooide het over een andere boeg. 'Echt, Walk, ik snap niet hoe je daar het hele jaar kunt wonen. Ik bedoel, het is er mooi, dat geef ik toe. En je hebt het volste recht om trots te zijn op het huis dat je gebouwd hebt. Maar je bent alleen. Je bent in de bloei van je leven. En je woont op een plek waar de vrijdagse bingo bij de veteranenclub het hoogtepunt van de week is. Bovendien heb je me zelf verteld hoe competent je bedrijfsleider is. Geef hem de leiding en kom terug naar de Twin Cities. Dan kun je nog steeds in het weekend naar Butternut gaan en naar hartelust vissen. Of zelfs een paar rondjes bingo spelen.'

Walker zuchtte. De hoofdpijn liet zich nu in volle hevigheid gelden en zijn slapen klopten. 'Reid, kunnen we het daar een andere keer over hebben?'

'Nee, dat kan niet. Dat kan niet omdat ik hier al heel lang over wil praten. Ik heb geprobeerd je te helpen, Walk, zelfs tijdens je... huiselijke experiment...'

Walker viel hem in de rede. 'Dus zo noemen we mijn huwelijk inmiddels? Een huiselijk experiment?'

'Noem het zoals je wilt,' zei Reid. 'Het werkte niet. En erg verrassend is dat niet als je nagaat dat het huwelijk van onze ouders onze eerste kennismaking was met het hele concept.'

Walker trok een gezicht. Zijn broer had gelijk. Het huwelijk van hun ouders was een puinhoop geweest en meer dan genoeg om hen allebei een levenslange angst voor de huwelijkse staat te bezorgen. Iets wat ten koste van alles vermeden moest worden, wisten ze allebei. Walkers korte en vergeefse poging het eens uit te proberen had hen niet op andere gedachten kunnen brengen.

'Hoor eens, Reid, ik bel je morgen wel,' zei Walker.

'Walk, ik moet een antwoord van je hebben.'

'Later.'

'Nu,' drong Reid aan.

'Ik geloof dat de verbinding wegvalt,' loog Walker. 'Er is storm op komst.'

'De verbinding valt helemaal niet weg...' begon Reid. Maar het was al te laat. Walker brak het gesprek af, klapte de telefoon dicht en liet hem op het bureau vallen. Reid zou boos zijn, maar daar kwam hij wel overheen. Het was niet de eerste keer dat Walker de hoorn op de haak gooide. En het zou ook wel niet de laatste keer zijn.

Hij verliet zijn werkkamer en ging naar de keuken om een koud biertje uit de koelkast te pakken. Toen liep hij door naar de woonkamer en duwde de glazen schuifdeur open die toegang gaf tot het terras. Het was buiten pikkedonker. Hij keek op naar de hemel. Voorzover er een maan was, werd het licht daarvan onderschept door een nevelige laag wolken. Hij stak zijn hand naar binnen en deed de buitenlampen aan. Toen liep hij naar de rand van het terras, vanwaar hij het zwarte oppervlak van het meer kon zien, en hij draaide de dop van zijn bierflesje. Hij ging op een houten terrasstoel zitten, dronk langzaam zijn bier en zette het lege flesje op het terras. Hij dacht erover er nog een te halen, maar weerstond de verleiding. Het had geen zin zijn ergernissen te verdrinken in bier. Vooral niet omdat die niet eens door Reid werden veroorzaakt. Eigenlijk voelde hij zich inmiddels een beetje schuldig omdat hij het gesprek had afgebroken.

Nee, hij had al voordat Reid belde een rothumeur gehad.

21

En dat allemaal door een in wezen onschuldig stukje stof dat hij die middag had gevonden.

Hij had een doos met hengelspullen van de bovenste plank van een kast in de gang gehaald en had daar iets anders gevoeld. Iets wat onwaarschijnlijk zijdezacht was. Hij zag pas wat het was toen hij het naar beneden had getrokken, en toen was het al te laat. Hij had naar het voorwerp in zijn handen staan staren, tegelijkertijd gefascineerd en vol afkeer. Het was een nachtjaponnetje met veel kant. Het kanten nachtjaponnetje van zijn ex-vrouw Caitlin, om precies te zijn.

Toen hij eenmaal besefte wat het was, had hij geprobeerd het alleen met zijn vingertoppen aan te raken. Alsof hij zich eraan zou branden als hij de stof te stevig vasthield. Dat was belachelijk, dat wist hij best. Het was een stuk stof, geen talisman met bovennatuurlijke krachten. Toch moest hij zichzelf dwingen het voorzichtig omhoog te houden, zodat hij het kon bekijken.

Hij had zich dat stukje lingerie niet herinnerd. Maar Caitlin had zoveel van die kanten niemendalletjes gehad. Hoe onpraktisch ze ook waren in de lange winters in het noordelijk gelegen Minnesota. Ze had beter een hooggesloten flanellen nachthemd met lange mouwen kunnen aanschaffen. Maar nee. Ze was nooit erg praktisch ingesteld geweest. Maar hoe dit ding, dit witte negligeetje met kant aan de hals en de zoom, hier was blijven liggen, was hem een raadsel.

Even had hij gedacht dat ze het daar met opzet had achtergelaten. Op een plek waar hij het niet zou verwachten. Maar dat vond hij toch niet erg waarschijnlijk. Je kon veel van Caitlin zeggen, maar niet dat ze gemeen was. Of kwaadaardig. Trouwens, tegen de tijd dat ze was vertrokken, was ze zo boos op hem geweest dat ze zeker niets van zichzelf zou hebben willen achterlaten.

Nee, besloot hij, waarschijnlijk had Maggie, de vrouw die eens per week uit het stadje kwam om hier schoon te maken, het ding gevonden. Tactisch als ze was had ze het ergens neergelegd waar ze dacht dat hij het niet zou vinden. In elk geval voorlopig niet.

Nu hij het had gevonden, had hij geen idee wat hij ermee aan moest. Hij dacht erover het weg te gooien, maar dat zou betekenen dat hij geen enkel respect meer had voor Caitlin. Ook al was het tussen hen slecht afgelopen, hij droeg haar geen kwaad hart toe. Hij dacht erover het haar te sturen, maar dat idee liet hij ook al snel varen. Hij had haar adres niet. En al had hij het gehad, hoe moest je je ex-vrouw haar negligé sturen? In een verder lege envelop zonder afzender erop? Of verpakt in tissuepapier met een vriendelijk briefje? Iets in de trant van: ik denk dat je dit bent vergeten in te pakken toen je midden in de nacht hysterisch tegen me stond te krijsen en al je kleren in koffers stond te smijten?

Uiteindelijk legde hij het terug waar hij het gevonden had, op de bovenste plank van de gangkast. Als hij genoeg oude kleren had om ze weg te geven aan een goed doel, deed hij de nachtjapon er wel bij. Voorlopig kon hij er niets mee. Het kledingstuk was uit het zicht verdwenen, maar niet uit zijn gedachten.

Er kwam een briesje van het meer dat ritselde in de takken van de grote pijnbomen die boven zijn terras uittorenen, en Walker ademde langzaam uit. Hij voelde zijn hoofdpijn iets afnemen. Hij wist dat Reid niet begreep waarom hij hier woonde. Zeker niet permanent. En Reid had gelijk. Het was ook helemaal niet nodig dat hij hier bleef. Hij kon gemakkelijk zijn tijd verdelen tussen Butternut en Minneapolis. Hij had hier ook geen huis hoeven bouwen, want hij had het appartement boven het kantoor kunnen betrekken. Dat zou net zo comfortabel of zelfs comfortabeler zijn geweest dan veel plekken waar hij de laatste paar jaar had gewoond.

Maar waar Reid zijn toevlucht zocht in losse vriendinnetjes en seks, vond Walker die hier. In dit stadje, aan dit meer, en in dit huis. En dat begreep Reid niet.

Er werd geroddeld in dit stadje, dat was waar. Het gold voor de meeste kleine plaatsjes. Walker hoefde er geen enkele moeite voor te doen om meer te weten te komen over de inwoners dan hij wilde weten. Maar nadat zijn vrouw was vertrokken, had hij ervoor gezorgd nergens persoonlijk bij betrokken te raken.

En als hij niet aan het werk was op de werf, was hij hier, in een huis dat hij zelf had ontworpen en gebouwd aan een van de meest ongerepte meren in het noorden van Minnesota. Daardoor had hij verdere complicaties in zijn leven vermeden. Hier bevond hij zich in de vrije natuur met overal wilde dieren om zich heen. Er waren kilometerslange paden waarover hij kon wandelen en in het meer, dat ruim twintig kilometer lang was en bijna veertig meter diep, lagen tientallen met pijnbomen begroeide eilandjes die verkend konden worden. En al die natuurlijke schoonheid was vrij van ingewikkelde relaties, stomme misverstanden en verhitte discussies. Hij had hier met niemand iets te maken en dat beviel hem prima.

Maar hij was ook weer geen monnik. Dat niet. Hij had een appartement in Minneapolis en als hij daar voor zaken naartoe moest, sprak hij af met een vrouw die hij al kende sinds zijn studietijd. Net als bij hem stond bij haar het werk op de eerste plaats. En ze had net als hij geen belangstelling voor een langdurige relatie. De tijd die ze samen doorbrachten was kort, leuk en ongecompliceerd. Zo'n beetje volmaakt, dus.

Toen hij zijn hand uitstak om zijn lege bierflesje te pakken, ging zijn blik over de tegenoverliggende oever van het meer. Ze bleef hangen bij een onbekend lichtje, vaag zichtbaar tussen de bomen door. Hij probeerde zich te herinneren wat daar was. Hij kende dit meer inmiddels als zijn broekzak.

Maar daar was niets. Niet echt. Alleen een vervallen huisje. Hij had aangenomen dat het leegstond. En er waren ook nog een half ingestorte steiger en een botenhuis. Hij had nooit gezien dat daar iemand verbleef. Niet sinds hij zijn eigen huis gebouwd had. Misschien hadden plaatselijke tieners de plek ontdekt om bier te kunnen drinken en te kunnen vrijen buiten het zicht van waakzame ouders, dacht hij. Dat zou het wel zijn. Hij ging zijn huis weer in. Niemand zou zo gek of zo dapper zijn om daar te gaan wonen.

3

'Wyatt, kijk, het is er nog,' zei Allie de volgende morgen opgewonden, en ze trok haar zoon mee om Main Street over te
steken. Voor het eerst sinds ze bij het huisje waren gearriveerd,
voelde ze iets van optimisme. Dit was een goed teken, vond
ze. Pearl's was er nog. Het eethuisje was nog steeds open. En
voorzover zij kon zien, zag het er nog precies zo uit als in haar
jeugd. Dezelfde rood met wit gestreepte luifel, merkte ze tevreden op. Hetzelfde met de hand geschreven bord, waarop
DE BESTE TAART IN DE STAD aangeprezen werd. En ze zag door
het raam hetzelfde buffet met formicablad en dezelfde oranje
draaikrukken.

Maar toen ze op de stoep voor het eethuisje stonden, aarzelde Wyatt. Allie kneep bemoedigend in zijn hand.

'Heb je honger?' Ze glimlachte naar hem. Hij knikte. 'Mooi,
want ik rammel. En we kunnen hier bij Pearl's iets eten of genoegen nemen met het blik witte bonen in tomatensaus dat
ik vanmorgen achter in het keukenkastje heb gevonden.' Ze
wachtte op antwoord. Hij keek bezorgd door de glazen deur
naar binnen. Dit was nieuw, besefte ze met een flits van bezorgdheid. Die onwilligheid om onbekend terrein te betreden.

'Nou, wat wordt het?' drong ze aan. Ze liet zijn hand even los om door zijn haar te woelen.

'Hier,' zei hij gelaten. Veel te gelaten voor een kind van vijf, dacht Allie.

Ze duwde de glazen klapdeur open en trok Wyatt zachtjes mee.

Eenmaal binnen voelde Allie zelf ook een onverwachte verlegenheid. Ze knikte beleefd tegen de klanten die opkeken van hun gesprekken of hun kranten, maar haar wangen waren vuurrood. Het was lang geleden dat ze hier een vreemde was geweest. Ze nam Wyatt mee naar het buffet en tilde hem op een van de lege krukken. Achter het buffet stond een knappe, roodblonde vrouw van een jaar of veertig gemalen koffie in een groot koffiezetapparaat te scheppen.

'Ik kom eraan,' zei ze met een glimlach.

'We hebben geen haast.' Allie pakte een menu. Ze bood aan het aan Wyatt voor te lezen, maar hij had ontdekt dat hij zijn kruk helemaal rond kon draaien en zette zich met een zeldzame glans van opwinding in zijn ogen met twee handen af tegen het buffet om een rondje te maken.

Allie glimlachte nerveus tegen de vrouw achter het buffet. 'Hij heeft gisteren bijna de hele dag achter in een auto gezeten,' legde ze uit. Maar de vrouw richtte haar blauwe ogen op Wyatt en glimlachte alleen maar.

'Er hebben al drie generaties kinderen rondgedraaid op die krukken,' zei ze terwijl ze een schakelaar op het koffiezetapparaat overhaalde. 'En met een beetje geluk komen daar nog drie generaties bij.'

Allie wilde iets zeggen, maar sloot haar mond weer. De vrouw keek haar fronsend aan. 'Niets zeggen,' mompelde ze. 'Het ligt op het puntje van mijn tong... Allie Cooper,' zei ze toen triomfantelijk. 'Jouw familie heeft een huisje aan Butternut Lake.'

'Inderdaad.' Allie werd rood van verbazing. 'Hoe wist je dat?'

'Ik vergeet nooit een gezicht.' De vrouw haalde een potlood en een aantekenblokje tevoorschijn. 'Hoewel ik dat eerlijk gezegd af en toe wel zou willen. Het gezicht van mijn ex-man, bijvoorbeeld. Dat is er nu eens een dat je beter kunt vergeten.' Ze klonk echter niet bitter. Eerder nuchter. 'Ik vergeet wel gezichten,' moest Allie bekennen. 'En ook namen.'

'Nou, ik kan ook niet verwachten dat je mij nog kent.' De vrouw haalde haar schouders op. 'Je was nog maar een klein meisje toen je vader hier met je kwam ontbijten. Ik was een tiener. En dit was de laatste plek waar ik op een zomerdag wilde zijn. Tafels afnemen terwijl al mijn vrienden bij het meer zaten.'

Natuurlijk, dacht Allie met een inwendige zucht van opluchting. Ze wist weer wie de vrouw was. Volgens haar heette ze Caroline. Haar grootmoeder Pearl had de kassa bemand. Haar moeder Alice had bestellingen opgenomen en haar vader Ralph had achter het fornuis gestaan. Allie moest de jaren wegdenken uit haar gezicht en haar middelbare warmte vervangen door de norsheid van een tiener, maar ze zag voor zich hoe ze toen was geweest en hoe ze met een verveeld, licht geërgerd gezicht de tafels had afgeruimd.

'Jij bent Caroline. Caroline Bell,' zei Allie.

'Dat is mijn meisjesnaam. Tegenwoordig heet ik Caroline Keegan. Ik heb mijn man niet gehouden,' zei ze met een glimlach, 'maar wel zijn achternaam.'

'Nou, ik heet ook geen Allie Cooper meer,' legde Allie uit. 'Mijn achternaam is nu Beckett. En dit is Wyatt,' voegde ze er met een gebaar naar Wyatt aan toe, die nog steeds rondjes zat te draaien.

'O, ja,' zei Caroline. 'Ik had gehoord dat je was getrouwd. Je broer kwam een paar jaar geleden hier vissen met vrienden en toen heeft hij me helemaal bijgepraat over hoe het met jullie allemaal ging.'

'Ik ben inderdaad getrouwd.' Allie keek snel of Wyatt nog steeds opging in zijn rondjes op de kruk. 'Maar...' Ze zweeg even. Dit was het moeilijkste, om het aan mensen te vertellen die het nog niet wisten. O, wie hield ze nu eigenlijk voor de gek? Het was allemaal even moeilijk.

'Mijn man zat bij de National Guard van Minnesota,' zei ze eindelijk. 'Hij is twee zomers geleden naar Afghanistan gestuurd en...' Ze viel weer stil. Ze kon niet verder vertellen. 'En hij is niet teruggekomen.' Caroline maakte de zin met zachte stem voor haar af. 'Wat erg voor je, meid.'

Allie schudde haar hoofd en vocht tegen de tranen.

Zonder nog iets te zeggen, draaide Caroline de lege koffiekop op het buffet voor Allie om en vulde hem uit een stomende pot hete koffie. Toen duwde ze Allie het kopje toe, samen met melk en suiker.

'Ik zal jullie bestelling opnemen,' zei ze kameraadschappelijk. 'Maar het eten kan nog niet meteen worden klaargemaakt. Frankie, mijn kok, is bezig met de airconditioning. Die is uitgevallen. En ik hoef je niet te vertellen dat dit een erg slecht moment is, want volgens de weerberichten krijgen we een hittegolf.'

Allie knikte en nam een slokje koffie. Ze was Caroline dankbaar dat ze over iets anders was begonnen. Dat was een kunst die weinig mensen meester waren, had ze gemerkt.

'O, daar is Frankie net,' zei Caroline toen een enorme man zich achter het buffet wrong. Wyatt kreeg hem in het oog en hield abrupt op met draaien. Hij keek met grote ogen toe terwijl Frankie zijn handen waste aan een diepe wasbak, ze afdroogde, een enorm schort van een haak aan de muur haalde en het om zijn omvangrijke middel bond.

'Frankie, pannenkoekjes voor tafel drie en tafel zeven wil de ontbijtspecial met spiegeleieren,' zei Caroline opgewekt.

Frankie knikte en draaide zich om naar het fornuis, maar Wyatt bleef naar zijn rug staren. Caroline zag hem kijken en glimlachte. Ze boog zich over het buffet en zei zachtjes tegen Allie en Wyatt: 'Frankie is een meter achtennegentig lang en bestaat uit honderdzestig kilo spieren. Maar hij is de zachtaardigste man die ik ooit heb gekend.' Ze voegde eraan toe: 'Ik heb nog nooit meegemaakt dat hij boos werd. Dat hoeft niet. Eén blik van hem en ongewenste klanten zijn meteen weg.'

Dat zal best, dacht Allie geamuseerd. Je kon net zo goed met je kop tegen een solide stenen muur aan lopen.

'Nou, wat willen jullie bestellen?' vroeg Caroline.

'Wyatt en ik willen allebei bosbessenpannenkoeken,' zei Allie.

'En ik wil een chocolademilkshake,' liet Wyatt zich horen.

'Niet bij het ontbijt,' corrigeerde Allie.

'Maar gisteren zei je dat ik er een mocht,' zei Wyatt vastbesloten.

'O, ja?'

Hij knikte. 'Toen we gisteren in de auto zaten, vertelde je over Pearl's. En toen zei ik: "Hebben ze ook chocolademilkshake?" En jij zei: "Ja, hoor." En ik zei: "Mag ik er een als we erheen gaan?" en jij zei: "Ja."'

'O.' Allie wist even niet wat ze moest zeggen.

'Weet je wat?' zei Caroline. 'Zal ik je een kleine milkshake geven, is dat een oplossing? Het is tenslotte wel tijd voor het ontbijt, en een jongen in de groei moet voedsel hebben dat een beetje aanzet.'

Wyatt dacht erover na. 'Oké,' zei hij eindelijk. 'Als hij maar niet te klein is.'

Caroline knipoogde tegen Allie, schreef de bestellingen op en scheurde het blaadje van het schrijfblok. Ze stak het in een clip boven het fornuis, op ooghoogte voor Frankie. Toen kwam er een klant naar het buffet om te betalen en liep ze naar de kassa.

'Jullie huisje staat aan Otter Bay, nietwaar?' riep ze tegen Allie.

Allie knikte verrast. Voorzover zij wist, was Caroline nog nooit bij hun huisje geweest. Maar ze was vergeten hoeveel mensen in kleine stadjes over elkaar weten. Zelfs de plek van een afgelegen huisje bleek geen geheim.

'Je hebt daar een nieuwe buurman,' zei Caroline terwijl ze de klant zijn wisselgeld gaf.

'Dat weet ik,' zei Allie met een lichte frons. Ze had Wyatt die ochtend meteen meegenomen naar de steiger en ze hadden het huis aan de overkant van de baai gezien. Het stond op een klip boven het meer en was zo ontworpen dat het leek alsof het boven het water zweefde. Het was heel modern en gestroomlijnd, met scherpe lijnen in licht hout en glas.

Onder het huis, aan het meer, stond een enorm botenhuis met minstens zes afmeerplekken erin, en een schijnbaar eindeloze pier stak ver het water in.

Allies krakkemikkige botenhuis en steiger boden een bijna komisch contrast met die van hun chique buurman aan de overkant. Het dak van het botenhuis was gedeeltelijk ingestort en er nestelden zoveel vogels tussen de blootliggende dakbalken dat er wel een hele kolonie roeken in leek te huizen. De steiger had zich helaas niet veel beter gehouden. Hij was half in het water gestort en slechts een deel ervan was nog zichtbaar boven het oppervlak.

'Jullie buurman heet Walker Ford,' zei Caroline, die weer langs het buffet liep en voor hen kwam staan. 'Hij heeft een paar jaar geleden de plaatselijke werf gekocht.'

'Echt waar?' vroeg Allie eerder beleefd dan enthousiast. Ze vond het maar niets om een buurman te hebben, en vooral niet iemand die kennelijk zo opzichtig met zijn bezittingen pronkte. Het feit dat hij eigenaar was van de werf verklaarde wel waarom hij zoveel boten had.

Caroline legde placemats voor hen neer en zette er boter en kannen siroop bij. 'Het is vast leuk om daar een buurman te hebben,' zei ze. 'En ik geloof dat ten minste één oude vriendin van je nog steeds hier is.'

'O, ja?' vroeg Alice verbaasd.

'Ja,' zei Caroline. 'Je herinnert je Jax Lindsey toch nog wel? Jullie waren vroeger dikke maatjes, toch?'

Natuurlijk herinnerde Allie zich Jax nog. Ze hadden elkaar ontmoet in de zomer dat ze allebei zestien waren en hadden vriendschap gesloten bij de make-upstelling van de plaatselijke drogist. Maar het was nooit bij haar opgekomen dat juist Jax hier nog zou wonen. Ze kwam uit een probleemgezin, en dat was mild uitgedrukt. Allie was er altijd van uitgegaan dat Jax zo ver mogelijk bij haar ouders vandaan zou willen als ze eenmaal uit huis ging.

'Niet te geloven dat zij nog hier is,' mompelde Allie.

'Nou, het is wel zo,' zei Caroline. 'Ze is in Butternut gebleven. Maar als ze hier geen aardige jongen was tegengekomen, Jeremy Johnson, was ze misschien wel vertrokken. Hoe dan ook, ze zijn getrouwd. Ze hebben de plaatselijke doe-het-zelfzaak overgenomen van Jeremy's ouders en hebben drie dochters. De vierde is onderweg.'

'Vier kinderen?' zuchtte Allie. Ze had vaak het gevoel dat ze er amper één aankon.

'Dat klopt,' zei Caroline. 'En bij haar lijkt het nog gemakkelijk ook.' Ze zuchtte hoofdschuddend. 'Ik heb één dochter. Daisy. Maar vier? Om eerlijk te zijn, heb ik groot respect voor Jax.'

'Hoe oud is Daisy?' vroeg Allie.

'Achttien,' zei Caroline. 'Ze gaat in september studeren. Ze heeft een volledige beurs gekregen voor de University of Minnesota. Ze is een paar weken geleden, toen het schooljaar was afgelopen, naar Minneapolis gegaan. Ze wil werken en sparen voor de school begint.'

'Lijkt een goed idee,' zei Allie.

'Dat is het zeker,' beaamde Caroline. 'Maar dat betekent niet dat ik haar niet mis,' voegde ze er een beetje triest aan toe. Ze draaide zich om, pakte twee borden bosbessenpannenkoeken van het aanrecht naast het fornuis en zette die voor hen neer. Vervolgens gaf ze Wyatt zijn chocolademilkshake. Die zat in een klein glas voor vruchtensap, maar er zat een stevige klodder slagroom op en daaroverheen was chocoladesiroop geschonken. Wyatt klaagde uiteraard niet. Hij pakte de milkshake meteen op en nam een paar grote slokken. Toen hij het glas leeg neerzette, had hij slagroom op zijn neus. Allie lachte en veegde de room weg met een servet.

'Niet slecht, hè?' vroeg Caroline met een glimlach. 'Ik moet een paar bestellingen opnemen.' Ze kwam achter het buffet vandaan. 'Genieten jullie maar van je ontbijt.'

'Dank je,' zei Allie. Ze pakte Wyatts bord met pannenkoeken en begon ze voor hem in stukjes te snijden. Ze was bang dat hij ze anders in hun geheel in zijn mond zou proppen. Haar eigen maag knorde hongerig. De laatste twee jaar had ze zichzelf vaak moeten dwingen om te eten. Maar dat was die ochtend niet nodig. Volmaakte bosbessenpannenkoeken konden misschien niet de wereldproblemen oplossen. En die van haar waarschijnlijk ook niet. Maar op dat moment zou je er bijna in kunnen geloven.

4

Walker was nog steeds humeurig toen hij de volgende morgen bij Pearl's op een kruk ging zitten en Caroline wenkte om een kop koffie. Ze stond een bestelling op te nemen aan een van de tafeltjes, maar keek op en knikte kort tegen Walker om duidelijk te maken dat ze zo bij hem kwam met een verse pot koffie. Hij wierp een blik op zijn horloge. Hij was laat voor een vergadering met een van de grootste toeleveranciers van de werf en ondanks de aspirientjes die hij had genomen voordat hij het huis verliet, voelde hij de hoofdpijn van de vorige avond nog steeds dof kloppen bij zijn slapen.

Maar hij was erin geslaagd het buffet te bereiken zonder een praatje te hoeven aanknopen met een van de vaste gasten, dacht hij. Hij had die morgen niet de energie en ook niet het geduld voor de kenmerkende volksaard van Butternut. Terwijl hij wachtte op zijn koffie, keek hij naar Frankie, de gigantische kok, die snel achter elkaar een paar eieren brak en de inhoud op de gloeiend hete bakplaat liet lopen. Hij verbaasde zich er nog steeds over dat zo'n reus van een vent zich zo sierlijk kon bewegen in zo'n kleine ruimte. Walker had hem nog nooit een onhandige beweging zien maken. Hij wist dat het gerucht ging dat Frankie gezeten had. Dat hij een zware straf had uitgezeten. Dat zou kunnen verklaren waarom hij zich thuis voelde in kleine ruimtes.

Hoe leuk Walker het ook vond om naar Frankie te kijken, zijn blik werd getrokken door iets aan zijn rechterkant. Drie krukken verderop zat een vrouw met een jongetje. Moeder en zoon, dat was duidelijk. Walker wist meteen dat ze niet in Butternut thuishoorden. Dan zou hij ze herkend hebben. Hij zuchtte. Was het mogelijk dat hij alle twaalfhonderd inwoners van Butternut kende, in elk geval van gezicht? Misschien had Reid gelijk. Misschien was het tijd om te vertrekken. Hij probeerde uit beleefdheid niet naar de andere mensen aan het buffet te kijken. Maar het lukte hem niet. Waarschijnlijk omdat hij zelfs van opzij kon zien hoe knap de vrouw was. Ze moest zijn blik hebben gevoeld, want ze draaide zich om en keek hem recht aan.

Hij zag dat hij het niet mis had gehad. Ze was knap. Buitengewoon knap. Maar op een volkomen onbewuste manier. Alsof ze niet wist dat ze knap was, of alsof het haar niet kon schelen. Geen van beide mogelijkheden kwam Walker erg waarschijnlijk voor, want volgens zijn ervaring wisten vrouwen of ze knap waren en kon het ze enorm veel schelen.

Deze vrouw had lang, honingblond haar dat recht op haar schouders viel, en hazelnootbruine ogen die opvielen tegen haar goudgetinte huidskleur. Ze glimlachte naar Walker, een beleefde maar ongeïnteresseerde glimlach, die Walker herkende. Zo glimlachte hij ook als hij niet onvriendelijk wilde lijken, maar ook niet aangesproken wilde worden. Daarna ging ze verder met het snijden van de pannenkoekjes van haar zoon.

Walker was nogal verrast. Dit was ongebruikelijk. Niet dat hij voortdurend belaagd werd door moeders van jonge kinderen, dat niet. Niet vaak, in elk geval. Maar ze waren ook nooit helemaal onverschillig. Zijn blik ging bijna onbewust naar haar ringvinger. Er zat een dunne gouden band om. Uiteraard.

Zo ver naar het noorden zag je niet vaak jonge alleenstaande vrouwen. Er viel hier niet veel te beleven. Tenzij je natuurlijk een verwoed hengelaar was.

Hij bleef zo onopvallend mogelijk kijken terwijl zij de pannenkoekjes in stukjes sneed en het bord naar haar zoon schoof. Leuk joch, dacht Walker. Hij was niet goed in het schatten van leeftijden, maar in zijn ogen was het kind ergens tussen de vier en de zes jaar. Hij had een bos bruine krullen en een lief, maar ernstig gezicht.

Hij viel hongerig op zijn pannenkoeken aan, in weerwil van de milde vermaningen van zijn moeder. Walker onderdrukte een glimlach. Hij moest het kind gelijk geven. Hij had die bosbessenpannenkoeken zelf ook wel eens gegeten. Ze waren echt verrukkelijk.

'Je ziet eruit alsof je wel een kop extra sterke koffie kunt gebruiken.' Opeens stond Caroline voor hem met de koffiepot.

'Dat klinkt goed.' Hij maakte zijn blik met moeite los van de vrouw en haar zoon.

'Hier opdrinken of meenemen?'

'Meenemen.' Walker keek nog eens op zijn horloge.

'Geen ontbijt?' Caroline pakte een van de kartonnen bekers van een stapel achter het buffet, vulde hem tot de rand en drukte er een plastic deksel op.

'Geen ontbijt,' bevestigde Walker.

Caroline fronste afkeurend, maar zei niets. Op haar nuchtere manier was ze net zo moederlijk voor haar klanten als de vrouw aan het buffet voor haar zoontje, dacht Walker. Caroline vond het maar niets als haar vaste klanten wegliepen zonder stevig ontbijt achter de kiezen. Maar na bijna drie jaar kende ze Walker goed genoeg om te weten dat ze hem niet kon dwingen iets te bestellen als hij niet in de stemming was om te eten.

Walker legde een biljet van vijf dollar op het buffet en stond op.

'Niet zo snel.' Caroline schoof de beker naar hem toe. 'Ik wil je voorstellen aan je nieuwe buren. Toevallig zijn die hier vanmorgen ook.'

'Mijn nieuwe buren?' herhaalde Walker niet-begrijpend. 'Ik heb geen buren.'

'Nu wel.' Caroline gebaarde naar de moeder en zoon die een paar krukken verderop zaten. 'Allie en Wyatt,' zei ze luid genoeg om hun aandacht te trekken. 'Dit is Walker Ford. Jullie enige buurman. Tenzij jullie natuurlijk de zwarte beren meetellen. Dat doe ik nooit,' voegde ze er met een knipoog naar Wyatt aan toe.

De vrouw aan het buffet draaide zich naar hen om. Ze keek niet blij. Ze keek zelfs overduidelijk niet blij. En dat was vreemd, dacht Walker. Hij had haar toch niet nu al reden gegeven om een hekel aan hem te hebben? Hij fronste. Het kwam niet vaak voor dat mensen, en vooral vrouwen, hem oninteressant of zelfs onaardig vonden.

Haar goede manieren kregen de bovenhand. Ze liet zich van de kruk glijden, trok haar zoon zachtjes mee en kwam Walker de hand schudden. Die van haar voelde zacht en glad in zijn eigen ruwe werkhand, en even wist hij niet wat hij moest zeggen. Het feit dat ze dicht bij hem stond, maakte de zaak er niet beter op, hoewel ze niet dichterbij was gekomen dan absoluut noodzakelijk om hem de hand te kunnen schudden. Ze liet haar zoon ook een handje geven.

'Ik ben Allie Beckett,' zei ze met dat neutrale glimlachje. 'En dit is Wyatt. We zijn gisteravond pas gekomen.'

'Ik zag al licht in jullie huis,' zei Walker, in de ban van haar hazelnootbruine ogen. Van dichtbij zag hij dat ze eigenlijk lichtbruin waren met donkergroene vlekken erin.

'Dat zal je wel verrast hebben,' zei Allie. 'Het is zo lang geleden sinds daar iemand geweest is.'

'Ik was inderdaad verrast,' moest Walker bekennen. 'Om eerlijk te zijn, wist ik niet dat dat huisje bewoonbaar was.'

Allie fronste en hij wist dat hij iets verkeerds had gezegd. De gouden tint van haar wangen werd overspoeld door een roze gloed, hoewel hij niet wist of dat van woede of van verlegenheid kwam. En het kon hem eigenlijk ook niet schelen. Door die extra kleur werd ze namelijk nog mooier dan ze al was.

'Nou, het is bewoonbaar, maar er moet wel iets aan gebeuren,' beaamde ze. 'En dat gaan Wyatt en ik doen, nietwaar jongen?' Ze trok haar zoon dichter naar zich toe. Hij knikte plechtig. 'Gelukkig zijn we niet bang om vuile handen te krijgen,' voegde ze eraan toe.

'Weet je zeker dat het niet gemakkelijker zou zijn om het af te breken?' vroeg Walker zonder erbij na te denken. Hij had moeite met denken. Helder denken, in elk geval.

'Afbreken?' herhaalde ze ontzet. Haar wangen werden nog roder. Zelfs hij kon nu zien dat ze boos was. Heel boos. 'Mijn opa heeft dat huisje zelf gebouwd,' zei ze. 'Stevig en solide. Niet voor het mooi, zoals sommige latere, meer opzichtige huizen aan het meer,' voegde ze er met enige nadruk aan toe. 'Maar dat was ook de bedoeling niet.'

Au, dacht Walker. Dat kwam aan. Heel even voelde hij iets van schaamte. Misschien omdat hij zichzelf tijdens de bouw ook had afgevraagd of het niet een beetje overdreven was om zo'n groot huis te bouwen aan dat meer.

Hij had geen zin het gesprek met boosheid te laten eindigen. Ze waren tenslotte buren.

'Is je man visser?' Hij wilde ergens anders over beginnen.

'Mijn man?' vroeg ze verrast.

Walker keek nog eens naar haar ringvinger. Daar zat toch duidelijk een trouwring om. Ze volgde zijn blik en keek naar het sieraad alsof ze het voor het eerst zag. Misschien had hij het mis en was het geen trouwring, dacht hij. Maar als dat zo was, zou ze hem waarschijnlijk niet aan de ringvinger van haar linkerhand hebben gedragen.

'Mijn man is er niet.' Ze keek weer naar hem op. En de manier waarop ze het zei, gaf hem het idee dat ze voorgoed uit elkaar waren. Geen onbekende situatie voor hem, hoewel er in zijn geval geen jonge kinderen bij betrokken waren. Dat moest de zaken wel ingewikkelder maken. Hij vroeg zich af of ze de ring droeg voor haar zoon. Misschien dacht ze dat hij van streek zou raken als ze hem afdeed.

'Het was prettig kennis te maken, meneer Ford,' zei ze nu, en Walker trok bijna een pijnlijk gezicht. Ze had het gezegd op dezelfde manier als ze gezegd zou hebben dat het prettig was om naar de tandarts te gaan. Hij keek haar na toen ze haar zoon mee terugnam naar hun krukken. Toen pakte hij zijn koffie en liep de deur uit.

'Dat ging goed,' mompelde hij in zichzelf toen hij in zijn pick-up naar de werf buiten het stadje reed. Hij hield zichzelf voor dat het niet uitmaakte of ze elkaar aardig vonden of niet. Het was misschien zelfs beter als dat niet zo was. Hij had geen behoefte aan buren en zij blijkbaar ook niet.

Waarom werd zijn humeur dan alleen maar slechter door hun ontmoeting, vroeg hij zich af. Hij had geen idee. Maar het was wel zo. En dat niet alleen, de rest van de dag merkte hij dat hij aan Allie Beckett en haar zoon dacht terwijl hij aan het werk zou moeten denken. Zijn kennismaking met hen had hem op een vreemde manier van zijn stuk gebracht.

Misschien had Reid gelijk. Misschien moest hij er nodig eens uit. Hij moest weg uit Butternut, besloot hij. Vrijdag ging hij naar Minneapolis. Een paar dagen in de stad zouden hem goeddoen. Daarna kon hij wel weer helder denken. En met een beetje geluk zou hij dan de nachtjapon die hij in de kast had gevonden, vergeten zijn. Hoe belachelijk het ook leek, Walker kon het idee niet van zich afzetten dat die vondst een slecht voorteken was, een voorloper van nog meer problemen.

5

Die avond om vijf uur was Allies eerdere optimisme volledig verdwenen. Zij en Wyatt zaten op de scheve trap van de veranda. Wyatt speelde met zijn Hot Wheels en zij sloeg lusteloos naar de muggen en vroeg zich af wat haar in godsnaam had bezield om hiernaartoe te verhuizen. Ze had nu al heimwee naar de knusse woning die ze hadden achtergelaten, vooral toen er nog een dakspaan plompverloren van het dak viel en maar net de trap miste waarop ze zaten.

Het deed haar denken aan wat haar nieuwe buurman, Walker Ford, die morgen over het huisje had gezegd. Zou het niet gemakkelijker zijn om het gewoon af te breken? Alles in haar was in opstand gekomen tegen die opmerking, maar de man had wel een punt. Hoewel het huisje een zekere vervallen charme bezat, begon het haar te dagen dat charme misschien niet genoeg was als je erin moest wonen.

Wyatt leek in elk geval tevreden. Hij stuurde een felrood autootje over een van de kromgetrokken treden en zorgde zelf waar nodig voor de geluidseffecten.

Het werd tijd om iets te eten voor hem te maken en hem in bad te doen, wist ze. Een verhaaltje voor te lezen. En verder te doen alsof alles normaal was en alsof ze geen afschuwelijke vergissing had begaan toen ze hun leven in een buitenwijk had opgegeven en met hem hiernaartoe was gegaan, naar een plek die opeens aandeed als het einde van de wereld.

Wyatt keek op van zijn spel. Iets had zijn aandacht getrokken. Het volgende moment besefte Allie wat het was. Het geluid van een auto die over het lange grindpad naar het huisje kwam rijden.

Ze kon zich niet voorstellen wie het zou kunnen zijn. Ze kende hier niemand. En de weinige mensen die ze inmiddels kende – Caroline Keegan en Walker Ford – zouden haar niet snel een bezoek brengen. Het volgende moment kwam er een rode pick-up in zicht. De wagen stopte en een tenger vrouwtje zwaaide het portier open en sprong lenig naar buiten.

'Jax?' zei Allie verbaasd. Ze stond op en liep haar tegemoet. Ze had Jax niet meer gezien sinds de zomer waarin ze zestien waren, maar op het eerste gezicht zag ze er nog precies hetzelfde uit. Ze was toen klein geweest en ze was nu nog klein. Amper een meter drieënvijftig lang en rond de vijfenveertig kilo, herinnerde Allie zich. Ze droeg haar gitzwarte haar nog steeds in een paardenstaart en haar ogen met de donkere wimpers eromheen waren nog steeds felblauw. Ze had zelfs nog dezelfde sproeten op haar wangen en over de brug van haar neus, net als toen ze tieners waren.

Maar toen Jax op haar afliep om haar te omhelzen, zag Allie dat er een groot verschil was tussen de Jax van vroeger en de Jax van nu. Jax was zwanger. Hoogzwanger.

'Wat leuk om je te zien,' zei Allie terwijl ze haar armen om Jax heen sloeg. En toen de harde ronde buik van Jax tussen hen te voelen was, hield Allie haar lachend op armslengte afstand om haar te bekijken. 'Wanneer ben je uitgerekend?' vroeg ze.

'Pas over drie maanden, dat is toch niet te geloven?' zei Jax met een zucht. 'Het komt doordat ik zo klein ben,' legde ze uit. 'Het gewicht van de zwangerschap kan nergens anders heen, dus zit het allemaal hier,' voegde ze eraan toe, en ze wees naar haar dikke buik.

'Dat kan wel zijn,' zei Allie, 'maar behalve het feit dat je zwanger bent, zie je er niet anders uit dan de laatste keer dat ik je zag.'

Jax haalde haar schouders op. 'Ik ben dertig, net als jij, Allie. Maar ik weet hoe jong ik eruitzie. Dat weet ik omdat alle oma's me altijd vuil aankijken als ik de kinderen meeneem naar de Kmart aan Highway 53. Je weet wel, "kinderen met kinderen", dat soort dingen.'

Allie lachte. Het was ongetwijfeld een hele schok voor die oma's om een vrouw die amper oud genoeg leek om te mogen autorijden te zien met drie kinderen op sleeptouw en het vierde op komst.

'Over kinderen gesproken.' Jax liep naar Wyatt. 'Dit moet Wyatt zijn. Caroline heeft me verteld dat je een pannenkoe-keneter van wereldklasse bent.' Haar blauwe ogen sprankelden.

Wyatt sloeg verlegen zijn ogen neer en zei niets. Allie voelde een steek in haar hart. Ze wist hoe Wyatt als peuter was geweest. Toen was hij een enorm sociaal kind. Wanneer was die verandering begonnen? Dat was een domme vraag. Ze wist precies wanneer hij was gaan veranderen.

Jax liet zich niet afschrikken door zijn verlegenheid. 'Weet je, Wyatt.' Ze ging naast hem op de trap zitten. 'Ik heb thuis drie dochters. Joy is twaalf, Josie negen en Jade is zes.'

Wyatt fronste. 'Dat zijn een boel meisjes,' zei hij zachtjes. Hij keek bezorgd.

Jax lachte, maar werd toen serieus. 'Dat zijn zeker een boel meisjes,' beaamde ze. 'En ik moet je onder vier ogen vertellen dat er minstens nog één bij komt.' Ze ging met haar hand over haar buik. 'Deze baby wordt ook een meisje.'

Daar had Wyatt niets op te zeggen, maar de bezorgde rimpels in zijn voorhoofd werden nog dieper.

'Ik moet je wel vertellen, Wyatt,' zei Jax nog steeds heel ernstig, 'dat de drie meisjes die we al hebben geen gewone meisjes zijn. Hun vader heeft ze allemaal leren honkballen.' Dat trok Wyatts aandacht. Hij keek geïnteresseerd op.

Jax boog zich dichter naar hem toe en dempte haar stem. 'Om je de waarheid te zeggen, Wyatt, geloof ik dat hun vader door wil gaan tot we genoeg dochters hebben voor ons eigen honkbalteam. Dat zouden er dan negen moeten worden.' Ze glimlachte en ging licht met haar vingertoppen langs zijn wang. Allie zag tot haar opluchting dat Wyatt niet terugdeinsde. In plaats daarvan staarde hij haar vol verwachting aan, wachtend op wat ze nu zou zeggen.

'O, dat zou ik bijna vergeten.' Ze sprong op. 'Ik heb iets voor jullie meegebracht.' Ze ging weer naar haar pick-up en pakte iets van de achterbank. Het bleek een hele tray aardbeien.

'Ik zal je even helpen.' Allie liep op haar toe, maar Jax wuifde haar weg.

'Ik heb ze vanmorgen in onze tuin geplukt,' legde ze uit. 'Je wilt ze zeker in de koelkast hebben?' Ze liep de trap naar de veranda op.

'Voorzichtig op die trap,' riep Allie, die zich naar haar toe haastte. Zwanger of niet, Jax was opmerkelijk lichtvoetig.

Jax deed de deur van het huisje open en Allie liep achter haar aan naar binnen. Wyatt volgde met een nog steeds belangstellend gezicht. Zodra ze de drempel over was, bleef Jax staan.

'Het ziet er nog precies hetzelfde uit,' zei ze terwijl haar blik door de kamer ging. Allie glimlachte. Ze had precies hetzelfde gedacht toen ze gisteravond waren aangekomen. Voor haar was het net geweest alsof de tijd had stilgestaan toen ze hier binnenkwam. Ze stelde zich voor dat Jax ongeveer hetzelfde gevoel had.

'Ik voel me weer zestien,' zei Jax zachtjes. 'Herinner je je die zomer nog? Ik geloof dat we bijna de hele tijd elkaars haar zaten te vlechten.'

Allie glimlachte bij de herinnering.

'Maar dat herinner ik me niet.' Jax wees fronsend naar de hertenkop. Allie had die morgen een poging gedaan hem naar beneden te halen, maar dat was te moeilijk gebleken. Toen had ze er maar een deken over gehangen.

'O, dat,' zei Allie terwijl ze Jax voorging naar de keuken. 'Dat is die oude hertenkop die mijn opa daar heeft opgehangen. Wyatt vindt hem niet mooi, maar ik kon hem er niet af krijgen.'

'Ik heb er zelf ook niet echt iets mee,' gaf Jax toe. Ze zette de aardbeien op het aanrecht. 'Wyatt kan er maar beter aan wennen. In deze streken wordt serieus gejaagd.'

Allie deed de deur van de koelkast open en wilde de aardbeien erin zetten. Halverwege bleef ze staan. 'Jax, Wyatt en ik krijgen al die aardbeien nooit op.'

'O, je hoeft ze niet allemaal meteen op te eten. Van de rest maak je gewoon aardbeienjam.'

'Ik weet niet hoe je jam moet maken,' gaf Allie toe terwijl ze de aardbeien wegzette.

'Nou, daar zal verandering in moeten komen als je hier wilt wonen,' zei Jax met een geamuseerd gezicht. 'Inmaken is praktisch een sport in Butternut. Het komt meteen na het jagen, in wezen.'

Allie glimlachte. 'Nou, misschien kun jij het me een keer leren. Weet je zeker dat je er niet een paar mee terug wilt nemen?'

Jax schudde haar hoofd.

'Nou, dank je. Ze zijn prachtig. Kan ik je wel een glas ijsthee aanbieden voordat je weer weggaat?'

'Dat zou ik heerlijk vinden.' Jax ging aan de keukentafel zitten.

Allie schonk voor hen allebei een glas ijsthee in en voor Wyatt, die achter hen aan was gelopen, een glas melk. Hij nam zijn melk mee naar de woonkamer en begon te spelen met de trein waarvoor hij en Allie die middag rails hadden uitgelegd.

'Hoe is het met je ouders en je broer?' vroeg Jax toen Allie bij haar aan tafel kwam zitten.

'Prima. Mijn ouders zijn gepensioneerd en wonen in Florida. Ze willen dat Wyatt en ik ook daar naartoe komen. Maar ik zag ons niet elke avond met hen in een restaurant zitten voor de vroegevogelspecial. En mijn broer Cal woont met zijn vrouw in Seattle. Het zijn allebei verstokte workaholics, maar verder gaat het goed met ze. En jouw ouders?' Ze had meteen spijt van de vraag. Ze wist niet veel over de familie van Jax, maar ze wist wel dat het geen gelukkig gezin was geweest.

Jax haalde slechts haar schouders op. 'Mijn ouders zijn inmiddels allebei overleden. Een dieet dat rijk is aan whisky gaat blijkbaar niet samen met een hoge ouderdom,' zei ze met een zucht.

Allie bloosde. Het speet haar dat ze erover begonnen was.

Maar Jax legde even haar hand op Allies arm. 'Hé, het geeft niet,' zei ze. 'Twaalf jaar geleden heb ik Jeremy ontmoet. En toen werd alles anders.'

'Caroline zei dat jullie nu eigenaar zijn van de doe-het-zelf-zaak. En dat het jou zo makkelijk af schijnt te gaan om drie kinderen te hebben.'

Jax glimlachte. 'Ik weet niet of het makkelijk is,' zei ze. Toen betrok haar gezicht. 'Caroline heeft me verteld over je man. Ik vind het zo erg voor je.'

Allie kreeg een brok in haar keel. 'Hij was onderofficier bij de National Guard van Minnesota en zijn eenheid werd uitgezonden naar Afghanistan.' Ze bedwong haar stem en bleef oogcontact houden met Jax. 'Ze waren de mobiele gevechtseenheden in het veld aan het bevoorraden toen de Humvee waarin Gregg zat over een bermbom reed.' Ze zweeg even. 'Hij heeft het niet overleefd.'

'O, Allie. Wat zul je hem missen,' zei Jax zachtjes.

'Ik mis hem zeker. Hij was mijn beste vriend.' En dat was hij eigenlijk geweest vanaf het moment dat ze hem had ontmoet.

Dat was op haar eerste dag op de universiteit, bij het college Introductie tot de psychologie. Gregg was naar haar rij gelopen, had zijn roodbruine haar uit zijn ogen gestreken en had met een verlegen glimlach gevraagd: 'Is deze stoel bezet?'

'Nee,' had ze een beetje zenuwachtig geantwoord, en hij was naast haar gaan zitten. De eerstvolgende keer dat ze niet bij elkaar waren – echt niet bij elkaar – was tien jaar later, toen hij naar Afghanistan was vertrokken.

Jax nam Allies hand in haar eigen kleine, bijna kinderlijke hand.

'Allie? Ik ben blij dat je hiernaartoe gekomen bent,' zei ze.

'Echt.'

'Nou, dat is tenminste iemand die blij is,' zei Allie half serieus.

'Je hebt er toch geen spijt van?'

'Dat weet ik niet goed,' moest Allie bekennen. 'Het is wel bij me opgekomen dat het misschien een beetje egoïstisch van me was. Ik bedoel, ik ben hiernaartoe gekomen omdat ik weg wilde. Maar Wyatt? Die had er geen enkele zeggenschap in.'

Jax dacht even na en toen zei ze: 'Je maakt op mij niet de indruk van een heel egoïstisch iemand, Allie. Bovendien is het de taak van de ouder om beslissingen te nemen. En wat het beste is voor ons, is meestal ook het beste voor hen.' Ze zweeg even met een bedachtzaam gezicht. 'Ik wil me niet met je persoonlijke leven bemoeien, maar waarom heb je eigenlijk besloten hiernaartoe te verhuizen?'

'Thuis waren te veel herinneringen.' Allie besloot haar antwoord eenvoudig te houden. Het was tenslotte een van de redenen waarom ze had besloten weg te gaan. 'Gregg en ik hebben nooit tijd gehad hierheen te komen toen we samen waren,' legde ze uit. 'We hadden het zo druk en het leek altijd zo ver weg. Bovendien had Gregg een hekel aan vissen. Hij zei dat het nog minder opwindend was dan het gras zien groeien. En zal ik je eens wat vertellen, Jax?'

'Nou?'

'Nu ben ik blij dat we hier nooit samen geweest zijn. Hier zijn geen herinneringen aan hem. Behalve natuurlijk de herinneringen die ik zelf heb meegenomen,' voegde ze er met een lichte zucht aan toe.

'Maar zul je geen heimwee krijgen?' vroeg Jax bezorgd.

'Dat weet ik niet. Misschien. Maar ik was het zo zat dat iedereen medelijden met me had. Het is zo vermoeiend om het voorwerp te zijn van zoveel medeleven. En zoveel goedbedoeld advies.'

Daar dacht Jax even over na. 'Nou, dat probleem zul je hier niet hebben,' zei ze eindelijk met een triest glimlachje. 'De mensen hier hebben zelf problemen zat. Ik wil maar zeggen, je herinnert je Walter Starr toch nog wel? De eigenaar van de hengelzaak. Hij heeft prostaatkanker in een vergevorderd stadium. En Don en Liz Weber, ken je die nog? Die vroeger de benzinepomp hadden? Die zijn vorig voorjaar alles kwijtgeraakt toen hun huis in brand vloog. Echt alles. En dan Caroline, van Pearl's. Haar dochter is deze zomer vertrokken om te gaan studeren. Dat kind is alles voor haar, en Caroline mist haar zo erg, ik zweer je dat ik soms bang ben dat haar hart zal breken. Zo kan ik nog wel even verdergaan.' Jax haalde haar schouders op. 'Maar dat doe ik maar niet.'

Allie voelde dat de tranen in haar ogen stonden. Ze wist dat het niet Jax' bedoeling was geweest haar het gevoel te geven dat ze een vervelende zeur was, maar dat had ze nu wel. 'Ik weet hoe egoïstisch ik moet klinken,' bekende ze. 'Het moeilijkste van een dierbare verliezen is dat het je zo egocentrisch maakt. Soms vergeet ik helemaal dat Wyatt en ik niet de enige mensen op de wereld zijn die verdriet hebben.'

'Je hebt alle reden om verdriet te hebben,' zei Jax kordaat. 'Ik wil niet zeggen dat het niet zo is. Maar de mensen hier hebben genoeg sores van zichzelf. Dus je hoeft niet het gevoel te hebben dat je een soort bezienswaardigheid bent door je verdriet. Dat is niet zo.' Ze voegde er met een wrange glimlach aan toe: 'Hoewel ik je waarschijnlijk wel moet waarschuwen dat je net als de meeste mensen die in kleine plaatsjes wonen ook niet immuun zult zijn voor enig geroddel. En over geroddel gesproken,' ging Jax verder terwijl ze haar glas bijschonk uit de kan met ijsthee die op tafel stond. 'Heb je je nieuwe buurman al ontmoet?'

Allie knikte. 'Walker Ford, nietwaar? Ik zag hem vanochtend bij Pearl's. De kennismaking verliep niet zo goed,' gaf ze toe.

'Niet?' vroeg Jax. 'Ach, hij kan soms een beetje gereserveerd overkomen.'

'Gereserveerd? Ik noem het liever arrogant.'

'Arrogant? Nou, een beetje misschien,' gaf Jax toe. 'Maar hij heeft veel gedaan voor Butternut. Ik bedoel, toen hij een paar jaar geleden die werf overnam, hield die maar net het hoofd boven water. Nu is het bedrijf na de houtzagerij de grootste werkgever van de stad. Trouwens,' ging ze met een ondeugende glans in haar ogen verder, 'dat is niet het enige wat hij voor het openbare leven heeft gedaan.'

Allie trok haar wenkbrauwen op; in weerwil van zichzelf was ze toch nieuwsgierig.

'Nou, zoals ik al zei,' vervolgde Jax, 'wordt hier af en toe wel geroddeld. Hij heeft ons allemaal een heleboel gegeven om over te roddelen.'

'O, ja?' vroeg Allie geïntrigeerd.

'Nou, je hebt hem toch gezien?' zei Jax. 'De man ziet eruit als een filmster, wat wil je.'

Allie dacht terug aan hun ontmoeting. Walker was lang en atletisch gebouwd en hij had kort, donker haar, een zongebruinde huid en donkerblauwe ogen. Hij zag er niet slecht uit, veronderstelde ze. Maar ze kon ook niet zeggen dat ze hem knap vond. Ze keek gewoon niet meer op die manier naar mannen.

Jax nam geen notitie van haar aarzeling. 'Nou, wat jij ook van hem denkt, hij heeft hier een heleboel bewonderaars,' zei ze. 'Behalve zijn uiterlijk is hij onder de veertig, succesvol en single.' Ze tikte deze attributen op de vingers van een hand af.

'Met andere woorden, hij is een kleine minderheid van de bevolking in een plaatsje ter grootte van Butternut. Maar hij is ook getrouwd geweest – heel kort – en dat maakt hem nog interessanter. Ze vinden het hier allemaal heerlijk om te gissen naar wat er mis is gegaan in dat huwelijk.'

'Met wie is hij getrouwd geweest?' vroeg Allie.

'Ze was niet van hier,' zei Jax schokschouderend. 'En ze was ook niet erg geliefd. Ik bedoel, ze was mooi. Maar ze was ook kil. Ze zijn in de herfst getrouwd en die winter, nog geen halfjaar later, ging ze weg. Dat was het. Niemand weet precies wat er gebeurd is. Behalve Walker, uiteraard. En die zegt niets.'

Ik kan wel raden wat er verkeerd is gegaan, dacht Allie, die zich herinnerde hoe onvriendelijk ze Walker die morgen gevonden had. Maar daar zei ze niets over tegen Jax.

Jax nam een slokje van haar ijsthee en ging op iets anders over. 'Allie,' vroeg ze, 'heb jij nog steeds iets met kunst?'

'Kunst?' herhaalde Allie onzeker.

Jax knikte. 'Ik weet nog dat je altijd die enorme kunstboeken meesleepte hiernaartoe. En je bestudeerde ze nog ook. Gewoon voor de lol. Je hebt me een keer verteld dat je kunstgeschiedenis wilde studeren en dat je daarna in de kunstwereld wilde werken.'

'O, dat,' zei Allie een beetje gegeneerd. 'Ja, ik fantaseerde er altijd over dat ik na de universiteit naar New York zou verhuizen en dat ik in een galerie in SoHo zou werken. Maar dat is niet helemaal gelopen zoals ik gepland had.'

'Waarom niet?' vroeg Jax.

'Nou, omdat het echte leven tussenbeide kwam, denk ik,' zei Allie. 'Ik heb wel kunstgeschiedenis als bijvak gedaan, en ik zou het ook wel als hoofdvak hebben willen kiezen. Tegen die tijd wist ik dat Gregg en zijn broer Travis het hoveniersbedrijf van hun vader zouden overnemen en vond ik het zinniger om bedrijfskunde te studeren.' Ze had gelijk gehad. Samen hadden ze een klein grasmaaibedrijfje uitgebouwd tot een goed gekwalificeerd hoveniersbedrijf.

'Vond je het leuk om in een hoveniersbedrijf te werken?' Allie aarzelde. 'Ja,' zei ze. 'Ik weet niet of het mijn droom was. Maar het was spannend om iets van de grond af op te bouwen.' Bovendien was ze als ze even tijd had gehad weggeslopen naar de musea en galerieën in Minneapolis.

'Heb je nog steeds een aandeel in dat bedrijf?' vroeg Jax.

'Nee,' zei Allie. 'Ik heb onze helft verkocht aan Greggs broer. En ik heb ons huis ook verkocht. Dus hopelijk heb ik wat tijd om erachter te komen wat ik nu wil gaan doen. Ik bedoel, het geld gaat een keer op. Ik moet op een gegeven moment de kost weer verdienen.'

'Net als wij allemaal,' zei Jax luchtig.

'Inderdaad,' beaamde Allie. Gek dat Jax zo direct kon zijn zonder ooit onaardig te worden, dacht ze. Waarschijnlijk omdat ze zo'n door en door lieve meid was.

Jax stond op. 'Ik moet gaan,' zei ze een beetje spijtig. 'Hoogste tijd om te gaan koken.'

'Natuurlijk.' Allie had het gevoel dat ze al te veel beslag had gelegd op Jax' tijd. 'Wyatt en ik lopen mee naar de auto.' Wyatt was net de keuken weer in gekomen en had de koelkast opengetrokken. Hij stond nu verlangend naar de aardbeien te kijken. Ze namen er een paar als toetje, besloot Allie. Bij het vanille-ijs dat ze die dag had gekocht.

Toen ze het huisje uit wilden lopen, draaide Jax zich om. Ze keek naar de hertenkop met de deken erover.

'Ik weet wel iemand die je daarmee kan helpen,' zei ze. 'Iemand die hier ook nog andere klusjes voor je kan doen.' Ze liep terug naar de keuken, waar Allie een notitieblok en een potlood op het aanrecht had liggen, en schreef een naam en een telefoonnummer op. Ze scheurde het blaadje af en gaf het aan Allie.

'Hij heet Johnny Miller,' zei ze, 'en hij is timmerman en klusjesman. Hij is nogal oud, maar zijn werk is eersteklas en ik denk dat je zijn tarieven heel redelijk zult vinden.'

'Dank je.' Allie keek op het papier. 'We kunnen alle hulp gebruiken die we kunnen krijgen.'

Zij en Wyatt liepen met Jax naar haar pick-up en bleven op de oprit staan tot ze uit het zicht was verdwenen. Toen ze weer naar binnen gingen, leek Wyatt zich een beetje verloren te voelen, en Allie kon het hem niet kwalijk nemen. Het huisje had lichter en vrolijker geleken toen Jax er was.

'Kom op, joh, je mag me helpen met koken,' zei Allie met gespeelde opgewektheid. Zelfs in haar eigen oren klonk haar stem een beetje hol.

6

Caroline wist dat ze te lang aan haar bureau had gezeten toen ze de vertrouwde pijn voelde tussen haar schouderbladen. Ze ging rechtop zitten, klemde haar handen achter haar hoofd in elkaar en trok een holle rug om haar verkrampte spieren te strekken. Wie had gedacht dat een eethuisje zoveel papierwerk met zich meebracht, dacht ze toen ze de map voor haar dichtsloeg en onder 'loonheffing' in de dossierkast naast haar bureau opborg.

Er werd zacht op de deur geklopt en Frankie kwam binnen.

'Juffrouw Caroline, ik ga nu naar huis.' Zijn gigantische lijf vulde de hele deuropening.

Caroline wierp een blik op het klokje op haar bureau. 'Frankie, het is al vijf uur,' zei ze verrast. 'Wat doe je hier nog?'

Hij haalde zijn enorme schouders op. 'Ik heb de airconditioning gemaakt,' zei hij. 'Die had weer kuren. Daarna heb ik de frituur schoongemaakt. Tegen die tijd moest de vloer ook gedweild worden, dus heb ik dat ook gedaan.'

'Maar Frankie, je dienst was om drie uur al afgelopen,' protesteerde Caroline.

'Ik vind het niet erg om over te werken.'

'Dat weet ik.' Ze wenkte hem binnen te komen. 'Dat is ook niet mijn zorg.'

Frankie kwam haar kantoor in. Dat was niet zo eenvoudig voor hem. De kamer had een laag plafond en hij moest oppassen om zijn hoofd niet te schaven aan de tl-verlichting. Hij kon ook niet echt gaan zitten. De enige andere stoel in de kamer, behalve die waarop Caroline zat, was een wankel ogende klapstoel. En ze wisten allebei dat die zijn gewicht niet kon dragen.

'Waar ik me bezorgd over maak, Frankie,' zei Caroline, 'is dat je overwerkt omdat je het gevoel hebt dat je me dat verschuldigd bent.'

'Dat is het niet,' zei hij. 'Ik vind het gewoon leuk om hier te werken.'

'En ik vind het fijn dat je het leuk vindt,' verzekerde Caroline hem. 'Maar Frankie, je krijgt betaald tot drie uur. Ik wou dat ik je de extra uren ook kon betalen. Maar dat gaat niet, Frankie. Ik kan het me niet veroorloven. Dus moet je om drie uur stoppen en naar huis gaan om... nou ja, om leuke dingen te doen.' Hier liet haar verbeelding haar in de steek. Frankie werkte al drie jaar voor haar, maar ze had nog steeds geen idee wat hij in zijn vrije tijd deed.

'Maar ik vind het leuk om hier te werken,' zei hij, waarmee het kringetje rond was. 'En,' voegde hij eraan toe, 'hoewel ik niet echt het gevoel heb dat ik u iets verschuldigd ben, zou ik dat misschien wel moeten hebben. U hebt me een kans gegeven, juffrouw Caroline, toen niemand anders dat wilde doen. Het is niet gemakkelijk voor een ex-gedetineerde om werk te vinden.'

'Dat weet ik, Frankie,' zei ze zacht. 'Maar het was de juiste beslissing. Je hebt mijn vertrouwen in jou meer dan gerechtvaardigd. En het is allerminst eenrichtingverkeer geweest. Jij had werk, maar ik kreeg de beste kok die ik ooit heb gehad.

Om het nog maar niet te hebben over een gratis airconditionerreparateur.'

Frankie trok een van zijn zeldzame glimlachjes. 'Nou, ik denk dat ik nu maar ga, juffrouw Caroline.'

'Dat is goed. En Frankie?'

'Ja?'

'Ik kan zeker niets doen om je over te halen me geen juffrouw Caroline meer te noemen?' vroeg ze hoopvol.

Frankie dacht even na, maar schudde toen zijn hoofd. 'Nee,' zei hij. 'Het zou niet van respect getuigen om u anders te noemen.'

'Nou ja, het was het proberen waard.' Caroline zuchtte toen Frankie zich omdraaide. Dat was geen sinecure. Hij moest zo'n beetje op de plaats keren om zijn reusachtige lichaam te kunnen draaien in zo'n kleine ruimte, en daarna moest hij zich min of meer door de smalle deuropening persen.

Toen hij de deur achter zich had dichtgedaan, stond Caroline op van haar bureau, rekte zich nog eens uit en verliet het kantoor eveneens.

Ze liep door het smalle gangetje achter de eetzaal en vervolgens de trap op naar haar appartement. Bij de voordeur bleef ze even staan en het duurde langer dan nodig voor ze haar sleutels uit haar schortzak haalde en een ervan in het slot stak. Elke dag weer zag ze op tegen dit moment. Dat was al zo sinds haar dochter Daisy twee weken eerder naar Minneapolis was verhuisd.

Ze draaide de sleutel om in het slot, duwde de deur open en ging rechtstreeks naar de keuken om de radio aan te zetten. Die was nog steeds afgestemd op de klassieke rockzender waar zij en Daisy van hielden en ze draaide de volumeknop helemaal open in een poging de stilte te verdrijven. Daar slaagde ze maar gedeeltelijk in. De muziek stond hard. Zeker. Maar muziek was slechts een van de vele geluiden geweest die in het appartement weerklonken hadden toen Daisy hier nog woonde. Terwijl 'Night Moves' van Bob Seger klonk, liep Caroline van de keuken naar de badkamer. Ze kleedde zich uit, stapte onder de douche en probeerde niet te denken aan de stilte die verscholen lag achter het liedje. Ze masseerde shampoo in haar haar en wreef haar lichaam in met zeep om de geur van bacon weg te wassen die na elke werkdag als een tweede huid aan haar leek te blijven kleven. Toen zette ze de kraan uit en stapte druipend op de badmat. Ze droogde zich af, trok een badjas aan, borstelde haar natte haar en draaide het in een knot boven op haar hoofd.

Pas toen gaf ze toe aan wat ze eigenlijk wilde doen en liet ze zich neervallen op het tweepersoonsbed, met haar gezicht in de kussens. Maar ze huilde niet. Daar hield ze niet van. Misschien omdat ze één ding wel geleerd had in het leven, en dat was dat huilen tijdverspilling was. Ze had gelegenheid genoeg gehad om dat aan den lijve te ondervinden. Ze had bijvoorbeeld allebei haar ouders verloren toen ze nog een jonge vrouw was. En ook haar man was ze kwijt, niet omdat hij was overleden, maar omdat hij haar voortdurend ontrouw was geweest. Ze had helemaal alleen een dochter grootgebracht en een bedrijf geleid. Als ze er een gewoonte van had gemaakt om te huilen, redeneerde ze, had ze niet veel tijd overgehouden voor andere dingen.

Maar het vertrek van Daisy... Dat had haar hard geraakt. Op dat moment werd haar gedachtegang onderbroken door het rinkelen van de telefoon. Ze pakte hem van het nachtkastje in de hoop dat het Daisy was. Dat klopte.

'Hallo, mam.' Daisy klonk zo vertrouwd dat Caroline een brok in haar keel kreeg.

'Hallo, schat,' zei Caroline gemaakt luchtig. 'Hoe is het met je?'

'Behalve dat ik me zorgen maak over jou?' vroeg Daisy.

'Maak je je zorgen over mij?' zei Caroline. 'Volgens mij hoort het andersom te zijn, liefje.'

'Ik doe toch niets waar jij je zorgen over zou moeten maken?' vroeg Daisy. En dat was waar. Voorzover Caroline kon bepalen, was ze geboren met verantwoordelijkheidsgevoel.

'Je doet niet vaak iets waar ik me zorgen over moet maken,' gaf Caroline toe. 'Maar je hebt nog nooit op jezelf gewoond. Zelfs jij moet misschien dingen leren.'

'Over leren gesproken, raad eens wat Giovanni vandaag zei?' vroeg Daisy. Giovanni was de Italiaanse eigenaar van de koffiebar waar Daisy die zomer werkte.

'Wat dan?'

'Hij zei dat ik een volmaakte cappuccino maakte.'

'Ja, uiteraard,' zei Caroline als trouwe moeder, ook al wist ze helemaal niet wat cappuccino precies was. Bij Pearl's werden twee soorten koffie geserveerd, normaal en cafeïnevrij.

'Geloof me, dat is helemaal niet gemakkelijk,' zei Daisy.

'Voor jou vast wel,' antwoordde Caroline. 'Je hebt het koffiezetten met de paplepel ingegoten gekregen, schat.'

'Dat is waar.' Daisy lachte en praatte toen verder over haar appartement, haar medebewoners en een jongen die vaak in de koffiebar kwam om te flirten, maar nog niet om haar telefoonnummer had gevraagd. Caroline luisterde en dacht dat ze op het juiste moment de juiste opmerkingen maakte. Maar Daisy liet zich niet om de tuin leiden.

'Mam, wat is er?' vroeg ze toen het gesprek even stokte.

'Niets,' zei Caroline iets te snel.

'Mam,' zei Daisy met een zucht, 'ik ken je zo goed.' En dat was ook zo. Als Caroline vertelde hoe erg ze haar miste, zou Daisy zich schuldig voelen. Dus in plaats daarvan vertelde ze over de lange uren die Frankie maakte en over het vreselijke verlies van Allie Beckett en haar zoon Wyatt.

'Mam, ik weet dat Frankie te hard werkt. En het spijt me voor die vrouw en haar zoon. Maar ik wil over jou praten. Herinner je je dat gesprek nog dat we hadden voordat ik vertrok?'

'Welk gesprek?' vroeg Caroline opzettelijk vaag.

'Over het feit dat jij je altijd over iedereen zorgen maakt, maar nooit over jezelf.'

'Nou ja, ik maak me geen zorgen over mezelf omdat ik niets heb om me zorgen over te maken,' zei Caroline. 'Ik bedoel, afgezien van de gewone dingetjes waar iedereen zich zorgen over maakt.'

'Oké, vergeet dat ik het woord "zorgen" heb gebruikt. Dat bedoel ik niet precies. Ik bedoel, wanneer is het eens tijd om aan jezelf te denken?'

Caroline fronste. 'Was dat geen aflevering van Dr. Phil?'

'Ik weet niet, zou kunnen,' zei Daisy getergd. 'Nu dwaal je alweer af van het onderwerp.'

'En dat is?'

'Dat jij nu aan de beurt bent. Het is tijd om je op je eigen leven te concentreren. Vroeger zorgde je voor opa en oma. Daarna voor mij. Nu moet je voor jezelf zorgen.'

'Ik zorg heus wel voor mezelf,' wierp Caroline tegen.

'Mam, ik heb het niet over vitaminepillen slikken, oké? Ik heb het over dingen voor jezelf doen. Een cursus volgen. Een reis maken. Bij een leeskring gaan. Zoiets.'

'Maar ik wil niet bij een leeskring,' zei Caroline een beetje geïrriteerd.

'Mam, je houdt van lezen,' merkte Daisy op.

'Ik hou inderdaad van lezen,' gaf Caroline toe. 'Maar ik wil niet voorgeschreven krijgen wat ik moet lezen.'

'O, mam,' zei Daisy berispend. 'Je hoeft de boeken niet te lezen als je dat niet wilt. Zie het als een gelegenheid om mensen te ontmoeten.'

Caroline zweeg. Volgens haar zag ze mensen genoeg in het eethuisje, maar ze wilde Daisy niet kwetsen.

'Nou, ik geef het op voor vanavond,' zei Daisy met een zucht. 'Ik bel je morgen.'

'Dag schat,' zei Caroline, en ze hing langzaam op. Toen bleef ze heel stil liggen luisteren. Was het haar verbeelding, of was het nog stiller in het appartement dan voor Daisy had gebeld?

7

'Ik wou dat je me een vaatwasser liet kopen,' zei Jeremy tegen Jax toen hij die avond achter haar ging staan terwijl zij aan het aanrecht bezig was. Hij liet zijn armen om haar middel glijden – of waar tot voor kort haar middel gezeten had – en streek met zijn lippen langs de rand van haar rechteroor. 'Ik vind het leuk om af te wassen.' Jax' lichaam reageerde meteen op Jeremy's aanraking. Na twaalf jaar huwelijk had hij nog steeds dat effect op haar, wat best verwonderlijk was. 'Goed, ik koop geen vaatwasser.' Zijn greep werd wat strakker. 'Maar laat mij en de meisjes tenminste helpen.' 'Misschien,' peinsde Jax. Maar ze wist dat ze dat niet zou doen. Om eerlijk te zijn, hield ze ervan de afwas zelf te doen. Het was ontspannend om tot aan haar ellebogen in het warme sop te staan. Het gaf haar bovendien tijd om na te denken zonder gestoord te worden, en zulke momenten waren schaars voor een moeder van drie kinderen.

Meestal gebruikte ze die tijd om te denken over haar dochters en de dingen die ze die dag gezegd of gedaan hadden. Ze geloofde er niet in elk moment van hun leven vast te leggen, zoals zoveel vriendinnen deden met hun kinderen. Ze maakte geen video's, hield geen plakboeken bij en schreef niet in babyboeken. In plaats daarvan probeerde ze elke avond als ze de vaat deed, terwijl Jeremy de meisjes goedenacht zei, hun leven in haar geheugen te prenten. De grote momenten en de kleine momenten. Vooral de kleine momenten.

Vanavond lag er een triest waas over die normaal zo aangename bezigheid. Het leek op de een of andere manier verkeerd om gelukkig te zijn terwijl Allie en Wyatt zoveel verdriet hadden. Haar bezoek aan hen, nog maar een paar uur geleden, lag nog vers in haar geheugen. Ze had Jeremy er voor het avondeten over verteld.

En terwijl hij haar bij het aanrecht in zijn armen nam, vroeg Jeremy: 'Denk je aan je vriendin en haar zoontje?'

Jax knikte somber.

'Ze betekende heel veel voor je, hè?' vroeg Jeremy zachtjes.

Ze knikte weer. 'De zomer dat we zestien waren, zijn we zo vaak samen geweest. Ik vond het heerlijk bij haar familie in hun huisje. Ze waren zo, zo...' Ze zocht naar het juiste woord.

'Zo normaal,' zei ze eindelijk.

'Jax, vergeleken met jouw familie was elk ander gezin normaal.'

'Dat is waar,' bedacht ze.

'Schat, je weet dat je niets kunt doen aan wat hun overkomen is, toch?' vroeg Jeremy na een lange stilte.

Jax knikte. Toen bedacht ze iets en monterde ze wat op. 'Ik kan niets doen aan wat hun overkomen is, maar ik kan het ze nu misschien wel wat gemakkelijker maken. Ik bedoel, Wyatt kent hier geen andere kinderen. En wij hebben er drie. Van wie er een praktisch even oud is als hij.'

'Wil je voorstellen om hem te adopteren?' vroeg Jeremy terwijl hij haar een zoen in haar nek gaf. 'Zijn moeder zal hem misschien niet zo gemakkelijk willen opgeven.'

'Ik stel voor om hem bij ons leven te betrekken.' Jax negeerde zijn plagerijtje terwijl ze het sop uit de wasbak liet lopen en de vaat afspoelde. Jeremy liet haar met tegenzin los, pakte een theedoek en begon het vaatwerk dat zij hem aanreikte af te drogen. 'Ik bedoel, ik heb de meisjes beloofd volgende week bosbessen te gaan plukken,' ging Jax verder. 'Ik zal Wyatt vragen of hij ook mee wil. En in juli hebben we onze jaarlijkse barbecue. De halve stad komt. We kunnen er een welkomstfeestje voor die twee van maken.'

'Prima,' zei Jeremy terwijl hij nog een bord afdroogde. 'Ik zal onze sociale secretaresse zeggen hen op de gastenlijst te zetten.'

'Heel grappig,' zei Jax, maar ze hield toch even op met wat ze aan het doen was om hem een zoen te geven. En toen ze klaar waren met de afwas, nam Jeremy haar weer in zijn armen en kuste haar met een heftigheid die zelfs voor hem ongebruikelijk was. Het is net alsof hij weet dat er iets mis is, dacht Jax ongemakkelijk. Iets wat ik hem niet vertel.

En alsof hij haar gedachten gelezen had, stopte hij even met zoenen om te fluisteren: 'Voor we naar boven gaan, moeten we even ergens over praten.'

'Waarover?' Jax verstrakte onwillekeurig.

'Over Joy.' Hij trok haar dichter tegen zich aan en zei in het kuiltje van haar hals: 'Ze ligt weer met een zaklamp onder de dekens te lezen. En ik vraag me af hoe ik mijn mooie, sexy vrouw kan verleiden als onze dochter niet wil gaan slapen terwijl ze dat wel zou moeten doen.'

Jax ontspande. 'Werkelijk, Jeremy, denk jij wel eens ergens anders aan?' zei ze.

'Niet als ik het voor het zeggen heb.' Hij drukte haar tegen zich aan. 'Het helpt natuurlijk ook niet dat je er zo verdomde mooi uitziet als je zwanger bent.'

Ze rolde met haar ogen. 'Jeremy, ik lijk wel een olifant. En ik zit pas in het derde trimester!'

'Des te meer tijd om te genieten van hoe je nu bent.' Zijn blik rustte waarderend op haar nu volle borsten. Hij legde zijn hand op een ervan en Jax voelde de warmte van zijn vingers door het dunne katoen van haar zwangerschapsbloes en huiverde van verlangen. Maar er moest nog iets gebeuren. En dat moest ze alleen doen.

'Jeremy,' zei ze, 'als je me dit niet even laat afmaken, liggen we straks op de keukenvloer te vrijen.'

'Is dat zo erg dan?' Jeremy kuste haar nog eens.

'Ja,' zei Jax. Maar ze kon haar glimlach niet helemaal verbergen. 'Ga naar boven en zeg tegen Joy dat ze moet ophouden met lezen en moet gaan slapen. Ik kom zodra ik het aanrecht heb afgenomen.'

'Oké, maar schiet een beetje op,' smeekte Jeremy, en hij gaf haar nog een laatste kus voor hij naar boven ging.

Jax wachtte even en toen deed ze een van de kastjes open en haalde er een doos met recepten uit, die helemaal achterin stond. Ze zette hem op het aanrecht, klapte de doos open en haalde er een envelop uit.

De envelop was al open. Ze trok de brief eruit, vouwde hem voorzichtig open en tuurde naar het bijna onleesbare handschrift. Bobby had nooit erg netjes geschreven en het verblijf in een staatsgevangenis had daar blijkbaar niets aan verbeterd. Maar ze kon het nog wel lezen. Dat had ze zelfs al gedaan, wel tien keer. En elke keer kreeg ze hetzelfde gevoel. Een knoop in haar maag, een bonzend hart en zweethanden. Helaas was dit keer geen uitzondering.

Nadat ze de brief een paar minuten bestudeerd had, vouwde ze hem weer op, schoof hem in de envelop en stopte hem in de receptendoos, de enige plek waar Jeremy nooit zou kijken, wist ze. Toen zette ze de doos weer in het kastje. Hij zag er heel onschuldig uit, maar ze wist dat de brief die erin zat een tijdbom was. En die tikte zo hard dat ze hem in elke kamer van het huis kon horen.

8

'Hé, Walker, ben je er nog?' Cliff Donahue, de bedrijfsleider van de werf, stak zijn hoofd om de deur van de kantine toen hij op vrijdagavond wilde vertrekken.

'Inderdaad.' Walker schonk zichzelf een kop koffie in uit een haveloze koffiepot.

'Ik dacht dat je dit weekend naar Minneapolis ging.'

'Dat was ik van plan,' zei Walker, 'maar ik heb me bedacht.' Cliff trok zijn wenkbrauwen op. 'Problemen waarvan ik moet weten?'

'Helemaal geen.' Walker nam een slok koffie en trok een gezicht. Het bocht had de smaak en textuur van slib.

'Eigenlijk is er wel een probleem,' verbeterde hij zijn eerdere opmerking. 'Deze koffiepot. Echt, hoe lang staat die hier al? Sinds de Grote Depressie?'

'Zou best kunnen.' Cliff haalde zijn schouders op. 'De oudgedienden lijken het niet erg te vinden. Die zijn dan ook niet verwend met de koffie van Caroline, zoals jij.'

'Dat is waar,' gaf Walker toe. Caroline schonk de beste koffie die hij ooit geproefd had. En daar waren heel dure kopjes in chique koffiehuisjes in Minneapolis bij.

'Nou, dan ga ik maar. Je kunt me bellen op mijn mobiel als je me nodig mocht hebben.'

'Dank je.' Walker liep terug naar zijn kantoor. Maar hij ging niet meteen weer aan het werk. In plaats daarvan leunde hij achterover in zijn bureaustoel, legde zijn voeten op het bureau en nam kleine slokjes van de afschuwelijke koffie. Hij dacht eraan dat er niet alleen geen problemen waren op de werf, maar dat Cliff het zo goed deed als bedrijfsleider dat Walker zijn aanwezigheid hier niet veel langer zou kunnen rechtvaardigen. Hij fronste toen hij iets bedacht. De dag waarop hij een sollicitatiegesprek met Cliff had gehad voor de functie van bedrijfsleider, drie jaar geleden, was ook de dag waarop Caitlin hem op de werf was komen opzoeken.

Zijn gesprek met Cliff was bijna afgelopen toen er zacht op zijn gesloten kantoordeur werd geklopt.

'Wie is daar?' riep Walker met amper verholen irritatie. De weinige werknemers van de werf wisten dat ze hem niet moesten storen als de deur van zijn kantoor dichtzat.

'Caitlin,' antwoordde een stem. Caitlin, dacht hij. Hier?

'Kom erin,' zei hij zo nonchalant mogelijk. Maar er schoot van alles door zijn hoofd. Caitlin was zijn vriendin tijdens zijn weekendjes in Minneapolis, maar ze was nooit eerder in Butternut geweest om de eenvoudige reden dat hij haar nooit had uitgenodigd. Zover waren ze nog niet in hun relatie. En hij wist niet of het ooit zover zou komen. Hoe meer tijd ze met elkaar doorbrachten, hoe minder ze gemeen leken te hebben. De laatste tijd kreeg hij steeds vaker het gevoel dat de lichamelijke aantrekkingskracht die ze voor elkaar voelden niet sterk genoeg was om hun relatie nog veel langer in stand te houden.

Daarom was ze waarschijnlijk gekomen, besefte hij met enige opluchting toen ze aarzelend de deur van het kantoor opendeed. Ze kwam het uitmaken. Hoewel hij niet begreep waarom ze het nodig had gevonden om daar op een doordeweekse dag helemaal voor hiernaartoe te rijden. Ze had het veel gemakkelijker via de telefoon kunnen doen. Hij wist dat de meeste mensen dat onbeschoft zouden hebben gevonden, maar hij deelde die mening niet. Het was voor hen allebei minder ongemakkelijk geweest.

Hij stond op en gaf haar een korte zoen op haar wang. Toen hij haar aan Cliff wilde voorstellen, zag hij dat die niet bij machte was om haar te begroeten. Hij stond als met stomheid geslagen naar Caitlin te staren. En Walker kon het hem niet kwalijk nemen. Niet echt. Hij had net zo gereageerd toen hij Caitlin voor het eerst had gezien in een bar in Minneapolis.

Ze had lang blond haar, grote korenbloemblauwe ogen en een zo lichte huid dat die bijna doorschijnend was. Ze was een bijzonder mooie vrouw. Daar bestond geen twijfel over. Maar Walker had inmiddels het vermoeden dat ze net als veel mooie mensen nooit de noodzaak had gevoeld zich verder te ontwikkelen. Ze had geen persoonlijkheid, of anders verborg ze die achter haar rustige manier van doen. Stille wateren hebben misschien diepe gronden, maar in haar geval bevond zich onder die stilte misschien niets anders dan nog meer stilte, dacht hij.

'Cliff,' zei Walker tegen de sollicitant, die zich enigszins hersteld had. 'Ik moet er een eind aan maken. Maar ik laat binnenkort van me horen.'

Ze schudden elkaar de hand en Cliff ging weg. Walker wenkte Caitlin naar de stoel die Cliff net had vrijgemaakt. Slecht op haar gemak ging ze zitten en ook Walker liet zich weer op zijn stoel zakken.

'Wil je een kop heel afschuwelijke koffie?' vroeg hij.

'Nee, dank je,' zei ze.

Hij glimlachte en zei luchtig: 'Ik denk dat ik weet waarvoor je gekomen bent.'

Ze keek verrast. 'O, ja?'

Hij knikte en probeerde zijn woorden zorgvuldig te kiezen.

'Er zit geen schot in onze relatie. Het is niet jouw schuld en ook niet de mijne, hoop ik. Maar er lijkt niet echt vaart meer in te zitten...' Zijn stem stierf weg. Iets in haar ogen legde hem het zwijgen op.

'Wat bedoel je, Walker?' vroeg ze.

'Ik zeg wat ik dacht dat jij kwam zeggen.'

'En dat is...' spoorde ze aan.

'Dat je een eind aan onze relatie wilt maken.' Daar, dacht hij. Hij had het gezegd. Nu konden ze dit afhandelen.

'Dus jij denkt dat ik hiernaartoe ben gekomen om het uit te maken?' vroeg ze ongelovig. Opeens verscheen er op elk van haar wangen een felrode vlek.

'Is dat dan niet zo?' zei hij. Het werd toch nog ongemakkelijk.

Ze schudde haar hoofd. 'Je hebt het helemaal mis, Walker.'

Hij fronste. Wat kon hij mis hebben? Ze gaf hem niet de tijd om daarover na te denken.

'Ik kwam je vertellen dat ik in verwachting ben,' zei ze plompverloren.

Hij zei niets. Hij kon niets zeggen. Hij was te geschokt om een zin te kunnen vormen. Toen hij eindelijk weer iets kon uitbrengen, koos hij zijn woorden niet al te zorgvuldig. Hij zei het eerste wat bij hem opkwam.

'Hoe kan dat?' vroeg hij.

Wat Caitlin ook van hem had hopen te horen, dit was het niet. Ze rolde met haar ogen. 'Hoe denk je dat dat kan, Walker? Heb jij op school geen seksuele voorlichting gehad? Of was je toevallig afwezig op de dag dat ze het hadden over het zaadje dat het eitje bevrucht?'

Sarcastisch, dacht Walker. Hij wist helemaal niet dat Caitlin sarcastisch kon zijn. Wat wilde hij ook? Hij kende haar eigenlijk helemaal niet. Maar op dat moment wist hij genoeg om te zien dat ze zich ergerde aan zijn schijnbare domheid. Dus kleedde hij de vraag anders in.

'Ik bedoel alleen, je hebt me verteld dat je anticonceptie gebruikte, dus heb ik aangenomen dat het niet kon gebeuren.'

'Ik deed ook aan anticonceptie,' zei ze verdedigend. 'Maar zelfs de meest doeltreffende middelen zijn niet honderd procent veilig.'

Hij knikte zwijgend. Daar hadden ze het bij de seksuele voorlichting ook over gehad. Toen kwam er een andere gedachte bij hem op. Een hoopvolle gedachte, eigenlijk. Een sprankje hoop. Alsof hij vlak voordat hij werd overspoeld door een vloedgolf zijn hand uitstak naar een reddingsvest.

'Weet je zeker dat...' Hij hield op met praten, wetend dat hij zich in een mijnenveld begaf. Maar er was niet echt een tactvolle manier om deze vraag te stellen. 'Weet je zeker dat het van mij is? Kan het ook van iemand anders zijn?' Hij zette zich schrap voor haar antwoord.

Toen dat kwam, lag er meer pijn dan woede in. 'Natuurlijk niet,' zei ze. En toen: 'Met hoeveel mensen denk jij dat ik op dit moment een intieme relatie heb, Walker?'

'Ik... ik weet het niet,' zei hij eerlijk. Het was niet het goede antwoord.

'Walker, in godsnaam,' snauwde ze. 'Ik hoop dat je me goed genoeg kent om te weten dat jij de enige bent.'

Walker gaf geen antwoord. Hij kon het niet. Hij klapte helemaal dicht. Dus viel er nog een stilte. Een intens ongemakkelijke stilte.

'Hoor eens,' zei ze eindelijk op wat zachtere toon, 'ik ben net zo verbaasd als jij. Ik viel bijna flauw toen ik de uitslag van de zwangerschapstest zag. Maar ik ben niet gekomen om te praten over hoe het gebeurd is. Ik kom ergens anders voor. Ik kom bespreken wat we eraan gaan doen.'

'Oké,' zei Walker. Zijn hersenen functioneerden nog niet erg goed. Maar goed genoeg om te beseffen dat Caitlin zojuist langer aan het woord was geweest dan hij ooit eerder had meegemaakt. 'Ga verder, Caitlin.'

Ze haalde diep adem en Walker kreeg het gevoel dat ze wat ze nu ging zeggen, had gerepeteerd. 'Ik laat het kind komen, Walker. En ik ga het – ik bedoel, hem of haar – zelf grootbrengen. Maar ik heb je hulp nodig. Financieel, bedoel ik. Zoals je weet, ben ik op dit moment receptioniste. Ik kan dit niet alleen. Niet met mijn salaris. Als er iets voor mij verandert, dan zou de financiële regeling die we gaan treffen natuurlijk ook veranderen. Ik bedoel, ik wil niet altijd receptioniste blijven. En ik wil nog steeds een keer trouwen, hoewel dat hierdoor...' Ze maakte een gebaar naar haar nog volkomen platte buik. '... wel moeilijker zal worden. En Walker?' ging ze verder. 'Ik weet dat ik boos werd toen je vroeg of het van jou was. Maar ik stem in met een vaderschapstest zodra de baby geboren is. Al is het maar voor jouw gemoedsrust.'

Gemoedsrust, dacht Walker. Dat leek hem nu al iets wat ver van hem af stond. Hij geloofde niet dat hij ooit nog gemoedsrust zou hebben.

Caitlin stond op. Ze had kennelijk geaccepteerd dat hij niet in staat of bereid was nog iets te zeggen.

'Mijn advocaat neemt wel contact met je op,' zei ze, en ze maakte aanstalten om weg te gaan. En Walker liet dat bijna toe. Maar toen viel hem iets in.

'Caitlin,' zei hij. Zijn hersenen werkten weer.

Ze draaide zich om.

'Waar pas ik in dit plaatje, behalve financieel? Ik zal je uiteraard helpen. Maar wat wordt mijn relatie met ons kind?'

Ze aarzelde. 'Dat hangt ervan af, denk ik.'

'Waarvan?'

'Van jou,' zei ze. 'Van wat voor relatie jij wilt hebben met ons kind. Als je het niet wilt, hoef je helemaal niets met hem of haar te maken te hebben. Ik ga je niet dwingen een rol op je te nemen die niet bij je past, Walker.'

'Wat bedoel je daar nou weer mee?'

Ze zuchtte, een beetje triest volgens hem, en ging weer zitten. 'Daar bedoel ik mee dat ik niet echt denk dat jij een goede vader zult zijn, Walker. Nog niet, in elk geval.'

Daar dacht hij over na. 'Nee, je hebt gelijk,' gaf hij toe. 'Ik ben er nogal wars van geweest om me te binden, zou je kunnen zeggen. Ik heb er nooit echt over gedacht om te trouwen. Of om vader te worden.' Leugenaar, vermaande hij zichzelf. Je hebt er heel vaak over gedacht. En je hebt besloten dat het niets voor jou is.

'Dat is ook prima,' zei Caitlin. 'Je hoeft niet opeens te veranderen. Dat vraag ik helemaal niet van je. Je hoeft hier niets mee te maken te hebben. Niet als je dat niet wilt. Ik bedoel, buiten financiële steun.'

Walker zei niets. Hij dacht aan zijn eigen jeugd. En aan zijn relatie met zijn vader.

Zijn ouders waren gescheiden toen hij zeven was. Een tijdlang had zijn vader Walker en zijn oudere broer Reid elk weekend gezien. Langzamerhand waren die bezoekjes schaarser geworden. Het feit dat zijn ouders na de scheiding nog net zoveel ruziemaakten als tijdens hun huwelijk was daar debet aan. Evenals het feit dat Walkers vader was hertrouwd met een vrouw die niet graag zag dat hij tijd besteedde aan zijn zoons. Toen zij en Walkers vader zelf een dochter kregen, had ze daar nog meer moeite mee.

Tegen de tijd dat Walker een puber was, was zijn vader min of meer uit zijn leven verdwenen. Hij stuurde af en toe een verjaardagskaart of een kerstcadeau. En hij betaalde alimentatie aan zijn ex-vrouw en kinderen, maar uiteindelijk kwam ook daar de klad in. Toen Walkers moeder hem voor het gerecht daagde om die betalingen af te dwingen, was het wel zo'n beetje bekeken. Hun vader stuurde weer geld, maar nooit meer iets anders.

Walker had hem nog één keer gezien, een paar jaar geleden bij een honkbalwedstrijd van de Minnesota Twins. Walker had hem herkend en toen hij hem had aangesproken, was zijn vader heel vriendelijk geweest. Ze hadden een kort, ongemakkelijk gesprek gevoerd, maar ze hadden elkaar vrijwel niets te zeggen.

'Nee,' zei Walker plotseling. Zijn stem klonk luid in de stille kamer.

'Wat, nee?' vroeg Caitlin verrast.

'Nee, zo'n vader wil ik niet zijn.'

'Wat voor vader?' Ze fronste.

'Ik wil geen vreemde zijn voor mijn eigen kind. Voor ons eigen kind,' corrigeerde hij zichzelf. 'Zo'n vader was mijn eigen vader. Ik was het kind dat bij sportwedstrijden elke minuut naar de tribune keek om te zien of hij er al was.' Hij zweeg even. 'Hij kwam nooit. Helemaal nooit. Als ik dit ga doen, wil ik erbij zijn, Caitlin. Ik wil bij het honkballen op de tribune zitten.'

'Misschien wordt het wel een meisje,' zei Caitlin. 'In dat geval wordt het misschien geen honkbal, maar voetbal of volleybal.' Maar er trok een glimlach aan haar lippen.

'Het maakt niet uit,' zei Walker. 'Ik wil er zijn.'

'Je kunt er ook zijn,' verzekerde Caitlin hem. 'We hoeven vandaag niet alle details uit te werken, maar als je bezoekrecht wilt, kun je het krijgen.'

'Bezoekrecht?' herhaalde Walker. Het woord liet een nare smaak achter in zijn mond.

Caitlin haalde haar schouders op. 'Ik geloof dat dat de juiste juridische term is.'

'Nou, dat wil ik niet.'

Ze zuchtte en nu pas zag hij hoe moe ze eruitzag. 'Nou, wat wil je dan?' vroeg ze met enige irritatie.

Wat hij toen zei, was net zo'n schok voor Caitlin als voor hemzelf.

'Ik wil dat we een gezin vormen.'

'Een gezin?' herhaalde ze sceptisch.

'Ja,' zei hij met overtuiging. 'Een gezin. Huisje-boompje-beestje. De hele rambam.'

70

Nu was het Caitlins beurt om sprakeloos te zijn. 'Walker, is dit een huwelijksaanzoek?' vroeg ze na een lange stilte.

'Ik geloof van wel,' zei hij.

Ze schudde verwonderd haar hoofd. 'Hoe haal je dat nou ineens in je hoofd? We hebben het nooit over trouwen gehad.'

'Nou, misschien wordt het tijd.'

'Ik... ik weet niet wat ik moet zeggen,' bekende Caitlin. 'Wat ik vandaag ook verwacht had, dit niet.'

'Het verrast me zelf ook een beetje,' zei Walker. En omdat hij voelde dat er iets meer nodig was, zei hij: 'Kom hier.' Ze stond op en kwam naar hem toe. Hij pakte haar hand en trok haar een beetje onhandig op zijn schoot.

'Het spijt me dat dit geen erg romantisch aanzoek was.' Hij sloeg zijn armen om haar middel.

'Dat geeft niet,' zei ze een beetje verlegen.

'Dus je zegt ja?' vroeg hij.

Ze glimlachte een beetje beverig. 'Waarom niet?' zei ze.

'Precies,' zei Walker. 'Ik bedoel maar, hoe moeilijk kan het nou zijn, dat hele huwelijk?'

Het bleek heel moeilijk te zijn. Maar dat wisten ze toen nog niet. Ze hadden helemaal niets geweten, voorzover Walker kon beoordelen. Nu hij drie jaar later op de werf in zijn kantoor zat, kon hij alleen maar spijt voelen. Spijt en zelfverwijt.

Nu speelde er nog iets anders in zijn achterhoofd: Allie, de vrouw die hij vorig weekend in het eethuisje had ontmoet, en haar zoontje Wyatt. Vreemd genoeg moest hij de laatste tijd ook vaak aan hen denken. Hij had geen idee waarom. Waarschijnlijk omdat Caroline hem had verteld over Allies overleden echtgenoot. Dat had voor hem een heleboel verklaard. Ergens onder die verdedigende prikkelbaarheid van haar had hij een diep verdriet gevoeld. En een kwetsbare, zachte kern.

Hij had vandaag naar Minneapolis moeten gaan, dacht hij. Hier zat hij zich zorgen te maken over twee mensen die hij niet eens kende. Die hij eigenlijk niet wílde kennen. Hij zette

71

ze van zich af en dronk het laatste beetje koffie op. Het was nog steeds of hij modder dronk. Als hij morgen íéts deed, besloot hij, was dat een nieuwe koffiepot kopen in de doe-het-zelfzaak. Dan leverde het feit dat hij dit weekend hier was gebleven toch nog iets op.

9

Allie en Wyatt zaten al op de trap voor het huisje toen ze Jax' banden over het grind hoorden knarsen.

'Wyatt, ik moet je iets vertellen voordat je bosbessen gaat plukken,' zei Allie, die zijn honkbalpet van de Minnesota Twins op zijn hoofd zette en guitig scheef trok.

'Wat dan?' vroeg hij.

'Het is een oude traditie om bosbessen te eten uit de emmer,' zei ze speels. 'En ook rechtstreeks van de struik. Dus je hoeft er niet op te letten of je emmer wel vol komt. Het kan me niet schelen hoeveel bosbessen je mee naar huis brengt. Ik wil alleen dat je het leuk hebt. Oké?' Ze wachtte op een antwoord. Dat kwam niet. 'Oké?' zei ze nogmaals, en ze tilde de klep van zijn pet op om in zijn chocoladebruine ogen te kijken.

Wyatt zei niets. Hij hoefde niets te zeggen. Zijn trillende onderlip zei alles. Hij wilde niet weggaan zonder Allie. O god, ga alsjeblieft niet huilen, dacht ze wanhopig. Want als je gaat huilen, kan ik wel inpakken. Dan ga ik mee. Of ik laat je thuisblijven. En je bent al vierentwintig uur per dag en zeven dagen per week bij me. Dat kan niet gezond zijn, dat kan niet leuk zijn, om altijd bij iemand te zijn die voortdurend moet doen alsof alles goed gaat terwijl dat overduidelijk niet zo is. Allie wist niet hoe ze dit tegen hem moest zeggen. Dus gaf ze hem een ietwat gehavende emmer en zei: 'Je moet één ding van me aannemen, oké? Het is heel leuk om bosbessen te plukken met Jax en haar dochters. En ik krijg in mijn eentje vast een heleboel gedaan als ik dit oude huis ga schoonmaken. O kijk, daar zijn ze,' voegde ze er opgewekt aan toe toen Jax' pick-up op de oprit verscheen. 'Kom op, jongen,' voegde ze eraan toe. Ze stond op en veegde het zitvlak van haar afgeknipte spijkerbroek af. Wyatt zuchtte en kwam langzaam overeind. Moe. Als een oud mannetje, dacht Allie triest.

Het volgende moment sprongen Jax en haar dochters uit de pick-up en zorgden voor de broodnodige afleiding. Allie vond het grappig te zien dat de drie dochters allemaal kleinere, maar verder identieke versies van Jax waren. Ze hadden gitzwart haar, felblauwe ogen en een blanke huid waarover gul sproeten waren gestrooid. Binnen de kortste keren stonden ze met zijn drieën om haar en Wyatt heen allemaal tegelijk te praten.

Toen iedereen aan elkaar was voorgesteld, zei Jax opgewekt: 'Goed, allemaal in de pick-up. We gaan bosbessen plukken voordat het te warm wordt, en daarna kunnen we picknicken in de schaduw.'

Allie zag hoe Jade, Jax' jongste dochter, Wyatt vastberaden bij de hand pakte en meenam naar de wagen. Wyatt keek verrast, maar stribbelde niet tegen.

Jax keek even naar hen en toen weer naar Allie. 'Kan dit het begin zijn van een prachtige vriendschap?' vroeg ze.

'God, ik hoop het.' Allie was zichtbaar opgelucht. 'Ik was bang dat we een scène zouden krijgen,' bekende ze. 'Je weet wel, waarin jij een hysterische Wyatt van me af moest trekken.'

'Zo te zien gaat het prima,' zei Jax met een blik op Wyatt en Jade. Jade zat geanimeerd met hem te praten en Allie meende dat ze haar iets hoorde zeggen over een stenenverzameling.

74

Even later zag ze Jade een steen uit haar zak halen en aan Wyatt geven. Hij bekeek hem beleefd.

'Ik hoop maar dat Wyatt van stenen houdt,' merkte Jax droog op.

Allie glimlachte en keek haar aan. Toen lachte ze hardop. 'Jax,' zei ze terwijl ze haar wat beter bekeek, 'wat zie je er toch schattig uit.' En dat was waar. Jax' haar zat in twee vlechten en ze droeg een geruite zwangerschapsbloes onder een verbleekte spijkeroverall. Op haar rug hing een gehavende strohoed aan een lint.

'Ik voel me niet erg schattig,' zuchtte Jax. 'Alleen dik.'

'O, dat zou ik bijna vergeten.' Allie ging de trap op en haalde een tupperwaredoos voor de dag die ze daar had laten staan. 'Mijn aandeel in de picknick.'

'Koekjes met stukjes chocola?' vroeg Jax hoopvol.

Allie knikte.

'Hetzelfde recept als we die zomer gebruikten?'

'Precies hetzelfde.' Allie glimlachte.

Ze liepen naar de auto en Jax vroeg: 'Hoe gaat het? Hoe lang zit je hier nu? Twee weken? Went het al een beetje?'

'Min of meer,' zei Allie. 'Soms meer, soms minder. Ik wil je overigens bedanken voor het telefoonnummer van Johnny Miller. Hij is goud waard. Hij heeft de weggerotte delen van de veranda en de trap al vervangen.' Ze wees naar de nieuwe grenen planken die nu tussen de oudere en donkerder exemplaren zaten. 'Nu houdt hij zich bezig met het botenhuis en de pier.'

'Blij dat hij heeft kunnen helpen,' zei Jax. 'Ik kan zijn werk niet genoeg aanbevelen.'

Ze waren bij de auto en Allie keek toe hoe Jax Jade en Wyatt op de achterbank liet plaatsnemen en hun gordels vastmaakte. Ze wipte rusteloos van het ene been op het andere en weerstond het verlangen om Wyatt nog een kus te geven voor Jax het achterportier dichtsloeg.

Toen liep ze met Jax naar de andere kant en keek verbaasd toe toen ze naar binnen wipte en achter het stuur ging zitten. Het was haar een raadsel hoe zo'n klein iemand zo'n grote pick-up kon besturen. Ze bleef nog even staan en voelde een zekere bezorgdheid. Wyatt was niet de enige die ertegen opzag om de dag apart door te brengen, besefte ze.

'Weet je zeker dat het niet te veel moeite is?' vroeg ze aan Jax.

'Het is helemaal geen moeite. Geloof mij nou maar. Elke dag dat ik weg kan van het huis en de zaak is vakantie voor mij. Trouwens, jij hebt hier vast een heleboel te doen.'

Allie knikte en deed een stap achteruit, zodat Jax het portier kon sluiten. Toen glimlachte ze en wuifde naar de wegrijdende auto. Maar ze voelde zich een beetje verloren toen ze het huisje weer in ging.

Ze liep naar de keuken, waar ze die ochtend de kastjes wilde schoonmaken, maar ging niet meteen aan de slag. In plaats daarvan liep ze naar het raam en keek naar het meer. Het had vandaag een adembenemende blauwe tint en het gladde oppervlak sprankelde in de ochtendzon en werd slechts af en toe verstoord door een zacht briesje. Een van die warme briesjes speelde nu met de keukengordijnen en bracht de droge harsgeur van de bomen en het schone, bijna scherpe aroma van het meer zelf mee. Toen dacht ze aan iets wat ze in de opslagschuur had gezien toen ze die morgen een emmer voor Wyatt zocht.

Dat is het, dacht ze. Ik blijf geen seconde meer binnen. De keukenkastjes zullen moeten wachten. Ze ging het huisje uit, liep achterlangs naar de opslagschuur, zwaaide de deur aan de roestige scharnieren open en manoeuvreerde voorzichtig om de troep heen tot ze bij de kano in de hoek stond. Die dateerde nog uit de tijd van haar grootouders en ze wist dat hij minstens vijftig jaar oud was. Ze draaide hem voorzichtig om en keek erin. Hij zat vol bladeren, vuil en spinnewebben, maar ze hield hoop.

Dus pakte ze het ene uiteinde en sleepte de kano de schuur uit naar de tuinslang achter het huisje. Ze draaide de kraan helemaal open en spoelde al het vuil eruit. Toen bekeek ze hem nog eens. Ze kon er best mee het water op, besloot ze. Ze zag dat het hout op de bodem een beetje was gaan rotten, maar er zaten niet echt gaten in. Ze ging de schuur weer in voor een paar andere dingen die ze daar gezien had: een peddel, een gehavend reddingsvest en een afgezaagde plastic melkkan om te hozen. Die spoelde ze ook allemaal af. Toen gooide ze alles in de kano en trok die naar het meer.

Terwijl ze zo bezig was, voelde ze zich wat opgewekter. Ze moest weg van het huisje, al was het maar voor een uurtje. Sinds zij en Wyatt waren aangekomen, waren ze maar een paar keer weggegaan om de supermarkt, de doe-het-zelfzaak of Pearl's te bezoeken.

Ze ging niet ver, hield ze zichzelf voor toen ze de kano over de zacht aflopende oever duwde. Niet meer dan een paar honderd meter van de steiger. En ze bleef dicht bij de kant, waar het water niet dieper reikte dan tot haar schouders. Als de kano begon te lekken, ging ze meteen terug. En als dat niet gebeurde, was het een leuke afleiding om ermee te varen.

Toen ze bij het meer was, duwde ze de kano met de boeg vooruit in het water. Vervolgens liep ze de steiger op en trok de kano mee tot het water diep genoeg was om te peddelen. Ze liet zich op de rand van de steiger zakken, klom voorzichtig achter in de kano en ging op het bankje zitten. Met de peddel duwde ze tegen de bodem van het meer om van de steiger weg te manoeuvreren. Ze begon te peddelen en na een paar onhandige slagen kreeg ze een lekker ritme te pakken. Het verbaasde haar hoe natuurlijk het na al die jaren aanvoelde. Hoe goed.

Ze was nog maar een paar honderd meter parallel aan de oever gevaren toen ze besefte dat ze de kant van Walker Fords steiger op ging. Ze kon zelfs op die afstand zien dat er niemand te bekennen was. Mooi, dacht ze, want om een of andere onnaspeurbare reden zat hun treffen bij Pearl's haar nog steeds niet lekker. Ze deed een bewuste poging hem uit haar hoofd te zetten en bleef peddelen tot ze zag dat er een paar centimeter water op de bodem van de kano stond. Ze stopte en liet zich een paar minuten drijven terwijl ze het water eruit schepte. Eigenlijk kon ze beter teruggaan, dacht ze. Maar dat zou het eind van dit avontuur betekenen. En daar was ze nog niet klaar voor.

Dus ging ze door, dicht langs de oever, in water dat net diep genoeg was om behoorlijk te kunnen peddelen. Ze wist dat de kano niet als een baksteen zou zinken. Niet als ze elke paar honderd meter even hoosde. En dat deed ze; ze peddelde en hoosde om beurten tot ze besefte dat haar arm moe werd en ze de zon in haar nek voelde branden. Het had buiten zo heerlijk geleken toen ze het water op ging, maar het was nu al te warm. Bovendien was ze bijna bij de steiger van Walker Ford, en zelfs al was hij er niet, ze wilde geen risico nemen door te lang te blijven hangen. Het werd tijd om terug te gaan. En dat deed ze ook zodra ze nog wat water uit de kano had geschept.

Toen ze weer ging hozen, viel haar op dat het water sneller de kano in leek te komen. Ze hoosde een paar minuten flink, tot ze verontrust merkte dat het waterpeil in de kano niet lager werd. Het steeg juist. Ze hoosde sneller, maar het water rees ook sneller. Ze hield uitgeput op om op adem te komen en zag tot haar schrik dat het water nu volop de kano in stroomde en eerst tot haar voeten en toen tot haar enkels reikte.

Ze keek achterom naar haar eigen steiger en was geschokt toen die opeens heel ver weg leek. Daar kon ze nooit meer terugkomen, niet in deze kano. Ze keek over de baai. Die lag er verlaten bij. Zelfs als ze haar trots had kunnen inslikken om hulp in te roepen, was er niemand om haar te helpen. Maar de steiger van Walker Ford was slechts honderd meter verderop. Ze bleef zitten kijken hoe de kano volliep met water, wetend wat ze moest doen, maar zonder dat te willen. Net voor het water haar knieën bereikte, maakte ze dat ze wegkwam. Ze dook de kano uit en nam de peddel, het reddingsvest en de plastic melkkan mee. Toen bleef ze in het schouderdiepe water staan kijken hoe de kano zonk. Dat gebeurde heel rustig. Toen hij eenzaam op de bodem van het meer lag, zwom ze onhandig naar Walkers steiger, gooide alles wat ze bij zich had erop en klom er zelf achteraan.

Ze stond op en keek om zich heen. Ze voelde zich volkomen belachelijk. Het water droop uit de zoom van haar afgeknipte spijkerbroek, druppelde langs haar benen en liep in haar sportschoenen. Gelukkig had Walker Ford niet dit moment gekozen om te gaan zwemmen, dacht ze. Ze keek op naar zijn huis op de klip boven het meer. Daar was ook geen spoor van hem te bekennen. Mooi. Ze zou hem uiteindelijk moeten vertellen over de gezonken kano. Maar ze kon eerst naar haar eigen huisje terug sluipen en haar waardigheid behouden. Nou ja, gedeeltelijk dan.

Nu stond ze voor de vraag hoe ze terug moest komen bij haar huis. Ze keek nog eens naar haar eigen steiger. Dwars over het meer was die nog geen achthonderd meter van haar verwijderd. Ze kon goed zwemmen en kon die afstand gemakkelijk afleggen. Hoe verleidelijk ook, ze zou er een van haar meest elementaire regels als Wyatts enige overgebleven ouder mee overtreden. Neem nooit onnodig risico, hoe klein ook. Het idee dat Wyatt zonder ouders zou achterblijven, was... nou ja, ondenkbaar.

Dat betekende dat ze over de weg terug moest lopen naar haar huis. Inwendig kreunde ze. Ze zou om Walkers huis naar zijn oprit moeten lopen en daarover naar Butternut Lake Drive. Als hij thuis was, bestond de kans dat hij haar zou zien en zou ze een belachelijke indruk maken. Even dacht ze erover zijn huis links te laten liggen en door het bos naar de weg te lopen, maar dat idee liet ze varen. Te veel muskieten, te veel gifsumak. Dus liep ze met haar spullen over de steiger. Het water stond in haar schoenen en haar boosheid op zichzelf werd een smeulend vuurtje. Stom, stom, stom, zei ze elke keer dat een schoen op de steiger kletste. Waar is je gezonde verstand gebleven?

Ze kwam aan het eind van de steiger en liep langs het botenhuis zonder de moeite te nemen naar binnen te kijken. Ze wist al dat er minstens zes boten in lagen. Allemaal in onberispelijke conditie, stelde ze zich zo voor. Haar irritatie ten opzichte van Walker Ford bereikte een nieuw hoogtepunt.

En toen ze de stenen trap naar zijn huis besteeg, werd die irritatie nog sterker. Was het nodig om zoveel treden te maken, dacht ze. Haar kuiten deden pijn en ze haalde steeds sneller adem. Maar toen ze boven aan de trap stond en zich hijgend omdraaide, moest zelfs zij toegeven dat het uitzicht over het meer van hier af spectaculair was. En het huis zag er ook niet slecht uit, dacht ze toen ze zich weer omdraaide. Het was tegelijkertijd modern en traditioneel, een eenvoudig A-frame met accenten van veldsteen en een glazen achterwand die toegang gaf tot het terras. Je kon zeggen wat je wilde over die vent, gaf ze met tegenzin toe, hij had in elk geval een goede smaak. Bijzonder goed, zelfs. Alles hier – de steiger, het terras, het huis – was onberispelijk ontworpen en mooi gebouwd. Het slaagde erin tegelijkertijd luxueus en harmonieus te zijn en ging moeiteloos op in de omgeving.

Ze keek het stenen pad af dat langs de rechterkant van het huis liep. Dat was het pad naar de oprit en de weg. Maar ze aarzelde omdat haar nieuwsgierigheid de bovenhand kreeg. Er was duidelijk niemand aanwezig, dacht ze, dus kon ze best even door de glazen wand naar binnen kijken. Ze stapte over een glazen muurtje het terras op, ging voor de glazen schuifdeur staan en drukte haar gezicht ertegenaan. Het huis was vanbinnen al net zo spectaculair als vanbuiten, zag ze. De kamer die ze voor zich zag – duidelijk de woonkamer – leek wel een kathedraal met zijn blootliggende houten balken. In een van de muren zat een enorme veldstenen open haard. Aan weerskanten daarvan stonden twee grote banken van cognackleurig leer. En op een van die banken, besefte ze met een schok van verrassing, zat Walker Ford. Hoewel ze niet precies kon zeggen waarom ze zo verrast was hem te zien in zijn eigen huis.

Het goede nieuws, als er tenminste goed nieuws was, was dat hij een tijdschrift door zat te bladeren en haar nog niet had gezien, voorzover zij wist. Ze bleef volkomen stil staan en probeerde een actieplan te bedenken, maar de keuze was beperkt. Als ze nu bewoog, trok ze misschien zijn aandacht. En als ze lang genoeg bleef staan, zou hij uiteindelijk opkijken en haar daar zien staan. Als een idioot. Een volslagen idioot. En dat was precies wat ze was als je dacht aan de lange lijst fouten die ze vandaag al had gemaakt.

Terwijl ze daarover stond na te denken, keek Walker Ford op van zijn tijdschrift en staarde haar recht aan. Vreemd genoeg leek hij niet verrast. Niet echt. 'Verstoord' was een beter woord. En wie zou hem dat kwalijk nemen? Ze kon alleen maar gissen hoe ze eruitzag. Als het wezen uit de zwarte lagune, waarschijnlijk.

Terwijl hij zijn tijdschrift neerlegde, opstond en naar de schuifdeur liep, deed Allie een wanhopige poging te redden wat er te redden viel. Ze trok haar doorweekte T-shirt los van haar natte huid en probeerde het een beetje uit te wringen, maar toch bleef het aan haar kleven als lijm. Ze trok ook aan de zoom van haar druipende korte broek, maar kon hem niet langer maken dan hij was, wat op dat moment ongeveer vijf centimeter leek. Met een zucht gaf ze het op. Ze zag eruit als een monster. Een schaars gekleed monster ook nog.

Toen Walker de deur openschoof, vroeg ze zich af wat er vandaag nog meer mis kon gaan. Ze had het gevoel dat ze daar nu achter ging komen.

10

Het was heel vreemd. Het ene moment zat Walker op de bank een hengelsporttijdschrift door te bladeren en probeerde hij niet aan zijn nieuwe buurvrouw te denken, maar kon hij dat toch niet laten. En het volgende moment keek hij op en zag hij haar op zijn terras staan met nota bene een peddel in haar hand.

Op dat moment kreeg hij het idee dat hij gek werd. Dat hij hallucineerde. Maar toen hij zijn ogen dicht en weer open had gedaan, stond ze er nog steeds, compleet met peddel.

Hij stond op, liep de kamer door en deed de glazen schuifdeur open. Op dat moment besefte hij dat ze doornat was. Zijn eerste gedachte had uiteraard moeten zijn: wat deed ze daar in godsnaam? En nog belangrijker: wat was ze aan het doen voordat ze hier was opgedoken?

In plaats daarvan dacht hij dat ze er verbijsterend uitzag. Alsof er een soort zoetwatermeermin op zijn terras was aangespoeld.

'Het spijt me dat ik je moet storen,' zei ze een beetje schaapachtig, 'maar mijn kano is gezonken en...'

'Waar is je zoon?' viel Walker haar in de rede. Zijn hersenen kwamen met een schok weer op gang.

'O nee, die was er niet bij,' zei ze snel toen ze de schrik op zijn gezicht zag. 'Hij is bosbessen gaan plukken met Jax en haar dochters…'

'Wacht.' Hij viel haar weer in de rede. 'Zei je nou dat je kano gezonken is?' Hij keek naar het meer. Het water was spiegelglad.

'Ja, ik weet dat het vreemd klinkt, maar…'

'Is hij gezonken of gekapseisd?' vroeg hij verder. Een onervaren kanoër kon een kano laten omslaan, maar kano's zonken over het algemeen niet. Niet op een dag als deze, in dergelijke weersomstandigheden. Als hij een zomerdag had besteld uit een catalogus, had die niet volmaakter kunnen zijn dan deze.

'Ik weet heus wel het verschil tussen kapseizen en zinken.' Er verscheen een frons tussen haar hazelnootbruine ogen. 'Geloof het of niet, ik ben een ervaren kanoër.'

Walker geloofde het inderdaad niet. En toen ze verder sprak, kon hij aan haar stem horen dat ze wist dat hij het niet geloofde.

'Kijk,' zei ze. 'Ik ben het water opgegaan met de houten kano van mijn grootvader. Die is minstens vijftig jaar oud, misschien wel ouder. Hij maakte een klein beetje water toen ik vertrok. Maar ik dacht dat ik dat onder controle had.' Ze gebaarde met de plastic kan in haar hand. 'Het bleek toch niet zo'n klein lek, het bleek…'

'Een groot lek?' viel hij haar nogmaals in de rede. Op de een of andere manier was de betovering verbroken. Ze zag er nog steeds onweerstaanbaar lief uit zoals ze daar stond in haar natte kleren, die verlokkend aan haar slanke lichaam kleefden. Maar hij begon ook de humor van de situatie in te zien.

Haar kaak verstrakte. 'Ja, oké. Een groot lek. Hoe dan ook, om een lang verhaal kort te maken, het was waarschijnlijk niet zo slim om met die kano het meer op te gaan.'

'Waarschijnlijk?' herhaalde Walker, en een van zijn mondhoeken kwam iets omhoog.

'Ik ben blij dat je het zo amusant vindt,' zei ze duidelijk geïrriteerd. 'Maar ik vertel je dit alleen omdat ik over jouw terrein naar de weg moet. Als je het niet erg vindt, ga ik nu maar.'

'Ga vooral je gang,' zei Walker schouderophalend. Maar toen werd zijn nieuwsgierigheid hem te veel. 'Waar is je kano precies gezonken?' vroeg hij.

'Een meter of honderd rechts van je steiger. In ongeveer anderhalve meter water.'

'Zo dichtbij?' Zijn mondhoek ging weer omhoog.

Ze bloosde en hij keek geboeid naar de warme roze gloed die over het lichte goud van haar gezicht trok.

'Ik was niet bezig je te bespioneren,' zei ze. 'Als je dat soms bedoelt.'

'Ik bedoel helemaal niets,' zei hij onschuldig.

'Hoe dan ook, als je het goedvindt, kom ik hem zo snel mogelijk halen. Ik wil niet dat andere mensen er last van hebben.'

'Daar zorg ik wel voor,' zei hij. Hij hield van bergingsprojecten, groot of klein. 'Zal ik je intussen even naar huis brengen? Je voelt je vast niet prettig in die natte kleren.' Ook al zie je er fantastisch uit, dacht hij. Maar hij had onmiddellijk spijt van die gedachte. Het leek op een of andere manier van gebrek aan respect te getuigen nu hij iets meer wist over haar persoonlijke omstandigheden.

'Bedankt voor het aanbod,' zei ze. 'Maar ik loop wel via de weg terug.' Hij keek gefascineerd naar een stroompje water dat langs haar hals liep en onder het katoenen T-shirt verdween. Ze fronste nogmaals en sloeg gegeneerd haar armen over elkaar.

'Laat me in elk geval een handdoek voor je pakken,' zei hij zo zakelijk mogelijk.

'Een handdoek zou fijn zijn,' gaf ze toe. 'En dan ga ik maar snel.'

Hij schoof de deur verder open en gebaarde dat ze binnen moest komen. 'Wacht hier maar even.'

Ze schudde haar hoofd. 'Ik wil je vloer niet nat maken.'
'Die vloer is gemaakt van oud hout uit een schuur,' zei hij
en hij wenkte nog een keer. 'Die heeft al honderd jaar aan de
elementen blootgestaan. Een beetje water kan hij wel hebben.'
'Erg mooi,' zei ze toen ze binnenkwam en de vloer bekeek.
'Dank je,' zei hij. 'Ik heb hem zelf gelegd. Zo terug.' Hij
bracht haar een handdoek en keek discreet de andere kant uit
terwijl ze zich afdroogde. Hij dacht erover haar ook wat droge
kleren aan te bieden, maar besloot dat dat misschien te ver zou
gaan. Bovendien had hij niets wat haar ook maar enigszins zou
passen. Nou ja, niets wat van hem was. Hij verdrong het beeld
van het negligé van zijn ex-vrouw.
'Dank je. Dat is veel beter zo.' Ze hield de natte handdoek
vast. 'Ik zal hem terugbrengen zodra ik hem gewassen heb.'
'Helemaal niet nodig,' zei hij. 'Ik was hem zelf wel.' Hij
voegde er vertrouwelijk aan toe: 'Er staan instructies aan de
binnenkant van het deurtje van de wasmachine.'
Ze glimlachte niet. Maar ze gaf hem wel de handdoek terug.
Terwijl ze dat deed, ving hij heel vaag iets op van zonne-
brandolie met kokos en schoon water uit het meer. Voor hem
was dat de volmaakte samenvatting van de zomer. Als hij die
geur in een flesje had kunnen stoppen, had hij het gedaan.
'Vind je het erg als ik door het huis naar de oprit loop?'
vroeg ze terwijl ze om zich heen keek.
'Natuurlijk niet. Zal ik je echt niet even naar huis brengen
in mijn pick-up? Dat is in vijf minuten gepiept. Minder, waarschijnlijk.'
'Nee, je hebt genoeg gedaan. Ik wil je dag niet verder in de
war gooien.'
Hij glimlachte. 'Ik zat een hengelsporttijdschrift te lezen,'
zei hij. En aan jou te denken, voegde hij er voor zichzelf aan
toe. 'De titel van het artikel was: "Het beste nieuwe aas voor
de zomer". Heel belangrijk, uiteraard. Maar ik kan me er misschien wel van losrukken.'

Ze beet op haar onderlip en overwoog zijn aanbod. 'Oké,' zei ze eindelijk. 'Als je het niet erg vindt, zou het fijn zijn om thuisgebracht te worden. Ik wil niet dat ik er niet ben als Jax me misschien probeert te bellen. Ik wilde maar heel even wegblijven.'

'Laten we dan maar gaan.' Hij ging haar voor naar de voordeur. Ze mompelde waarderend iets over de rest van het interieur en hij kwam in de verleiding haar eraan te herinneren dat ze het woord 'opzichtig' had gebruikt toen ze bij hun ontmoeting in het eethuisje iets over het huis gezegd had. Maar hij hield zijn mond. Daarover, in elk geval. Hij dacht aan iets anders dat hij tegen haar wilde zeggen. Dat hij tegen haar moest zeggen.

Ze stapten in zijn pick-up en reden in stilte naar haar huisje. Ze bleef strak uit het raam zitten kijken, alsof ze elke boomsoort die ze passeerden in haar geheugen wilde griffen. En hij probeerde naar de weg te kijken in plaats van naar haar knieën. Hij had iets met vrouwenknieën. Meestal waren ze te hoekig en te scherp. Of te zacht en vol kuiltjes. Hij zag met een zijdelingse blik dat haar knieën gewoon volmaakt waren.

Veel te snel draaiden ze haar oprit op en stopten voor haar huisje.

'Hé, je hebt al een heleboel gedaan hier,' zei Walker goedkeurend. Het ziet er niet meer uit of het op instorten staat, dacht hij, maar dat zei hij niet.

Allie haalde slechts haar schouders op en maakte aanstalten om uit te stappen.

'Voordat je gaat,' zei hij snel, 'wil ik je mijn verontschuldigingen aanbieden.'

'Waarvoor?' Ze draaide zich naar hem toe.

'Omdat ik naar je man heb gevraagd toen we elkaar bij Pearl's ontmoetten. Dat was onbeleefd. Het waren mijn zaken niet.'

Ze keek van hem weg, maar zei niets. Hij had het gevoel dat

ze probeerde te kalmeren. Buiten speelde een briesje met de schaduwvlekken van de bomen.

Eindelijk hoorde hij haar uitademen. 'Het is niet jouw schuld,' zei ze. 'Je kon het niet weten.' En toen draaide ze zich met een spijtig zuchtje naar hem toe en voegde eraan toe: 'Ik wist wel dat de geruchten snel de ronde zouden doen in Butternut.'

'Zo was het niet.' Walker fronste. 'Caroline heeft het me verteld omdat ze dacht dat jij en Wyatt misschien wat hulp konden gebruiken.'

'Wat voor hulp?' vroeg ze op haar hoede, zonder haar blik af te wenden. Ze had bijzonder mooie ogen, dacht hij. Net mozaïek met stukjes lichtbruin en groen.

'Wat Caroline volgens mij bedoelde,' zei hij voorzichtig, 'is dat jullie misschien wel eens behoefte zouden kunnen hebben aan een buurman. Een echte buurman. Waarom ze dacht dat ik dat kon zijn, weet ik niet. Ik heb er geen ervaring mee.' Tenzij je natuurlijk de verhouding meetelde die hij had gehad met de stewardess die in de flat in Minneapolis naast hem had gewoond. Hij telde die niet mee.

'Ik waardeer het dat Caroline bezorgd om me is,' zei ze nu. 'Echt. Maar ik ben hier niet naartoe gekomen om in de gemeenschap van een klein plaatsje te worden opgenomen. Ik ben gekomen voor de privacy.'

'Dat begrijp ik,' zei hij. Niemand was meer gesteld op zijn privacy dan hij. Maar zij en haar zoon bevonden zich in andere omstandigheden dan hij.

'En je zoon, Wyatt?' vroeg hij zachtjes. 'Heeft hij ook behoefte aan privacy?'

Ze bloosde. En haar stem was scherp van woede toen ze antwoord gaf. 'Met Wyatt gaat het prima, dank je. Ik denk dat ik beter dan een ander kan beoordelen waar hij wel of geen behoefte aan heeft.' Ze zweeg even en vroeg toen koeltjes: 'Heb jij kinderen?'

'Nee,' zei hij, en hij voelde een steek van pijn in zijn onderbuik. De scherpte ervan verraste hem. 'Nee, ik ben geen vader,' hoorde hij zichzelf zeggen.

'Dat weet je waarschijnlijk ook niet veel over het opvoeden van kinderen.'

Dat was hard, dacht hij. Hard, maar eerlijk.

'Je hebt gelijk. Ik weet helemaal niets over kinderen,' zei hij abrupt. Toen boog hij zich over haar heen en maakte het autoportier open. Hij wist dat het een onbeschoft gebaar was, maar dat kon hem niet schelen.

Allie bleef echter zitten waar ze zat. En toen ze weer iets zei, was haar stem vriendelijker. 'Ik weet dat je het goed bedoelt. Iedereen bedoelt het goed. Maar niemand snapt het echt. Begrijp me goed, ik ben natuurlijk niet de eerste vrouw wier man sneuvelt in de oorlog. En ik zal ook niet de laatste zijn. Er zijn een heleboel weduwen van militairen. Maar dat zijn meestal niet de mensen die me advies geven. Of die beweren dat ze begrijpen hoe ik me voel. Of die me willen "helpen".'

'Je zegt het alsof "helpen" een lelijk woord is,' merkte hij op.

Ze trok een van die halve glimlachjes van haar. 'Nee, helpen is goed,' zei ze. 'Aangenomen dat je geholpen wilt worden.'

'In plaats van met rust gelaten?' opperde hij.

Ze keek bedachtzaam. 'Soms, ja.'

Hij dacht aan wat ze gezegd had. Hij wist niet waarom, maar het zat hem niet lekker. En dat was vreemd als je bedacht hoe graag hij de laatste paar jaar zelf met rust gelaten wilde worden.

'Hoor eens,' zei hij, 'ik kan niet voor de andere mensen in Butternut spreken. Maar wel voor mezelf. Ik zal proberen je met rust te laten. Meestal ben ik daar erg goed in. Mensen met rust laten, bedoel ik. Je zou zelfs kunnen zeggen dat het een van mijn specialiteiten is.'

Ze beet op haar onderlip. 'Ik bedoelde niet dat ik wil dat iedereen ons negeert,' verduidelijkte ze. 'Ik bedoel alleen dat ik niet wil dat mensen ons proberen te helpen. Ik kan zelf wel voor ons tweetjes zorgen.'

Walker zweeg. Hij vond dit niet het moment om op te merken dat ze vandaag zo goed voor zichzelf had gezorgd dat haar kano nu op de bodem van het meer lag. 'Bedankt voor het brengen.' Ze schonk hem een van haar zeldzame glimlachjes. En toen pakte ze haar spullen, liet zich uit de pick-up glijden en sloeg het portier achter zich dicht. Hij wachtte niet tot ze helemaal naar haar huisje was gelopen. Toen ze op veilige afstand was, gaf hij gas, draaide de wagen en reed veel te snel de oprit af.

Ze is tegen je opgewassen, Walker, dacht hij toen hij de weg op draaide en bewust moeite moest doen om langzamer te rijden. Je hebt eindelijk iemand gevonden die nog meer gesteld is op haar privacy en haar onafhankelijkheid dan jij. Jullie zijn ideale buren voor elkaar. Als dat zo was, vroeg hij zich af, waarom heb ik dan opeens zo'n rothumeur?

11

'Jade, zit alsjeblieft stil,' zei Jax ongewoon ongeduldig.
'Sorry, mam, maar je trekt ook zo hard,' zei Jade. 'Ik snap niet waarom je mijn haar eigenlijk moet vlechten,' voegde ze er gekwetst aan toe.
'Schat, je kent de regels.' Jax probeerde tevergeefs haar ergernis te verbergen. 'Als je lang haar wilt hebben, moet het in een vlecht. Niet altijd, maar wel meestal. En zeker als je naar dagkamp gaat, oké? Anders raakt het helemaal in de war. En mama heeft op dit moment niet de energie om de knopen er elke avond voor je naar bed gaat uit te halen. Dus probeer stil te zitten, dan beloof ik het zo snel mogelijk af te maken.'
Even later protesteerde Jade weer. 'Au! Mam, dat doet pijn.'
Ze schoof heen en weer op de kruk waarop ze zat, met haar rug naar Jax. Ze bevonden zich op de afgeschermde veranda aan de achterkant van het huis, waar Jax' dochters in warme zomernachten graag sliepen.
'Het spijt me, liefje.' Jax liet de vlecht los. Ze wist dat ze te hard had getrokken. Normaal gesproken was ze goed in vlechten. Maar vanmorgen had ze moeite haar handen te laten doen wat ze wilde. Het kwam gewoon door de zenuwen. Haar han-

91

den hadden ook getrild toen ze die ochtend Jeremy's overhemd had gestreken. En haar maag had geprotesteerd toen ze haar vitaminepil had geslikt.

'Wat is er, mam?' Jade draaide zich om op de kruk.

'Niets, schat. Ik ben gewoon zwanger. En moe. En ik heb het warm.' Ze zette de ventilator in een hogere stand, want ze had het gevoel dat die de nu al vochtige ochtendlucht amper in beweging bracht.

'Maar mam,' merkte Jade op, 'je zegt altijd dat je het fijn vindt om zwanger te zijn. Je zegt dat het gemakkelijk voor je is omdat je je niet ziek voelt en nooit hoeft over te geven.'

'Dat heb ik inderdaad gezegd, hè?' Jax glimlachte om Jades geheven gezichtje, een en al blauwe ogen en sproeten. 'Dank je dat je me daaraan herinnert, Jade. En weet je wat ik voor vandaag besloten heb?'

'Wat dan?'

'Ik heb besloten dat je vandaag een paardenstaart krijgt. Wat zeg je daarvan, meid?'

Jade knikte opgelucht.

Dus begon Jax opnieuw; ze borstelde Jades haar uit en zorgde ervoor er niet te hard aan te trekken en niet te klagen toen Jade weer begon te wiebelen. Het was tenslotte niet Jades schuld dat ze moeite had om stil te zitten. Ze was pas zes. En voor haar was dit een gewone dag, net als elke andere dag, alleen natuurlijk een beetje beter omdat het zomer was. Jax daarentegen zag al weken tegen deze dag op. Hij stond niet aangegeven op de familiekalender in de keuken. Als dat wel zo was geweest, zou er een grote zwarte X op staan. Dit was de dag waarop Bobby haar vanuit de gevangenis zou bellen.

Op dat moment werd haar gedachtegang onderbroken door de deurbel.

'Dat zullen Allie en Wyatt zijn.' Ze pakte Jades haar samen in een paardenstaart en draaide er een elastiek omheen.

'Zijn ze er al?' vroeg Jade opgewonden.

'Ja.' Jax pakte Jade onder haar oksels en tilde haar van de kruk. 'Laat jij ze even binnen?'

Jade rende opgewonden naar de voordeur en Jax glimlachte. Ze was blij dat Jade zo goed met Wyatt kon opschieten. Op de dag dat ze bosbessen waren gaan plukken, was hij heel stil geweest. Jade had zich daardoor niet laten afschrikken en had gewoon voor tien gepraat.

Toen Jax bij de voordeur kwam, had Jade die al opengegooid en was meteen van wal gestoken tegen Wyatt.

Jax lachte. 'Jade, schatje, kun je Allie en Wyatt eerst even gedag zeggen?'

'O, hallo,' zei Jade een beetje ademloos. En ze vervolgde meteen met: 'Ga je mee naar mijn kamer om mijn stenenverzameling te zien? Ik heb wel een miljoen stenen. Meer dan alle andere mensen die ik ken. En ik ben niet eens klaar met verzamelen.'

Wyatt aarzelde, maar hij liet zich door Jade bij de hand nemen en meetronen.

'Wel een beetje vlug, hoor, Jade?' riep Jax haar na terwijl ze de voordeur dichtdeed. 'Je vader komt zo om jou en je zussen naar het dagkamp te brengen.'

Allie glimlachte dankbaar naar Jax. 'Ze is precies wat Wyatt op dit moment nodig heeft,' zei ze.

'Een bazig meisje van zes dat hem de hele tijd vertelt wat hij moet doen?'

Allie schudde haar hoofd. 'Nee. Een vriend,' zei ze eenvoudig. En Jax glimlachte, ook al kreeg ze een brok in haar keel bij de gedachte aan wat Wyatt en Allie hadden doorgemaakt.

'Wat dacht je van een kop koffie?' Ze ging Allie voor naar de keuken. 'Of beter nog, ijsthee? Het is vanmorgen veel te warm voor koffie.'

'IJsthee zou heerlijk zijn.' Allie ging aan de keukentafel zitten.

Jax haalde een kan ijsthee uit de koelkast en twee glazen uit een kastje. 'Heb je zaterdag nog veel in het huisje kunnen doen?' vroeg ze. 'Ik vergat het te vragen toen we Wyatt thuisbrachten.'

'Nou, niet zoveel als ik had verwacht,' zei Allie een beetje vaag. 'Maar evengoed bedankt dat je Wyatt hebt meegenomen. Het deed hem goed. Hij speelt veel te weinig met andere kinderen.'

'Heb je eraan gedacht hem naar het dagkamp te sturen?' vroeg Jax voorzichtig terwijl ze de glazen ijsthee op tafel zette. Ze voelde dat dit een gevoelig onderwerp was voor Allie. Wyatt was niet de enige die er moeite mee had als ze gescheiden werden.

'Waar jouw dochters ook naartoe gaan?'

'Inderdaad. Het is bij het natuurmuseum net buiten de stad. Ze noemen de kinderen "natuurkenners in de dop" en ze hebben elke week een ander thema. De meiden vinden het fantastisch,' voegde ze eraan toe.

'Het klinkt leuk,' zei Allie een beetje weemoedig. 'Ik zal het Wyatt eens vragen.'

Op dat moment knalde er een uitlaat in de straat en Jax' hand ging met een ruk omhoog, zodat ze ijsthee op de tafel knoeide.

'Jax,' zei Allie vriendelijk. 'Denk je niet dat je wat minder cafeïne moet nemen? Je lijkt vanmorgen een beetje... gespannen.'

'O, hier zit geen cafeïne in,' verzekerde Jax haar terwijl ze de thee met een theedoek opnam. 'Echt, er is niets aan de hand. Ik kon vannacht alleen niet slapen. En dus ben ik vanmorgen een beetje gespannen.' Een beetje? Ze had het gevoel dat ze onder stroom stond, haar hele lijf zoemde praktisch van de spanning.

Ze ging op iets anders over. 'Tussen twee haakjes: je vroeg je misschien al af waarom ik je gevraagd heb vanmorgen langs te komen. Dat is omdat ik je wil uitnodigen voor een feestje.'

'Een feestje?' herhaalde Allie. Ze keek zo ontzet dat Jax net zo goed de elektrische stoel of een neerstortend vliegtuig had kunnen zeggen in plaats van een feestje.

'Ja, een feestje,' zei Jax. 'Feestjes zijn leuk, weet je nog?'

'Niet echt,' moest Allie bekennen. 'Het is al een tijd geleden dat ik naar een feestje ben geweest. Ik heb de laatste paar jaar geprobeerd ze te mijden, eigenlijk.'

Jax aarzelde. Ze kon het Allie niet echt kwalijk nemen dat ze geen reden zag om feest te vieren. Ze kon ook niet eeuwig blijven weigeren naar feestjes te gaan, toch?

'Je hoeft natuurlijk niet te komen,' zei ze. 'Maar ik hoop dat je het wel doet. Ons 3-julifeest is een soort traditie geworden in Butternut.'

'Een 3-julifeest?'

'Ja, om de dag te vieren dat Jeremy en ik elkaar hebben ontmoet. Nou ja, we hebben elkaar toen niet voor het eerst ontmoet, natuurlijk. We hebben immers ons hele leven in dit plaatsje gewoond. Maar de dag dat we elkaar terugzagen nadat Jeremy thuiskwam van de universiteit.' Ze voegde eraan toe: 'Om het nog ingewikkelder te maken, kunnen we het niet echt op de dag zelf vieren, want dat is 4 juli en dan zou er niemand komen. In Butternut gaat iedereen dan naar het kermisterrein voor het vuurwerk. Dus doen we het een dag eerder. We kopen hamburgers en bier en we huren een band in, en iedereen brengt een bijgerecht, een salade of een toetje mee. Het is heel leuk. Dat is tenminste het plan,' besloot ze toen ze het aarzelende gezicht van Allie zag.

'Jax, het zal zeker leuk zijn,' zei Allie met een vastberaden glimlach. 'Wyatt en ik zouden het voor geen goud willen missen.'

'Echt niet?' vroeg Jax hoopvol.

'Echt niet,' zei Allie. 'Wat zal ik meenemen?'

'Koekjes met stukjes chocola?' vroeg Jax.

'Natuurlijk. Hoeveel?'

'Nou, laat eens zien. Er komen ongeveer tweehonderd mensen...'

95

'Tweehonderd?' zei Allie verbijsterd. 'Jax, waar haal jij tweehonderd kennissen vandaan?'

'Dat is gemakkelijk. In zo'n klein plaatsje als Butternut kent iedereen elkaar,' legde Jax uit. 'Of je dat nu leuk vindt of niet. Maar ik zal je wat vertellen: ik ben tevreden met een stuk of twintig, dertig koekjes. Dan vechten de gasten het zelf maar uit.'

Het gesprek werd onderbroken toen er voor het huis getoeterd werd.

'Daar is Jeremy om de meisjes naar het kamp te brengen,' legde Jax uit, en ze ging naar de trap om ze te roepen.

Jade en Wyatt waren als eersten beneden, en Jade had nog steeds Wyatts hand vast. Ze werden gevolgd door Josie, Jax' negenjarige dochter, die met zo'n boos gezicht de trap af kwam sjokken dat Jax meteen wist dat ze ruzie had gehad met haar oudere zus, Joy. Toen Josie bij hen was, gaf Jax haar een duwtje naar de keuken.

'Josie, wil jij de lunchzakjes even uit de koelkast halen?' vroeg ze.

'Waarom moet ik dat nou weer doen?' protesteerde Josie.

Jax negeerde haar. In plaats daarvan keek ze op naar Joy, haar dochter van twaalf, die nu ook de trap af kwam. In tegenstelling tot haar zus keek ze niet boos. Haar ruzie met Josie was alweer vergeten en op haar gezicht lag die zachte, dromerige uitdrukking die Jax vertelde dat ze aan Andy Montgomery dacht, de dertienjarige jongen van de overkant. Jax kreunde inwendig. Ze had gehoopt dat die toestanden met jongens nog een paar jaar op zich zouden laten wachten. Ze had beter moeten weten.

Toen Joy beneden was, pakte Jax haar bij de schouders, keek in het knappe gezichtje vol sproeten en zei streng: 'En jij, hou op met dat geruzie met je zusje. Begrepen?'

'Ja, hoor,' zei Joy, maar aan haar toon was te horen dat ze geen woord had gehoord van wat Jax zei.

Jax zuchtte, maar toen werd het even een drukte van belang om de meisjes de deur uit te krijgen.

'Weet je zeker dat je niet nog even kunt blijven?' vroeg Jax daarna aan Allie. Ze wilde niet alleen zijn. Hoe moeilijk het ook was geweest om zich normaal te gedragen tegen andere mensen sinds ze Bobby's brief had gekregen, het was nog moeilijker om alleen te zijn. Alleen met haar angst.

Allie schudde haar hoofd. 'Wij moeten ook weg.' Ze omhelsde Jax. 'We hebben de boodschappen in de auto staan.'

Toen ze weg waren, liep Jax werktuigelijk naar de keuken. De vaat van het ontbijt stond nog opgestapeld in de gootsteen. Ze duwde de stop in de afvoer, draaide de warmwaterkraan open en spoot wat afwasmiddel bij de vaat. Terwijl ze wachtte tot de gootsteen vol was, staarde ze afwezig naar de stoomwolk die van de kraan opsteeg. Dit was nu eens een moment dat haar afwasritueel haar geen enkel genoegen ging bezorgen, dacht ze terwijl ze een spons en een bord pakte.

Toen ging de telefoon, veel te luid in de stille keuken, en Jax liet het bord vallen. Gelukkig kletterde het in de gootsteen zonder te breken. Ze liep naar de draadloze telefoon op het aanrecht en nam op. Het toestel voelde eigenaardig zwaar aan terwijl ze het naar haar oor bracht.

'Hallo,' zei ze schor. Haar mond was zo droog als schuurpapier.

'Jax?' kwam de lijzige stem van Bobby aan de andere kant. Vreemd, dacht ze. Het was jaren geleden dat ze Bobby's stem had gehoord, maar hij klonk zo vertrouwd. Akelig vertrouwd.

Ze hing bijna op, maar hield zich in. Als ze ophing, zou hij immers boos kunnen worden. En voorzover ze een strategie had, kwam die erop neer Bobby niet boos te maken. Niet bozer dan absoluut noodzakelijk, tenminste.

'Met mij, schatje.' Hij voegde er een beetje knorrig aan toe: 'Zo te horen ben je niet erg blij me te spreken.'

'Ik ben alleen verbaasd,' zei ze met een blik op de keukenklok. 'Je zou pas over een uur bellen.'

'Verandering van plan,' zei hij nonchalant. 'Bovendien, ik

dacht dat zij de telefoon misschien zou opnemen als ik eerder belde. Ik heb nog nooit haar stem gehoord. En ik wil graag weten hoe Joys stem klinkt, Jax. Ze is tenslotte mijn dochter.' Het was zo stil in de keuken dat het gestage druppen van de kraan bijna pijn deed aan haar oren. Jax tastte naar een stoel en liet zich erop zakken op het moment dat haar knieën het begaven.

'Ze is niet jouw dochter, Bobby,' zei ze ademloos. 'Dat heb ik je in mijn brief verteld. Ze is de dochter van Jeremy. Ik was zwanger van haar toen ik met hem trouwde.'

'Ja, zwanger was je inderdaad,' zei Bobby snuivend. 'Maar de baby was van mij, niet van hem.'

'Hoe kun jij dat weten?'

'Ik kan dat weten omdat je een paar weken voordat je iets met Jeremy kreeg iets met mij had. Jij en ik hebben samen die baby gemaakt, Jax. Dat weet ik. En dat weet jij ook. En nu weet je dat ik het weet.'

'Maar...'

'Jax, ik heb hier nu geen tijd voor,' snauwde Bobby. 'Ik heb maar vijf minuten op mijn telefoonkaart en er staan twaalf kerels achter me in de rij te wachten tot ze aan de beurt zijn. Denk je soms dat het gemakkelijk is om in de gevangenis te bellen?'

Jax haalde diep adem. Ze moest de regie in handen nemen. Nu. Maar ze moest ook haar strategie wijzigen. Het haalde niets uit om alles te ontkennen. En voor deze keer had Bobby de waarheid aan zijn kant.

'Hoor eens, Bobby. Laten we hier niet over redetwisten, oké?' Ze gooide het over een andere boeg. 'Wat maakt het uiteindelijk uit wiens dochter Joy is? Is het niet genoeg om te weten dat ze hier bij mij en Jeremy een goed thuis heeft?'

'En ik dan, schatje? Wat heb ik dan?' klaagde Bobby, en hij klonk zo precies als haar kinderen dat Jax bijna lachte. Bijna.

'Wat jij hebt, Bobby, als je echt gelooft dat Joy jouw dochter is, is de wetenschap dat ze goed verzorgd wordt,' zei Jax. Ze geloofde geen moment dat deze tactiek zou werken. Maar ze hoopte op de een of andere manier haar onderhandelingspositie te versterken door een beroep te doen op zijn geweten. Aangenomen dat hij een geweten had, uiteraard. En daar was ze helemaal niet zo zeker van.

'Nu zit je weer mijn tijd te verspillen,' mopperde Bobby. 'Mijn tijd en de minuten op mijn telefoonkaart. Ik heb je dit allemaal in mijn brief al geschreven, Jax. Joy is mijn dochter. En als ik van de zomer vrijkom, wil ik deel uitmaken van haar leven. Ik heb mijn rechten. Denk maar niet dat ik dat niet weet. De bibliotheek hier staat vol met juridische boeken en ik heb mijn huiswerk gedaan. Dus jij en ik kunnen nu iets regelen, of anders kom ik over zes weken, zodra ik vrij ben, wel even langs de zaak om er met Jeremy over te praten. Ik wil wedden, schatje, dat de vraag wie Joys echte vader is niet vaak ter sprake komt onder het eten. Heb ik gelijk of niet?'

Jax gaf geen antwoord. Dat was ook niet nodig.

'Oké, mooi. We begrijpen elkaar,' zei Bobby. 'Daar ben ik blij om. Ik kan best een beetje meeleven met je eh… probleem hiermee, hoor. En hoe graag ik onze dochter ook wil zien, als jij denkt dat het een te grote schok voor haar zou zijn, kunnen we misschien tot een overeenkomst komen.'

'Ga door.' Jax voelde een sprankje hoop opflakkeren.

'Nou, het zit zo. Als ik hier wegga, heb ik niets dan een paar huistatoeages. En daar kan ik de rekeningen niet mee betalen. Ik zal opnieuw moeten beginnen. Helemaal opnieuw. Daar is geld voor nodig.'

Jax kon meteen weer helder denken. Geld. Ze had al gehoopt dat het daarop zou uitdraaien. Ze wist dat ze Bobby kon afkopen als de prijs niet te hoog was. 'Prima,' zei ze. 'Over hoeveel geld hebben we het? Ik heb uiteraard niet veel, maar ik kan misschien een kleine lening regelen waarmee je ergens iets kunt opstarten.' Ergens heel ver weg.

'Eh, ik dacht eigenlijk niet aan een lening, liefje. Ik dacht meer aan een gift. En ik dacht dat vijftigduizend dollar een goed beginkapitaaltje zou zijn om een bedrijfje op te zetten. Helemaal volgens de wet.'

Vijftigduizend dollar? Ben je gek geworden? had Jax er bijna uitgegooid. Toen dacht ze eraan dat ze aan het onderhandelen was. En dat vijftigduizend dollar slechts Bobby's openingsbod was.

'Hoor eens,' zei ze, 'ik kan nooit aan vijftigduizend dollar komen. Ik kan je wel vijfentwintighonderd dollar bieden.' Ze voegde er streng aan toe: 'Dat is een heleboel geld voor mij.'

'Sorry, schat, dat is veel te weinig,' zei Bobby zonder omwegen.

'Vijfduizend dan,' zei Jax. Ze wist dat ze te snel toegaf, maar ze kon het niet helpen. Ze wilde hier een eind aan maken.

'Ik wil zakken tot twintig,' zei Bobby net zo snel.

'Tien is mijn laatste bod,' zei Jax. 'Graag of niet. Hoger ga ik niet.'

Bobby zweeg een hele tijd. 'Goed dan,' zei hij eindelijk nors. 'En in ruil daarvoor, Bobby, blijf je bij haar uit de buurt. En uit de buurt van de rest van mijn gezin. En nog iets, Bobby. Je blijft weg uit Butternut. Is dat duidelijk?'

'Jij kunt me niet voorschrijven waar ik moet wonen,' stribbelde hij tegen.

'Dat kan ik wel als je het geld wilt hebben,' gaf ze terug.

Hij bleef even stil. 'Ja, oké,' zei hij eindelijk. 'Ik wil toch niet opnieuw beginnen in dat stomme gehucht van jou. Ik moet er wel een paar dagen zijn als ik vrij ben. Ik moet nog wat dingen afhandelen. Dan kan ik meteen het geld bij je ophalen, Jax.'

'Nee, Bobby. Ik stuur je wel een cheque. Geef me een paar dagen om het geld bij elkaar te krijgen.'

'O nee, schat. Zo gemakkelijk kom je niet van me af. Bovendien handel ik mijn zaken liever persoonlijk af.'

'Bobby, nee. Ik kan je niet ontmoeten. Dat is een veel te groot risico.'

'Ja, het leven zit nu eenmaal vol risico's,' zei hij met zijn donkere stem. 'Dat heb ik met schade en schande ondervonden. Dus ik zie je in Butternut op eh... 15 augustus. Dan zal ik er wel zijn. Zullen we zeggen, negen uur 's avonds in de Mosquito Inn?'

De Mosquito Inn, dacht Jax ontzet. Dat was een obscure kroeg aan Highway 169, waar voornamelijk leden van motorbendes en ex-gedetineerden kwamen. De gedachte dat ze daar naartoe moest terwijl ze bijna achtenhalve maand zwanger was, was belachelijk, en dat zei ze ook bijna. Toen viel haar iets in. De kans dat ze daar iemand zag die ze kende, behalve Bobby dan, was zo'n beetje nihil.

'Oké,' zei ze. 'Ik zal er zijn.'

'Mooi,' gromde Bobby, en hij hing op.

Jax legde de telefoon ook neer, en toen pas besefte ze dat ze over haar hele lichaam trilde. Dit kan niet goed zijn voor de baby, dacht ze. Ze legde haar handen beschermend over haar buik.

'Het spijt me,' fluisterde ze in de stille keuken. Ze voelde de baby bewegen, alsof ze reageerde. Het was een zacht, fladderend gevoel, bijna alsof er een paar vleugeltjes in haar bewogen. En het troostte haar een beetje.

Ze legde haar armen op tafel en haar hoofd erbovenop. En ze dacht aan de middag, dertien jaar geleden, waarop Bobby Lewis de drogisterij in Butternut in was komen lopen en haar leven voor altijd had veranderd.

Jax had in juni haar diploma van de middelbare school gehaald. Ze woonde thuis en werkte parttime bij Butternut Drugs. Ze had op dat moment geen idee wat de toekomst voor haar in petto had. Maar ze had het gevoel dat het niet veel opwindends zou zijn.

Ze ging niet studeren. Dat was wel duidelijk. Haar lerares

wiskunde, mevrouw Martin, was onder de indruk geweest van haar handigheid met getallen en had haar aangemoedigd zich aan te melden bij de staatsuniversiteit. Ze had het niet gedaan. Ze geloofde niet in zichzelf. En met uitzondering van mevrouw Martin had er kennelijk ook niemand anders in haar geloofd. Trouwens, zelfs al was ze toegelaten tot de University of Minnesota, er was geen geld voor een studie.

Dus stond ze in plaats daarvan achter de make-uptoonbank van Butternut Drugs de lipsticks in de juiste uitsparing te steken en te wachten tot er iets zou gebeuren. En op een dag was het zover. Bobby Lewis kwam binnen om een fles aftershave te kopen. En hij bleef hangen om met Jax te flirten.

'Is dat alles wat je de hele dag doet? Die buisjes in die gaten steken?' vroeg hij terwijl hij toekeek.

'Dat zijn lipsticks.' Jax werd van haar stuk gebracht door zijn nabijheid. 'En de tieners die ernaar komen kijken, gooien ze altijd door elkaar,' legde ze uit. Ondanks de airconditioning voelde haar gezicht opeens helemaal warm.

'Verveelt het nooit om hier te werken?' Bobby leunde op de toonbank.

'Altijd,' mompelde Jax, die met een snelle blik controleerde of meneer Coats, de eigenaar van de drogisterij, niet binnen gehoorsafstand stond. Wat niet het geval was.

''Waarom leg je dat buisje dan niet neer, dan lopen jij en ik naar buiten en stappen in mijn pick-up,' zei Bobby. 'We kopen een tray bier, gaan een eindje rijden en maken wat lol. Wat zeg je ervan?'

'Ik zeg nee,' fluisterde Jax bijna. Haar gezicht brandde. Ze was nog nooit gezoend. En Bobby keek naar haar en praatte met haar alsof hij heel wat meer wilde dan zoenen.

'O, kom op,' drong Bobby aan. 'Het is een veel te mooie dag om binnen te zitten.'

Ze schudde haar hoofd. 'Dan word ik ontslagen.' Ze deed een koraalrode lipstick terug in het juiste vakje.

'Dan kom ik terug als jullie gaan sluiten,' zei Bobby. 'We rijden naar het meer en kijken naar de zonsondergang.'

'Ik dacht het niet.' Jax deed alsof ze druk bezig was met het afstoffen van de oogschaduwdisplay. Ze ging beslist niet met hem mee. Ze kende hem niet persoonlijk, maar was op de hoogte van zijn reputatie. En die was niet erg goed. Hij was een leugenaar, had ze gehoord, een bedrieger en een dief. Met zijn twintig jaar was zijn strafblad al zo lang als haar arm. En hij moest ook nog gemeen zijn. Zelfs Jax' vader, zelf bepaald geen heilige, had een keer gezegd dat Bobby Lewis het soort man was dat niet langs een hond kon lopen zonder het dier een schop te geven.

Helaas voor Jax had Bobby ook een paar pluspunten. Ten eerste zag hij er goed uit. En ten tweede spatte de sexappeal er zo'n beetje van af. En zoals Jax zou ontdekken, kon hij ook heel overredend zijn als hij iets echt wilde. En op dat moment wilde hij Jax.

'Ik ga niet weg tot je ja hebt gezegd,' zei hij. 'En ik heb de hele middag de tijd.'

Jax keek op. Meneer Coats kwam eraan. En hij zag er niet blij uit.

'Oké, ik ga vanavond wel met je uit. Maar nu moet je gaan,' smeekte ze.

'Ik zie je om zes uur,' zei hij. Hij glimlachte traag tegen haar en verliet de winkel.

De jaren daarop dacht Jax vaak dat ze die dag beter ontslagen had kunnen worden dan zich met Bobby Lewis in te laten. Maar om eerlijk te zijn, was ze zelf ook niet helemaal vrij van schuld. Hoewel hij die keer moeite had moeten doen om haar mee te krijgen, ging ze de volgende keer gewillig genoeg. En de keer daarop ook.

Ze kon niet precies zeggen waarom. Ze wist dat er alleen maar problemen van konden komen, ze wist dat het niet goed zou aflopen. Maar ze verveelde zich. En ze voelde zich alleen.

Ze was gevleid door zijn aandacht. En diep vanbinnen geloofde ze niet dat ze iets beters verdiende dan Bobby Lewis.

Wat de reden ook was, het liep af zoals ze allebei hadden geweten dat het zou aflopen: Bobby wist Jax met lieve woordjes uit de kleren te krijgen en ontmaagdde haar op een avond op de achterbank van zijn pick-up. Daarna was al het lieve er meteen af en was hij gemeen tegen Jax of negeerde hij haar gewoon. Niet lang daarna verloor hij elke belangstelling voor haar. En op een dag, toen ze weer de lipsticks stond te ordenen, besefte Jax dat ze hem al ruim een week niet gezien had. Opgeruimd staat netjes, hield ze zichzelf voor. Op dat moment glipte er een lipstick tussen haar vingers door. Het ding rolde onder de toonbank en toen ze knielde om het op te rapen, besefte ze als bij donderslag dat ze zwanger was. Ze wist niet hoe ze het wist. Aan haar lichaam had ze nog niets gemerkt. Het was te vroeg om een menstruatie gemist te hebben. Maar ze wist met absolute zekerheid dat ze een baby kreeg.

Verrassend genoeg raakte ze niet in paniek. Ze raakte niet in paniek omdat ze op hetzelfde moment dat ze besefte dat ze zwanger was ook nog iets anders heel zeker wist. Wat er ook gebeurde, Bobby Lewis kreeg niets te maken met dit kind. Die wetenschap gaf haar een enorme vastberadenheid. Ze pakte de lipstick onder de toonbank vandaan, stond op en stak hem rustig op zijn plek in de display.

Een week en een positieve zwangerschapstest later had Jax nog steeds geen idee hoe ze zich aan haar voornemen moest houden. Ze stond op 4 juli op de jaarlijkse picknick in Butternut aan een schijf watermeloen te knabbelen en haar grote probleem te overdenken toen Jeremy Johnson tegen haar op liep en wat punch op haar zomerjurk morste. Hij putte zich uit in verontschuldigingen en ging een paar servetjes voor haar halen, en daarna bleef hij even staan praten. Toen veranderde haar leven weer, voor de tweede keer in één maand tijd.

Ze kon zich elk detail van die avond herinneren.

'Hoe kan het dat we elkaar nooit eerder hebben gesproken?' vroeg Jeremy later, toen ze de volgende morgen tegen zonsopgang op een deken onder een omgekeerde roeiboot op het strandje lagen.

'Jij ging studeren in de zomer voordat ik naar de middelbare school ging,' merkte Jax op.

'Ik had nooit weg moeten gaan.' Jeremy kuste haar. 'Ik had moeten blijven en moeten wachten tot je oud genoeg was.'

'Ik wou dat je dat gedaan had.' Jax kuste hem terug. 'Maar je zou me nooit een tweede blik waardig hebben gekeurd.'

'Waarom zeg je dat?' vroeg hij fronsend.

'Omdat het waar is. Jij en ik komen uit twee verschillende werelden,' zei ze. Jouw familie woont in een mooi houten huis in Main Street. De mijne in een caravan in het bos. Jouw ouders zijn eigenaar van de doe-het-zelfzaak. Mijn ouders zijn de plaatselijke alcoholisten. Jij hebt gestudeerd. Ik heb me zwanger laten maken.

'Ik weet niets over verschillende werelden.' Jeremy kwam op een elleboog overeind. 'Maar ik weet wel iets anders. Punch op jouw jurk morsen was het slimste wat ik ooit heb gedaan.'

'Deed je dat expres, dan?'

'Natuurlijk.'

'Waarom?' vroeg ze geboeid.

'Omdat ik al een tijdje naar je stond te kijken. En ik wist dat ik met je moest praten.'

Jax geloofde er niets van.

'Het is echt waar,' zei Jeremy. 'Ik zag je en ik vond je zoiets... zoiets moois hebben. Gecompliceerd, maar mooi. Je leek een heel vreemde combinatie van kwetsbaarheid en kracht. Het is moeilijk onder woorden te brengen. Maar ik wist dat ik meer over je moest weten. Alles, eigenlijk.'

Jax dacht over wat hij gezegd had. Ze geloofde niet echt dat ze mooi was. En ook niet interessant, trouwens. Nu ze de hele nacht met Jeremy had gepraat, kon ze bijna geloven dat ze het allebei was.

'En toen ik je aansprak,' zei Jeremy, 'werd ik niet teleurgesteld. Ik had het gevoel dat ik de hele nacht met je kon blijven praten.'

Toen glimlachte Jax. 'Oké, maar nu wordt er niet meer gepraat. Voorlopig niet, tenminste.' En ze trok hem naast zich. Een paar minuten later maakte Jeremy zich van haar los. Tegen die tijd waren ze allebei gedeeltelijk ontkleed. Jeremy had alleen zijn spijkerbroek nog aan en Jax een beha en een slipje met stippen.

'Jax,' zei Jeremy hijgend. 'Het spijt me. Dit had ik niet verwacht. Ik heb geen eh… bescherming bij me. Dus ik denk dat we nu moeten stoppen. Of in elk geval rustig aan doen.' Terwijl hij het zei, ging zijn blik over haar lichaam en slikte hij moeizaam.

'We kunnen ook gewoon de rest van onze kleren uittrekken,' zei Jax, verbaasd om haar eigen stoutmoedigheid. Ze wurmde zich uit haar beha en slipje.

De omgekeerde roeiboot leek wel een grot, maar Jax' blote, romige huid gloeide zachtjes in het schaarse licht.

Jeremy kon zijn ogen niet van haar afhouden. 'Jax,' zei hij hoofdschuddend. Maar hij zoende haar weer. En weer. Ze vreeën terwijl de zon opsteeg boven Butternut Lake.

In de jaren daarna dacht Jax nog vaak terug aan die episode en ze moest toegeven dat die haar niet in een gunstig daglicht stelde. Op dat moment had ze niet opzettelijk berekenend of oneerlijk gehandeld. Toen ze die nacht naast Jeremy lag, had ze zich echt tot hem aangetrokken gevoeld. En haar ongeduld om met hem te vrijen was ook echt geweest. Dat had ze niet kunnen veinzen, zelfs niet als ze dat gewild had. Dat kon ze helemaal niet. Sterker nog, de vrijpartij die volgde was heftiger en bracht haar meer genot dan Jax zich had kunnen voorstellen. Dat deel was tenminste geen leugen.

En er was die nacht nooit een moment geweest waarop ze tegen zichzelf had gezegd: ik breng de nacht met Jeremy door en daarna zeg ik tegen hem dat ik zwanger van hem ben. Maar ze kon niet ontkennen dat ze had geweten dat Jeremy een veel betere echtgenoot en vader zou zijn dan Bobby, en dat die wetenschap onbewust een rol kon hebben gespeeld in haar daden van die nacht.

Hoe dan ook, een paar weken later vertelde Jax Jeremy dat ze zwanger was. En hij vroeg haar onmiddellijk en zonder enige aarzeling ten huwelijk. Tegen die tijd waren ze voortdurend samen en Jax was dol op hem. Ze was er vrij zeker van dat hij evenveel van haar hield.

Dus trouwden ze, kochten een huis met een kleine aanbetaling, waarvoor ze geld leenden van Jeremy's ouders, en namen de doe-het-zelfzaak over. En toen Joy was geboren, die gelukkig precies op Jax leek, viel alles zo volmaakt op zijn plek dat Jax wel moest geloven dat het zo moest zijn.

Dat wilde niet zeggen dat ze zich niet schuldig voelde over de leugen waarmee hun huwelijk begonnen was. Dat deed ze wel. Ze wist dat wat zij gedaan had, verkeerd was. En ze wist dat alles kapotging als Jeremy er ooit achter kwam. Naarmate de jaren voorbijgingen en haar gezin groter werd, werd de inzet hoger.

Dus deed Jax het enige wat ze kon doen. Ze hield met heel haar hart van Jeremy en haar dochters. En ze hield zichzelf voor dat het beter was dat zíj met een leugen leefde dan dat ze allemaal met de waarheid moesten leven. En het grootste deel van de tijd geloofde ze dat ook. De dagen waarop ze het niet geloofde, waren de zwaarste.

En Bobby? Ze had hem niet eens verteld dat ze zwanger was. Dat was niet nodig. Die zomer, nog voordat ze een buikje kreeg, werd hij gearresteerd omdat hij een slijterij had beroofd en belandde hij in de staatsgevangenis. En Jax, heimelijk opgelucht, had gedacht dat het daarmee afgelopen was. Tot ze dat voorjaar een brief had gekregen waarin hij haar vertelde dat hij werd vrijgelaten en zijn dochter wilde ontmoeten. Jax had geen idee hoe hij wist dat Joy van hem was. Hij had waarschijnlijk gehoord dat ze een baby had gekregen, een optelsommetje gemaakt en geraden hoe de vork in de steel zat. En hij had pas contact met haar opgenomen toen hij wist dat hij vrij zou komen. Zolang hij vastzat, was er immers niets wat ze voor hem kon doen.

Jax zat in haar stille keuken en zuchtte toen ze eraan dacht hoe lastig Joy die morgen aan het ontbijt was geweest. Ze had zich onmogelijk gedragen. Geklaagd omdat ze haar kamer moest opruimen. Haar zussen gepest. De smeekbeden van haar moeder om rust genegeerd. En toen ze aan haar wentelteefjes zat, had haar zachte, verlangende gezicht Jax verteld dat Joy misschien wel met het gezin aan de keukentafel zat, maar dat ze in gedachten mijlenver weg was. Waarschijnlijk zat ze te dagdromen over minder gewone dingen dan haar gewone leven.

Het grappige was dat het juist dit gewone leven was, in een gewoon huis en met een gewoon gezin, dat Jax vastbesloten was te beschermen. Voor Jax was dat gewone leven een privilege dat ze als kind niet had gehad. En nu zou ze alles doen om te voorkomen dat Bobby het Joy afnam. En niet alleen Joy, maar hen alle vijf. Nee, hen alle zes, dacht Jax toen de baby weer bewoog.

12

Caroline draaide het bordje aan de voordeur van Pearl's van
OPEN naar GESLOTEN toen ze een man op de stoep zag staan
die het menu las dat voor het raam hing. Hij kwam duidelijk
niet uit Butternut, want als hij een ingezetene was geweest,
zou hij haar menu uit zijn hoofd kennen.

'Kan ik u helpen?' Ze deed de deur open en hield haar hand
boven haar ogen vanwege de nog steeds felle middagzon.

Hij keek op van het menu en glimlachte. 'O, ik zocht alleen
een gelegenheid waar ik iets kouds te drinken kon krijgen. En
misschien een broodje erbij.'

'We gaan om drie uur dicht,' zei Caroline nuchter.

Hij keek op zijn horloge. 'Is het al kwart over drie?' vroeg
hij verbaasd. 'Ik had geen idee dat het al zo laat was. Weet u
een andere gelegenheid waar ik op dit uur van de dag nog kan
lunchen?'

Caroline aarzelde. De Corner Bar was iets verderop en als
het moest, kon je daar een redelijke hamburger krijgen. Maar
het was meer een gelegenheid voor drinkers en zelfs op een
zonnige dag als deze was het binnen donker en somber. Dan
was er nog het pompstation aan de rand van de stad, waar de

gebruikelijke rubberachtige hotdogs en in folie verpakte burrito's werden verkocht. Ze kon hem niet naar eer en geweten naar een van die adressen doorsturen. Ze nam de man snel op. Hij was van middelbare leeftijd, vijftig of misschien vijfenvijftig, en hij zag er netjes uit in zijn poloshirt en kakibroek. Als ze zich niet vergiste, was hij militair of ex-militair. Dat zag ze aan zijn kaarsrechte houding. En aan zijn peper-en-zoutkleurige haar, dat maar iets langer was dan in het leger was voorgeschreven. Hij zou haar geen problemen bezorgen, besloot ze. Misschien was er zelfs een aardig gesprek met hem te voeren. En hij zou een behoorlijke fooi geven. Dat deden mannen als hij altijd.

Bovendien was laat openblijven beter dan teruggaan naar haar appartement, dat tegenwoordig evenveel persoonlijkheid had en opwinding bood als een mausoleum.

'Er zijn wel een paar adresjes,' zei ze tegen hem, nog steeds met haar hand boven haar ogen, 'maar ik kan het niet over mijn hart verkrijgen u daarheen te sturen. Dus komt u maar binnen. Ik kan voor u wel een kwartiertje extra openblijven.'

'Weet u het zeker?' vroeg hij beleefd. 'Ik wil u niet ontrieven.'

'Maakt u zich geen zorgen.' Ze deed de deur verder open en wenkte hem binnen te komen. 'Er zijn genoeg dingen die ik kan doen terwijl u luncht.'

'Dank u zeer. Ik vind het echt heel aardig van u,' zei hij terwijl hij binnenkwam.

'Mijn kok is om drie uur vertrokken,' legde ze uit terwijl ze de deur achter hem op slot deed. 'En de grill staat al uit, dus ik kan u niets warms aanbieden. Niet dat u noodzakelijk iets warms zult willen hebben met dit weer. Ik heb vanmiddag verse limonade gemaakt en ik kan een koud broodje voor u maken.'

'Dank u. Dat is het beste aanbod dat ik vandaag gekregen

heb.' Hij liep langs de tafeltjes en nam een van de krukken aan het formicabuffet.

'Wat zal het zijn?' Caroline dook achter het buffet en bond werktuigelijk haar schort weer voor.

'Wat kunt u aanbevelen?' vroeg hij, opkijkend van het menu.

'Alles,' zei ze automatisch. Wat naar haar niet zo bescheiden mening waar was.

'Nou, wat hebt u gehad bij de lunch?'

'Een broodje kipsalade.'

'Dan neem ik dat ook.'

'En limonade?'

'En limonade.' Hij glimlachte.

Caroline knikte en pakte een glas en een kan limonade. Hij had een aangename glimlach, dacht ze, een glimlach die vriendelijke rimpeltjes veroorzaakte bij zijn ooghoeken. En hij zag er niet slecht uit. Integendeel zelfs. Zijn gebruinde huid was bijvoorbeeld prettig verweerd en zijn neus, die duidelijk een paar keer gebroken was geweest, gaf hem een ruwe, parate mannelijkheid.

Ze schonk hem een glas limonade in, deed er een extra takje munt bij en zette het voor hem op het buffet. Daarna begon ze zijn broodje klaar te maken.

Hij nam een slokje limonade en zei waarderend: 'Ik kan me niet meer herinneren wanneer ik voor het laatst limonade van versgeperste citroenen heb gehad. En die munt is er ook lekker in.'

Caroline glimlachte, sneed zijn broodje in tweeën en zette het hem voor. 'O, ik ken wel een paar trucjes,' zei ze. 'We zijn hier in Butternut niet helemaal achterlijk op culinair gebied.'

'Dat is goed om te weten,' zei hij, 'in aanmerking genomen dat ik net een bod heb gedaan op een huisje hier.'

'Echt waar?' vroeg Caroline. 'Een vakantiehuisje?'

'Nee, ik ben van plan hier permanent te komen wonen. Ik ben vanaf nu officieel met pensioen.'

111

'Uit het leger?'

Hij knikte. 'Goed gezien,' zei hij, en hij nam een hap van zijn broodje.

'Bent u ook... in actie geweest?' vroeg ze met een snelle gedachte aan de man van die arme Allie.

Hij haalde zijn schouders op. 'Ja, een paar keer. Ik ben piloot geweest. Maar geen straaljagerpiloot. Ik vloog op transporttoestellen.'

'Vond u het leuk? Om piloot te zijn, bedoel ik.'

'Fantastisch,' zei hij.

'En nu bent u met pensioen?'

'Inderdaad. Ik was klaar voor iets anders. Maar ik ben nog steeds piloot. Alleen heb ik nu mijn eigen toestel, een Cessna, en daar hoop ik een bedrijf mee te beginnen.'

'Hoe dat zo?' vroeg Caroline.

Hij haalde zijn portefeuille voor de dag, nam er een visitekaartje uit en schoof dat over het buffet naar Caroline.

Ze pakte het op en las het.

Buster Caine
Privépiloot
Chartervluchten

Onder aan het kaartje stonden het nummer van zijn mobiele telefoon en een e-mailadres.

'Wat denkt u ervan?' Hij zette zijn ellebogen op het buffet en boog zich naar haar toe.

'Mag ik eerlijk zijn?' vroeg Caroline.

'Natuurlijk.'

'Ik denk dat de mensen in Butternut liever rijden,' zei ze zonder omwegen, maar ze had onmiddellijk spijt van haar botte antwoord. Het was niet haar bedoeling onbeleefd te zijn.

Maar hij lachte, schijnbaar onaangedaan. 'Tja, dat kan zijn.

112

Het was ook maar een idee. Ik heb het geld niet nodig – ik heb mijn legerpensioen – maar ik hoopte bezig te blijven. En ik dacht dat werk me in elk geval enigszins bezig zou houden.' 'Er is niets mis mee om bezig te blijven.' Caroline glimlachte. Op dat moment was bezig blijven voor haar de enige manier om niet gek te worden.

'En u?' vroeg hij. 'Vliegt u wel eens?'

'O, nee.' Caroline onderdrukte een lichte huivering. 'Ik heb nog nooit gevlogen. Maar ik stel me voor dat het voor u en uw gezin de favoriete manier is om u te verplaatsen.'

'Ik ben weduwnaar,' zei hij.

'Dat spijt me voor u,' mompelde Caroline.

'Mij ook,' zei hij met een trieste glimlach. 'Ik heb wel twee prachtige dochters,' voegde hij er opgewekter aan toe. 'Ze wonen allebei in de Twin Cities. Maar ze zijn natuurlijk al volwassen. Ze hebben hun eigen leven.'

Caroline dacht fronsend over zijn woorden na.

'Heb ik iets verkeerds gezegd?' Hij keek haar nauwlettend aan.

'Nee, natuurlijk niet,' antwoordde Caroline snel. Ze ging in de weer om zijn glas limonade bij te vullen. 'Ik dacht alleen aan mijn eigen dochter. Die heeft nu ook een eigen leven.'

'Hoe oud is ze?' vroeg hij belangstellend.

'Achttien. Ze is deze zomer naar de universiteit vertrokken.'

Hij glimlachte begrijpend. 'Dat zal wel moeilijk zijn.' Hij at het laatste stukje van zijn broodje op.

Caroline zuchtte. 'U hebt geen idee. Ik bedoel, we zijn al die jaren met zijn tweetjes geweest. Mijn ex-man, Daisy's vader, is vertrokken toen ze drie was.' Ze zweeg even, verrast dat ze zoveel losliet tegenover een man die in wezen nog een vreemde voor haar was.

En nu was het Busters beurt om zachtjes te zeggen: 'Dat spijt me voor u.'

Caroline haalde haar schouders op. 'Niet nodig. Ik heb tijd

genoeg gehad om eraan te wennen dat ik een alleenstaande ouder ben. Het is het lege nest dat me nu opbreekt. En weet u wat nog het ergste is?'

Hij trok zijn wenkbrauwen op.

'Hoe stil het is in ons appartement. Ik had al die jaren geen idee hoeveel lawaai ze maakte.'

'Sommige mensen houden juist van rust.'

Ze zuchtte. 'Ik geloof niet dat ik ooit tot die mensen zal behoren.'

'Misschien niet,' zei hij. 'In dat geval kunt u altijd nog leren drummen. Dat brengt het geluidsniveau in elk geval weer op peil.'

Caroline lachte. Ze stond nog steeds te lachen toen de achterdeur van het eethuisje openging en Frankie binnenkwam. Ze had kameraadschappelijk op het buffet staan leunen, maar nu ging ze instinctief rechtop staan en deed een stap achteruit. Wat nogal dwaas was, besefte ze te laat. Ze deed niets verkeerds.

'Ben je er nog, Frankie?' zei ze een beetje stijfjes.

Hij knikte. 'Ik was de afvalemmers aan het schoonschrobben.'

'Ik stond met meneer Caine te praten.' Ze herinnerde zich zijn naam van het visitekaartje. 'En trouwens, meneer Caine, ik ben Caroline. Caroline Keegan.' Ze stak haar hand uit. 'En dit is Frankie. Frankie Ambrose.'

Maar Frankie was niet in een sociale bui. Hij staarde hun gast met een strak gezicht aan. Caroline kende die blik. Berekenend. Meedogenloos. En genadeloos. Zo keek hij normaal alleen naar tegendraadse klanten of luidruchtige tieners. Ze had hem nog nooit zo zien kijken naar iemand van wie ze niet dacht dat hij het verdiende.

Ze wierp een blik op Buster Caine en verwachtte half dat hij een handvol munten op het buffet zou gooien en er spoorslags vandoor zou gaan. Het zou niet de eerste keer zijn dat een enkele blik van Frankie dat bereikt had. Maar Buster keek zonder met zijn ogen te knipperen terug. Hij verschoof niet eens op zijn kruk.

'Nou, dan,' zei Caroline een beetje te luid. 'Frankie moet eigenlijk naar huis.' Ze keek hem doordringend aan. 'En u, meneer Caine,' zei ze terwijl ze zich weer tot Buster wendde, 'u wilt waarschijnlijk de rekening.'

Frankie zei niets, maar wendde zich langzaam af en begon het aanrecht schoon te maken.

'Inderdaad, de rekening graag, als u het niet erg vindt,' zei Buster vriendelijk. Hij leek zich totaal niet druk te maken om zijn treffen met Frankie.

Caroline ademde uit. De spanning was gebroken. Ze moest nodig eens met Frankie praten over zijn gedrag. Het was niet erg dat hij wat beschermend was. Maar hij moest het niet overdrijven. Ze wilde niet dat hij klanten wegjoeg.

Terwijl ze de rekening uitschreef, vertrok Frankie via de achterdeur.

Buster Caine floot zachtjes. 'Wat een enorme vent,' zei hij.

'Ik weet het,' beaamde ze. 'Maar hij zou nog geen vlieg kwaad doen.'

'Dat weet ik nog niet zo net,' zei hij sceptisch. Hij pakte de rekening en haalde zijn portefeuille uit zijn achterzak. 'Dat zijn gevangenistatoeages.'

'Inderdaad,' zei Caroline een beetje verdedigend. 'Maar Frankie is in wezen een vriendelijke reus. Bovendien geloof ik oprecht dat mensen een tweede kans verdienen.'

Hij glimlachte. 'Nou, dat is mooi. Die hebben we allemaal wel eens nodig, nietwaar?' Hij stond op en legde een bankbiljet op het buffet. 'Het was trouwens een genoegen kennis met u te maken, mevrouw Keegan,' voegde hij eraan toe.

'Caroline,' corrigeerde ze.

'Caroline,' herhaalde hij. 'En noem mij maar Buster. Nogmaals bedankt dat je zo laat open wilde blijven en voor het beste broodje kipsalade dat ik ooit heb gehad.'

'Graag gedaan,' zei ze luchtig, blij dat ze hem niet naar het pompstation had gestuurd voor zijn lunch.

Ze keek hem na en ging toen zijn bord opruimen. Hij had een knisperend biljet van twintig dollar op de rekening gelegd. Ze had gelijk gehad: hij gaf een goede fooi, dacht ze terwijl ze het biljet in de zak van haar schort deed. Ze voelde nog iets anders in die zak en haalde het eruit. Het was zijn visitekaartje. Ze wilde het al weggooien toen ze zich bedacht. Het leek niet juist om het gewoon weg te gooien. Dus deed ze de kassa open, tilde de la met biljetten eruit en legde het visitekaartje eronder. De kans dat ze het ooit nodig zou hebben, was zo goed als nihil, wist ze. Om een of andere vreemde reden vond ze het fijn te weten dat het daar lag.

13

Toen Allie zag hoeveel auto's er op de avond van het feest geparkeerd stonden in de straat waarin Jax en Jeremy woonden, reed ze bijna door.

'Wat is er, mam?' vroeg Wyatt, die haar gezicht zag in de achteruitkijkspiegel.

'Niets, schat. Hoezo?' Allie remde af.

'Je fronst helemaal,' zei Wyatt.

Allie zuchtte. Ze vergat nog steeds af en toe dat Wyatt alles zag.

'Ik frons inderdaad,' zei ze zachtmoedig, 'maar alleen omdat ik een plekje zoek waar ik kan parkeren. Ik wist niet dat er zoveel mensen zouden komen.'

Uiteindelijk kon ze de auto twee blokken verderop kwijt. Terwijl ze terugliepen naar het huis van Jax en Jeremy dwong ze zichzelf ter wille van Wyatt vrolijk te blijven doen. Jax had tenslotte gelijk, bedacht ze. Feestjes waren leuk, toch? Dat had ze vroeger zelf ook gevonden. Tegenwoordig zag ze met angst en beven op tegen elke sociale aangelegenheid. Het probleem was dat Wyatt dat ook zou gaan doen als ze niet oppaste.

'Het wordt leuk,' zei ze opgewekt en ze kneep in zijn hand.

In haar andere hand had ze een tupperwarebak vol koekjes met stukjes chocola.

Wyatt leek niet erg overtuigd. Nu ze het feest konden horen – de stemmen, het gelach en de muziek –, voelde ze hem vertragen. Hij begon tegenstand te bieden. Ze trok hem mee en liep door.

'Weet je wie er vanavond ook is?' vroeg ze toen ze over het flagstonepad liepen dat langs de zijkant van het huis naar de achtertuin leidde.

Wyatt schudde zijn hoofd.

'Frankie.' Ze glimlachte, blij dat ze haar grote troef tot nu toe had bewaard.

'Komt Frankie ook?' vroeg hij met grote ogen. Hij vond Frankie absoluut fascinerend.

'Nou en of,' zei Allie. 'Wie denk je dat de hamburgers en hotdogs en de kip moet klaarmaken? Allemaal dingen die jij graag lust.'

'Denk je dat hij hulp nodig heeft?' vroeg Wyatt, die zich nu haastte om haar bij te houden.

'Misschien wel.' Ze trok glimlachend een wenkbrauw op.

Toen ze de hoek van het huis omkwamen, hapte Wyatt verrast naar adem. En dat begreep Allie wel toen ze het tafereel in zich opnam.

De achtertuin baadde in het licht. Aan de bomen hingen felgekleurde Chinese lantaarns, in alle struiken en bosjes waren snoeren kleine witte lichtjes gehangen en op de tafeltjes op het donkere, fluweelzachte gras stonden dikke kaarsen te flikkeren.

'Wat mooi,' zei Wyatt met een zucht.

Wat een werk, dacht Allie. Toen haar blik over de menigte feestgangers ging en Jax en Jeremy vond, omringd door een groep vrienden, zagen ze er geen van beiden moe uit. Integendeel. De jongensachtig knappe Jeremy had zijn arm rond Jax' middel geslagen en Jax, die een schattige zomerse zwangerschapsjurk droeg, keek teder naar hem op.

Toen Allie die twee zo zag, voelde ze een steek van jaloezie. Ze keek schuldig de andere kant uit. Nu staat het vast, Allie, dacht ze. Je bent een verschrikkelijk mens geworden. Je weet hoe ongelukkig Jax in haar jeugd is geweest en je weet ook dat ze al het goede dat haar sinds die tijd is overkomen meer dan verdiend heeft.

Toch keek ze niet meer naar hen terwijl ze het schouwspel verder in zich opnam. Jax had niets te veel gezegd toen ze dit feest de sociale gebeurtenis van het seizoen had genoemd. Heel Butternut leek zijn opwachting te hebben gemaakt en het verbaasde Allie hoeveel mensen ze kende. Daar was Frankie, als beloofd, achter een enorme grill op de patio, en tegenover hem bemande een van de bedienden van de doe-het-zelfzaak een provisorische bar. Aan de andere kant van de tuin werden de gasten vermaakt door de man van het pompstation, die vanmorgen nog de olie van Allies auto had ververst, maar nu banjo speelde in de bluegrassband.

Opeens voelde ze zich verlegen tussen al die bekende mensen. Verlegen en nog iets anders… Overweldigd. Ze was vergeten hoe dit moest, besefte ze, en ze verstevigde haar greep op Wyatts hand. Wat meer was, ze wilde helemaal niet meer weten hoe dit moest. Het maakte deel uit van haar oude leven, haar leven voor Gregg was gesneuveld. Nu leek het allemaal – de menigte, de muziek, het dansen – helemaal verkeerd. Luid. Afstotend. Vals. Als om dit punt te benadrukken barstte een groepje mensen in de buurt plotseling in lachen uit.

Dat is genoeg, we gaan weg, dacht ze. Ze verzon wel een smoesje dat ze Wyatt in de auto kon vertellen. Net toen ze wilde gaan, liep ze letterlijk tegen Caroline Keegan op.

'Hé, hallo,' groette Caroline met een glimlach.

Allie knikte onzeker, maar Wyatt glimlachte verlegen.

'Die wil je zeker op de toetjestafel zetten,' zei ze tegen Allie, met een knikje naar de koekjes. 'En jij moet iets te eten hebben, je groeit zo hard.' Ze knipoogde tegen Wyatt.

Ze liepen achter Caroline aan naar een lange picknicktafel, die bijna kreunde onder het gewicht van het eten dat erop stond, en Allie zette de bak met koekjes aan de toetjeskant en haalde het deksel eraf. Ze zag Wyatt praktisch kwijlend naar de tafel kijken. Er waren gevulde eieren en bonen in tomatensaus. Rabarbertaart en luchtige tulband. Schijven watermeloen en bergen koolsla. En een tinnen bord vol karnemelkbiscuits, waar Wyatt hongerig naar staarde.

Caroline zag hem kijken, pakte er een van het bord en gaf die aan hem. Hij beet er gretig in. 'Schat, je mag er zoveel eten als je wilt,' zei ze tegen hem. 'Ik heb ze namelijk gebakken.' Toen vroeg ze aan Allie, zachter zodat Wyatt het niet kon horen: 'Wilde je weggaan toen je tegen me op liep?'

'Nee,' zei Allie automatisch. En toen een beetje schaapachtig: 'Ja.'

'Dat dacht ik al. Je bent toch niet boos dat ik je ontsnappingsplan heb verijdeld?'

'Helemaal niet.' Allie lachte.

'Mooi, daar ben ik blij om. Maar, Allie,' vroeg ze fronsend, 'is het nog steeds moeilijk? Dit soort dingen, bedoel ik?'

'Echt, Caroline, er zijn dagen waarop alles moeilijk is. Maar inderdaad, dit soort dingen is extra moeilijk. Te veel blije mensen, denk ik.' Ze keek Caroline recht aan. Ze had besloten dat het geen zin had haar egoïsme voor haar te verbergen.

Maar Caroline keek niet afkeurend, alleen verdrietig. 'Blije mensen,' zei ze zachtjes, en ze keek om zich heen. 'O Allie, je zou niet geloven wat ik kan vertellen over sommige mensen die hier vanavond zijn. Ik bedoel, begrijp me niet verkeerd, het zijn goede mensen. Maar ook hun leven is niet volmaakt, en voor sommige van hen is dat heel zacht uitgedrukt. Toch zijn ze er. Ik denk dat ze proberen een beetje lol uit het leven te halen.' Ze zuchtte en keek naar Wyatt, die een tweede karnemelkbiscuit pakte. 'En eerlijk gezegd denk ik dat ze daar gelijk in hebben.'

'Misschien wel.' Allie dacht erover na. Normaal gesproken vond ze het irritant als mensen haar goede raad wilden geven. Om een of andere reden kon ze het van Caroline hebben. Misschien was het de zachtaardige, maar directe wijze waarop Caroline zowel haar vrienden als haar gasten bejegende. Of misschien was het omdat ze niet deed alsof ze overal een antwoord op had. Ze deed niet eens alsof ze die antwoorden nog probeerde te vinden.

En Allie wist dat ze daar gelijk in had toen Caroline opeens vroeg: 'Denk je dat je er ooit aan zult wennen? Om niemand te hebben, bedoel ik?'

'Ik weet het niet,' zei Allie eenvoudig, maar op dat moment kwamen Jade en Jax op hen afgestormd en werd het gesprek afgebroken.

'Wyatt,' zei Jade met stralende blauwe ogen. 'Je bent er!' Ze gaf hem geen kans om antwoord te geven. 'Kom op,' zei ze. 'Ga mee. Frankie zei dat hij de beste hotdogs voor jou en mij zou bewaren. Mijn vader heeft de grill te hoog gezet en er zijn er een paar verbrand. Maar wij hoeven de zwarte niet te eten. Ook al kan het geen kwaad. Ik bedoel, je kunt wel honderd zwarte hotdogs eten zonder zelfs maar buikpijn te krijgen.' Ze hield even op met praten, maar alleen om op adem te komen. Toen vroeg ze weer: 'Ga je mee, Wyatt?'

'Natuurlijk gaat hij mee.' Allie gaf hem een duwtje. En toen Wyatt achteromkeek terwijl hij door Jade werd meegesleept naar de grill glimlachte ze bemoedigend.

'Ik ben zo blij dat je er bent.' Jax omhelsde Allie zo oprecht gemeend dat Allie zich weer schuldig voelde over haar eerdere wrok tegen Jax. 'En maak je maar geen zorgen om Wyatt en Jade,' zei Jax. 'Frankie houdt ze wel in de gaten. Hij is niet alleen fantastisch aan de grill, maar ook verbazingwekkend geduldig met kinderen. En als ik je van Caroline even mee mag nemen, wil ik je aan iemand voorstellen.'

'Natuurlijk,' zei Caroline.

Allie aarzelde.

'Kom op, het doet geen pijn,' zei Jax overredend toen ze haar gezicht zag, en ze nam Allie mee naar de bar, waar een aantrekkelijke blonde vrouw van een jaar of zestig met een glas witte wijn in de hand kennelijk op hen stond te wachten. 'Sara,' zei Jax, 'dit is mijn vriendin Allie Beckett. Allie, dit is Sara Gage.'

Ze schudden elkaar de hand en toen zei Jax gewichtig: 'Maken jullie maar even een praatje, dan ga ik iets te drinken voor Allie halen.'

Allie wilde tegenwerpen dat Jax op haar eigen feest wel iets beters te doen had dan een drankje voor Allie halen, maar Jax leek vastbesloten hen alleen te laten, dus riep Allie haar na: 'Dank je, Jax. Doe maar een cola voor mij.'

Toen draaide ze zich om naar Sara Gage, die zonder verdere inleiding tegen haar zei: 'Jax heeft me verteld dat je belangstelling hebt voor kunst.'

'Inderdaad,' zei Allie beleefd. Ze vroeg zich af waar de vrouw naartoe wilde.

'Ik weet niet of Jax je al over mij verteld heeft,' zei Sara, 'maar ik ben de eigenaar van de Pine Cone Gallery in Main Street. Ken je die?'

'Natuurlijk,' zei Allie. 'Recht tegenover Pearl's.' Ze had al vaak in de etalage gekeken, maar had geaarzeld met Wyatt een zaak binnen te gaan die zo vol stond met breekbare spullen. 'Hij ziet er prachtig uit,' zei ze tegen Sara. 'Hoe lang hebt u die galerie al?'

'Ik heb hem een jaar of tien geleden geopend.' Sara nam een slokje van haar wijn. 'Mijn man en ik zijn na ons pensioen hiernaartoe verhuisd en hij vond het heerlijk om niets te hoeven doen, maar ik verveelde me dood. En ik besefte ook dat ik het heel snel zat zou worden om elke keer als ik een beetje cultuur wilde opsnuiven vierenhalf uur naar Minneapolis te rijden. Die eerste herfst na onze verhuizing zag ik een advertentie voor een tentoonstelling die werd gesponsord door een plaatselijk kunstenaarscollectief. Ik was op zijn minst nogal sceptisch. Maar ik ben gegaan en ik was totaal verbijsterd. Niet alleen door het aantal kunstenaars dat hier tentoonstelt, maar ook door de kwaliteit van hun werk.'

'Echt? Ik had geen idee dat Butternut zo'n bloeiend kunstleven had,' moest Allie bekennen.

'Nou, ik weet niets van een kunstleven,' verhelderde Sara, die Allies woordkeuze nogal amusant vond. 'Maar als je net als ik dacht dat hier niet veel kunstenaars woonden, heb je het mis. Sommigen komen hier vandaan en anderen zijn net als mijn man en ik afkomstig uit de Twin Cities en hebben besloten na hun pensioen hierheen te trekken. Ze hebben echter allemaal één ding gemeen. Ze moeten een plek hebben waar het hele jaar door hun werk verkocht kan worden. Daar kom ik om de hoek kijken.'

'En u hebt er een succes van gemaakt, kennelijk.'

'Dat heb ik zeker,' zei Sara tevreden. 'Ik bedoel, ik zal er nooit rijk van worden. Maar ik heb alle mensen die zeiden dat Butternut te klein was voor een galerie de mond gesnoerd. Het blijkt dat de plaatselijke bevolking en de toeristen behoefte hebben aan een ander soort winkel. Je weet wel, een winkel waar niet alleen kerstspullen, geurkaarsen en potpourri worden verkocht.'

'O, te oordelen naar uw etalage hebt u echt iets heel anders gedaan,' zei Allie bewonderend. 'Uw spulletjes zien er allemaal prachtig uit.' En dat was ook zo. Ze had in de etalage aquarellen en olieverfschilderijen gezien, maar ook keramiek, met de hand geblazen glas en sieraden.

'Dank je,' zei Sara. 'We hebben een paar heel getalenteerde kunstenaars. En ik zou er graag nog meer vinden om te vertegenwoordigen, maar daarvoor moet ik de galerie uit. Ik heb een betrouwbaar iemand nodig die in de zaak kan staan als ik er niet ben. En daarom wilde Jax me aan jou voorstellen.'

123

'Aan mij?' herhaalde Allie niet-begrijpend.

Sara knikte. 'Aan jou, ja. Jax was vorige week in de galerie en toen ik zei dat ik iemand zocht die daar parttime kon werken, stelde ze jou voor. Ze zei dat je veel over kunst weet en dat je verkoopervaring hebt omdat je een bedrijf hebt geleid.'

'Ik... ik weet niet wat Jax u verteld heeft,' zei Allie overdonderd. 'Ik heb op de universiteit kunstgeschiedenis als bijvak gedaan en mijn man en ik hebben een hoveniersbedrijf gehad, maar ik weet niet of ik daarmee de kwalificaties bezit om in een galerie te werken.'

Sara Gage liet zich niet afschrikken. 'Je hoeft geen bijzondere kwalificaties voor de baan te hebben, behalve belangstelling en bereidheid. Waarom kom je niet een keer binnen om rond te kijken, dan kunnen we nog eens praten.'

'U bedoelt een soort sollicitatiegesprek?'

'Een heel informeel sollicitatiegesprek,' verzekerde Sara haar. 'En als je me nu even wilt excuseren,' voegde ze er met een frons aan toe terwijl ze de andere kant uit keek. 'Ik zie mijn man naar de buffettafel schuiven en ik geloof niet dat zijn cardioloog het goed zou vinden als hij nog meer gevulde eieren at.'

Ze was nog niet weg of Jax was terug. Ze straalde toen ze Allie haar cola gaf.

'Heeft ze je verteld over de baan?' Haar blauwe ogen schitterden van opwinding.

'Inderdaad,' zei Allie. 'Maar ik wou dat je me op de hoogte had gesteld voordat je me aan haar voorstelde.'

'O.' Jax' gezicht betrok. 'Neem me niet kwalijk. Het was niet mijn bedoeling je ermee te overvallen. Maar ik weet dat je van kunst houdt. En je zei dat je uiteindelijk wel zou moeten gaan werken.' Ze voegde er met enig zelfverwijt aan toe: 'Ik ben geloof ik vergeten dat het veel makkelijker is om de problemen van anderen op te lossen dan die van jezelf.'

'Welke problemen?' zei Allie berispend. 'Als ik het zo eens bekijk, ziet jouw leven er vrij volmaakt uit.'

'Was dat maar waar,' zei Jax weemoedig, en op dat moment vond Allie haar gezicht bijna ondraaglijk triest. Het moment ging voorbij en toen was Jax zichzelf weer. Zwanger en stralend. Allie vroeg zich af of ze zich die triestheid soms verbeeld had. Of misschien had ze gewoon haar eigen triestheid op Jax geprojecteerd.

'Jax.' Ze kneep de zwangere vrouw even in haar hand. 'Dank je wel omdat je aan me gedacht hebt. Je hebt gelijk: ik heb een baan nodig, ergens in de niet zo verre toekomst. En het is geen slecht idee om bij de Pine Cone Gallery te werken. Het is alleen...' Alleen wat, vroeg ze zich af. Maar ze kon het niet onder woorden brengen. Niet voor Jax. Zelfs niet voor zichzelf. Ze wist alleen dat ze er nog niet klaar voor was om alle dingen te doen die iedereen nu van haar verwachtte. Werken. Met andere mensen omgaan. Uitgaan met mannen. En ze wist niet waarom ze er niet klaar voor was. Misschien omdat ze twee jaar na de dood van Gregg nog steeds alleen gelaten wilde worden met Wyatt en haar verdriet. Of misschien omdat het een voltijds baan bleek om de herinnering aan Gregg levend te houden in haar hoofd en in haar hart.

Haar blik ging instinctief naar Wyatt in de menigte feestvierders. Hij en Jade stonden hand in hand voor de bluegrassband en draaiden in kringetjes rond. Jade leek zoals gewoonlijk de leiding te hebben, maar Wyatt deed kennelijk maar al te bereidwillig mee. En terwijl Allie toekeek, lachte hij onmiskenbaar naar Jade, wat een zeldzaamheid genoemd mocht worden.

Allie wilde er iets over zeggen tegen Jax, maar die stond fronsend naar een ander groepje gasten te kijken. 'Dat is raar,' mompelde ze.

'Wat?' vroeg Allie. Haar blik volgde die van Jax en viel vrijwel meteen op Walker Ford. Hij stond een meter of tien verderop met een biertje in zijn hand met een andere gast te praten. Allie voelde een onverwachte irritatie. Ze had er niet op gerekend hem hier te zien. En na hun al te persoonlijke gesprek tijdens de rit naar haar huis had ze dat ook niet gewild.

Walker zag Allie en Jax naar hem kijken, en hij glimlachte en hief groetend zijn bierflesje. Allies irritatie groeide.

'Komt hij op al jullie feestjes?' vroeg ze aan Jax terwijl ze doelbewust haar blik afwendde.

'Nee,' zei Jax. 'Daarom verbaasde het me dat hij er was. Hij is nooit eerder gekomen.'

'Waarom nodig je hem dan uit?'

Jax haalde haar schouders op. 'Zaken, denk ik. Hij is een goede klant. En Jeremy mag hem graag.'

'Jij niet?' polste Allie.

'Ik ken hem niet zo goed,' gaf Jax toe terwijl ze nog eens die kant uit keek. 'Ik kan het aantal gesprekken dat ik met hem heb gehad op de vingers van een hand tellen. Maar ik denk dat ik na vanavond de andere hand ook nodig heb.'

'Hoezo?' vroeg Allie.

'Omdat hij recht op ons afkomt.'

Allie verstrakte onwillekeurig. En dat was dwaas, wist ze. Hij was tenslotte haar buurman. Ze moest eraan wennen dat ze de man af en toe tegen zou komen.

'Hallo,' zei Walker toen hij bij hen was. 'Leuk feestje.'

'Fijn dat je kon komen,' zei Jax, maar inmiddels had iets anders haar aandacht getrokken. 'Zo te zien is het ijs op,' zei ze met een blik op de bar. 'Het spijt me, ik zal jullie even moeten verlaten.'

'Dat geeft niet,' zei Allie zonder veel overtuiging.

'Kan ik helpen?' vroeg Walker.

Jax schudde haar hoofd. 'Nee, dank je. Het lukt wel.' En toen was ze weg.

Walker keek met een geamuseerd gezicht naar Allie.

'Weet je wat mijn eerste gedachte was toen ik je vanavond hier zag?' vroeg hij.

'Nee,' zei ze eerlijk, verrast om zijn directheid. Dit was niet het beleefde gesprekje dat ze had verwacht. Van de andere kant vond ze hem ook niet echt een man die het geduld of de aanleg had voor een beleefd gesprekje.

'Mijn eerste gedachte was dat je eruitzag alsof je rijexamen moest doen. Je weet wel, als iemand die als een berg op ziet tegen wat er gaat komen.'

Allie deed geen moeite hier iets tegen in te brengen. 'Is het zo duidelijk?' Ze nam een slokje cola.

Hij knikte. 'Nou en of. Maar je hoeft niet bang te zijn dat andere mensen het merken. De enige reden waarom ik het zag, is dat je me aan mezelf deed denken bij dergelijke festiviteiten. Ik beschouw ze meestal als een noodzakelijk kwaad. Zoals een afspraak bij de tandarts. Je wilt er niet heen, maar je doet het toch.'

'Is dat zo? Ik heb namelijk gehoord dat je nooit naar dit soort feesten gaat. Dat je in feite een soort kluizenaar bent.'

'Een kluizenaar?' herhaalde hij, en zijn mondhoek ging omhoog, zodat hij bijna glimlachte. 'Dat klinkt een stuk interessanter dan ik ben. De waarheid is eigenlijk behoorlijk saai. Ik werk veel.'

'Wat doe je eigenlijk precies op de werf?' vroeg Allie nu.

Hij haalde zijn schouders op. 'We bouwen boten, we repareren boten, we slaan boten op, we kopen en verkopen boten. Op dit moment zijn we een heel bijzondere boot aan het restaureren. Een kano. Heel oud. Ik heb hem interessant genoeg op de bodem van het meer gevonden. Maar als we de rotte bodem vervangen, denk ik dat hij echt iets waard zou kunnen zijn. Zo maken ze ze niet meer.'

Allie voelde dat ze bloosde. 'Ben je mijn kano aan het restaureren?'

Hij knikte.

'Waarom?'

'Waarom niet?' Hij haalde zijn schouders op. 'Ik kon de verleiding niet weerstaan om er in elk geval even naar te kijken.

En toen ik hem eenmaal op het droge had, zag ik hoe mooi hij gemaakt was.'

'Maar hij blijft niet eens meer drijven,' protesteerde ze.

'Nou, ik hou wel van een uitdaging. Hoe groter de uitdaging, hoe leuker als het om het restaureren van een boot gaat.'

'Dat klinkt niet leuk.' Allie fronste. 'Het klinkt alsof het veel geld kost.'

'Nou, voor mij is het leuk,' zei Walker met een glimlach. 'Voor de meeste andere mensen waarschijnlijk niet. En maak je geen zorgen over de kosten. Ik breng niets in rekening. Op de werf heb ik alles wat ik nodig heb. En anders kan ik het tegen inkoopprijs van onze leveranciers krijgen.'

Allie schudde haar hoofd. Het stond haar niet aan. Ze wilde Walker Ford niets verschuldigd zijn. Om welke reden dan ook. Ze waren buren. Daar kon ze niets aan veranderen. Maar ze werden geen vrienden. Niet als hij haar elke keer dat ze hem zag dit gevoel bezorgde. Slecht op haar gemak. Gespannen. En in de verdediging gedrongen.

'Weet je wat?' zei ze opeens. 'Waarom houd je hem niet als je klaar bent met de restauratie? Dat is het minste wat ik kan doen nu je al die moeite hebt gedaan om hem uit het meer te krijgen. Bovendien heb ik Wyatt beloofd dat we iets met een motor zouden kopen. Zelfs met zijn vijf jaar is hij oud genoeg om niet onder de indruk te raken van een boot waarin je moet peddelen of roeien.'

'O, daar kan ik je ook wel mee helpen.' Walker haalde zijn portefeuille uit zijn zak en trok er een visitekaartje uit. Hij gaf het aan Allie en ze nam het aarzelend aan. 'Cliff Donahue is de bedrijfsleider van de werf,' legde hij uit terwijl ze het kaartje bestudeerde. 'Kom hem maar eens opzoeken. Hij kan je wel een goede nieuwe of gebruikte boot bezorgen.'

Allie bekeek het kaartje en toen ze weer opkeek naar Walker zag ze hem pas echt, voor het eerst die avond. Misschien wel überhaupt voor het eerst. De man was belachelijk knap, dacht ze. En het kleine beetje extra moeite dat hij die avond had genomen met zijn uiterlijk betaalde zich dubbel en dwars terug. Zijn korte, donkere haar was netjes gekamd en zijn zongebruinde kaken leken pas geschoren. Bovendien droeg hij een blauw overhemd dat het intense blauw van zijn ogen liet uitkomen. Ze vroeg zich vaag af of hij dat overhemd om die reden gekozen had, maar besloot dat het niet zo was. Hij leek geen man die lang voor de spiegel stond. Of die zich druk maakte over wat hij moest dragen.

Terwijl Allie naar hem keek, werd het opeens donkerder buiten, zoals soms gebeurde op een zomeravond. Ze nam nerveus een slokje cola en keek over de rand van haar glas in zijn ogen. Maar hij keek niet terug. Niet echt. In plaats daarvan ging zijn blik over haar heen, over haar hele lichaam, op een manier die tegelijkertijd hard en zacht was. Alsof hij haar tegelijkertijd stevig vasthield en zacht streelde.

Allie huiverde onwillekeurig, ondanks de zwoele zomeravond, en ze trok aan de hals van haar jurk. Het was geen heel blote jurk, maar iets aan de manier waarop hij naar haar keek gaf haar het gevoel dat ze te weinig aanhad. Of zelfs helemaal niets.

Ze hield zijn blik even vast, tot iets in haar zich spande tot op het punt van knappen. Toen ze er niet meer tegen kon, wendde ze haar blik af. 'Ik moet Wyatt gaan zoeken,' mompelde ze bijna ademloos, en zonder achterom te kijken verdween ze in de menigte. Ze schoof langs de mensen zonder ze te zien en voelde zich opeens een beetje licht in het hoofd. Ik moet iets eten, dacht ze toen ze eenmaal in de menigte verdwenen was, en ze ging de kant uit van de buffettafel.

Tot haar grote opluchting zag ze Walker die avond niet terug.

Toen ze later naar huis reed en bij een kruising moest stoppen, keek Allie via de achteruitkijkspiegel naar Wyatt op het moment dat het licht van de koplampen van een passerende auto over hem heen viel. Hij had een vuile veeg op zijn gezicht en een ketchupvlek op zijn T-shirt. Terwijl ze naar hem keek, geeuwde hij slaperig. Ze draaide zich om en glimlachte tegen hem.

'Heb je het leuk gehad vanavond?' vroeg ze.

Hij knikte en keek tevreden naar buiten. Hij ziet er anders uit, dacht Allie toen ze zich weer omdraaide en de kruising over reed. Alsof hij gelukkig is.

14

Toen Walker op een middag halverwege juli de deur van zijn kantoor bij de werf opendeed, zat zijn broer Reid in Walkers draaistoel, met zijn voeten op het bureau. Reid glimlachte hem toe en schoot bij wijze van begroeting een elastiekje naar hem.

'Hallo, Reid,' zei Walker vriendelijk, en hij weerde het elastiekje af door zijn hand op te steken. Hij ging op de andere stoel zitten. 'Zou je me willen vertellen wat je hier doet?'

'Is dat een manier om je grote broer te begroeten?' vroeg Reid quasiafkeurend.

'Nou, je had me wel eens mogen waarschuwen,' merkte Walker op.

'Ik wilde je niet waarschuwen.' Reid haalde zijn voeten van Walkers bureau. 'Het is veel leuker om je te verrassen. En als ik je gewaarschuwd had, zou ik dát niet gezien hebben,' voegde hij eraan toe met een gebaar naar het raam van Walkers kantoor op de eerste verdieping, waardoor je de hele werf kon overzien.

'Wat zou je niet hebben gezien?' vroeg Walker op zijn hoede.

'Jou met je nieuwe vriendin.'

Walker fronste. 'Dat is geen nieuwe vriendin. Dat is mijn nieuwe buurvrouw. En haar zoon. Ze willen een boot kopen.'

'Het zag er anders niet uit als een gewoon verkooppraatje,' zei Reid geamuseerd.

Walker haalde met gespeelde onverschilligheid zijn schouders op. 'Nou, ik heb ze even gedag gezegd. Daarna heb ik ze overgedragen aan Cliff.' Hij had ze natuurlijk zelf de boten kunnen laten zien die ze in de verkoop hadden, maar dat wilde hij niet. Om een of andere reden was het belangrijk voor hem om zijn persoonlijke relatie met Allie – als je daarvan tenminste kon spreken – te scheiden van hun zakelijke relatie. Dat had hem er niet van weerhouden Cliff te vertellen vijfentwintig procent af te trekken van de prijs van elke boot waar Allie belangstelling voor had.

Reid zei even niets, maar hij voelde dat hij Walker in de verdediging had gedrongen. En hij genoot er enorm van.

'Hoor eens, Reid,' zei Walker met een getergde zucht, 'maak er niet meer van dan het is, oké? Het is heel eenvoudig. Ze willen een boot kopen. Ik wil ze een boot verkopen. Ik bedoel, dat doen we hier toch? Boten verkopen?'

'Dat klopt,' beaamde Reid. 'Maar even serieus, Walker, ik zou er geen gewoonte van maken om op die manier zaken te doen. De manier waarop je naar haar keek kwam op mij niet erg professioneel over.'

'De manier waarop ik naar haar keek?' vroeg Walker, hoewel hij het antwoord eigenlijk niet wilde horen.

Reid deed alsof hij erover nadacht. 'Alsof ze een cupcake was die je wilde opeten,' zei hij eindelijk. 'Je weet wel, zo een met glazuur erop. En van die sprinkels erover en…'

'Oké, Reid, ik snap het al,' viel Walker hem in de rede, geïrriteerd omdat iedereen kon zien dat hij zich aangetrokken voelde tot Allie. Met een beetje geluk was zij niet zo opmerkzaam als Reid. Zijn broer kende hem tenslotte vijfendertig jaar langer.

'Hé Walk, maak je niet druk,' zei Reid schouderophalend. 'Het is geen probleem. Tenminste niet voor mij. Tenzij ze getrouwd is. Dan is het uiteraard een groot probleem.' Walker schudde een beetje somber zijn hoofd. 'Nee, ze is niet getrouwd, maar ze is ook niet beschikbaar.' Reid trok zijn wenkbrauwen op, een stil verzoek om uitleg. 'Ze is weduwe,' zei Walker na een korte stilte. 'Haar man is uitgezonden naar Afghanistan en…' Zijn stem stierf weg. 'Hoe lang geleden?' vroeg Reid kalm. 'Dat hij uitgezonden is?' Reid schudde zijn hoofd. 'Dat hij gesneuveld is.' 'Een paar jaar geleden, geloof ik.' 'Dus dat is geen heel nieuwe situatie?' vervolgde Reid. 'Voor haar en het kind?' Walker schudde zijn hoofd. 'Nee, haar zoon was toen drie. Hij is nu vijf.' 'Dan zie ik geen probleem,' zei Reid. 'Ik bedoel, ik wil niet harteloos klinken. En het is ook geen gebrek aan respect voor de nagedachtenis van haar man. Hij heeft tenslotte het ultieme offer gebracht voor zijn land. Maar aan zijn leven is een eind gekomen. Dat van haar gaat verder.' 'Maar dat is het juist,' zei Walker. 'Ik geloof niet dat haar leven verdergaat. Ik bedoel, oppervlakkig misschien wel. Maar ik denk dat ze in emotioneel opzicht nog steeds stilstaat.' Zo'n beetje, maar misschien niet helemaal, dacht Walker. Tenzij hij zich dat moment op het feest had verbeeld. Dat moment waarop ze naar elkaar hadden gekeken en hij iets tussen hen had gevoeld. Iets scherps en zoemends, als elektrische stroom. 'Nou, als ze stilstaat,' zei Reid, 'is duidelijk wat jij moet doen.' 'Wat bedoel je daarmee?' 'Ik bedoel, met het risico om afgezaagd te klinken, dat jij haar een reden moet geven om zich weer open te stellen. Om weer te gaan leven.' Walker schudde zijn hoofd. 'Ik geloof niet dat ik daarvoor de aangewezen persoon ben, Reid. Laten we eerlijk zijn. Niet met mijn verleden.'

'Heb je het over je scheiding?'

Walkers kaak verstrakte. 'Uiteraard.'

'Nou, jullie tweeën hadden ook nooit moeten trouwen,' zei Reid afwijzend.

'Dat is niet het punt,' wierp Walker tegen. 'Toen we eenmaal getrouwd waren...'

'O, in godsnaam, Walker,' zei Reid ongeduldig. 'Vind je nog steeds dat het jouw schuld is dat zij de baby verloor?'

Walkers gezicht vertrok. 'Reid, ik heb je al eerder gezegd dat ik daar niet over wil praten.'

'Het spijt me,' zei Reid, die met een gebaar van overgave allebei zijn handen opstak. 'Ik wil je verlies niet bagatelliseren, Walker. Niet dat van jou en niet dat van Caitlin. Maar je moet het loslaten. Je moet het achter je laten. Het is nu al een paar jaar geleden. Die vrouw' – hij gebaarde naar het raam – 'is niet de enige die verder moet met haar leven. Dat geldt voor jou evengoed.'

Walker zei niets.

'Goed, prima, dan ga je niet verder,' zei Reid met een zucht. 'Maar vraag haar ten minste een keer mee voor een kop koffie. Hoe moeilijk kan dat zijn?'

Misschien te moeilijk voor mij, dacht Walker, die opstond en naar het raam liep. Allies auto stond nog steeds op de parkeerplaats voor bezoekers.

'Zijn ze er nog?' vroeg Reid.

Walker gaf geen antwoord. Hij had zelf een vraag voor zijn broer. 'Reid, sinds wanneer stel jij zoveel belang in mijn persoonlijke leven?'

'Sinds ik tot het besef ben gekomen dat we geen van beiden een persoonlijk leven hebben.'

'Ik dacht dat jij daar de voorkeur aan gaf. Je weet wel, louter werk en geen spel voor ons allebei.'

'Niet voor ons allebei,' sprak Reid hem tegen. Hij stond op en kwam naar het raam. 'Ik vind het zelf prettig, maar ik geloof niet dat ik het voor jou nog het beste vind. Ondanks al je grote woorden, Walk, denk ik dat jij wilt trouwen en kinderen wilt krijgen. Ik denk dat jij verlangt naar dat hele gedoe van huisje-boompje-beestje.'

'Nou, dan ken je me niet zo goed als je denkt,' zei Walker eerlijk.

Tot Walkers verrassing legde Reid een hand op zijn schouder. Zijn broer was over het algemeen niet erg demonstratief. Nu liet hij zijn hand even liggen, kneep in Walkers schouder en liet los. 'Ik moet gaan.' Hij liep naar de deur.

'Je bent toch niet helemaal hierheen gekomen om broederlijke wijsheden te spuien?' vroeg Walker over zijn schouder.

'Natuurlijk niet,' zei Reid. 'Ik ben naar een werf bij Ely gaan kijken die te koop is. Die heeft beslist mogelijkheden. Ik bel je er nog wel over.'

'Als je even wilt wachten tot ik wat papierwerk heb afgemaakt, kunnen we samen gaan eten,' bood Walker aan. Hij liep weg van het raam en ging aan zijn bureau zitten.

'Een andere keer,' zei Reid. 'Ik moet weer naar de stad.'

Reid wilde het kantoor uit lopen, maar draaide zich nog even om.

'Nog één ding, Walk.'

'Wat?' vroeg Walker afwezig, terwijl hij opkeek van de stapel papieren op zijn bureau.

'Denk erover na, waar we het over gehad hebben. Vraag die vrouw mee uit. Je kunt veel zeggen over de broer met wie ik ben opgegroeid. Maar niet dat hij een lafaard is.' Toen deed hij de deur achter zich dicht.

Het gaat niet werken, Reid, dacht Walker. Ik ben geen twaalf meer en ik hap niet meer elke keer als jij me uitdaagt.

Toch ging hij niet aan het werk. In plaats daarvan liep hij weer naar het raam en bleef staan piekeren over wat Reid had gezegd. Vijf minuten later liep hij de trap af, op weg naar de showroom.

Toen hij binnenkwam, zag hij meteen Allie aan de andere kant staan. Ze had een aantal glanzende brochures vast en schudde Cliff de hand. Wyatt speelde op een van de boten vlak bij hen.

'Hé, Walker,' zei Cliff toen hij erbij kwam staan. 'Mevrouw Beckett ging net weg.'

'Met een boot, hoop ik,' zei Walker.

'Niet helemaal,' zei Allie. 'Maar Cliff heeft me een heleboel gegeven om over na te denken.'

'Mooi,' zei Walker knikkend.

Er liep een andere klant de showroom binnen en Cliff verontschuldigde zich en ging naar hem toe.

'Wyatt, we moeten gaan,' riep Allie. Wyatt keek even op, maar deed toen weer alsof hij een speedboot bestuurde. Allie zuchtte. 'Verbazingwekkend hoe selectief zijn gehoor is,' zei ze.

Walker lachte, blij met de mogelijkheid om haar even voor zichzelf te hebben, al was het maar een paar minuten.

'Raken jullie al een beetje op orde?' vroeg hij.

'We maken vorderingen,' zei ze. 'Johnny Miller, onze klusser, in elk geval. Dankzij hem staat het huisje niet meer op instorten. Dus dat is een goed teken, veronderstel ik.'

'Hoe lang ben je hier nu al?' vroeg hij. Hij wist precies hoe lang het geleden was dat hij voor het eerst licht in hun huisje had gezien, maar hij wist niet goed wat hij anders moest zeggen. Ze wist hem steeds weer van zijn à propos te brengen.

Ze zag er vandaag ook wel bijzonder mooi uit in een zomerse bloes en rok en op platte sandalen. Haar weelderige, bruine haar met de lichte, zonnige strepen erin was naar achteren getrokken tot een eenvoudige paardenstaart en op haar zongebruinde gezicht was geen spoor van make-up te bekennen. Niet dat ze dat nodig had. Haar huid had al een zachte, gouden gloed en haar hazelnootbruine ogen met de lange wimpers bezaten een helderheid die geen enkele oogschaduw kon geven.

'We zijn hier al zes weken.' Haar antwoord bracht hem weer bij de werkelijkheid.

Ze zei het op een manier die hem de vraag ontlokte: 'Zes lange weken?'

'Soms,' gaf ze toe. 'Maar we hebben een routine opgebouwd, en dat is goed. Dan gaat de tijd sneller.'

'Weet je wat die nog sneller zou laten verstrijken?' vroeg Walker.

Ze schudde haar hoofd, opeens op haar hoede.

'Een boot.'

Ze glimlachte. 'Je bent verkoper in hart en nieren, hè?' merkte ze op.

'Misschien,' zei hij. 'Maar als je aan zo'n prachtig meer woont, vind ik dat je een boot moet hebben om het water op te gaan.'

Haar hazelnootbruine ogen stonden bedachtzaam terwijl ze over die opmerking nadacht. Toen leek ze zich iets te herinneren en ze keek op haar horloge.

'We moeten zo gaan,' zei ze met een blik op haar zoon. 'Ik moet Wyatt bij Jax brengen. Geloof het of niet, ik heb een sollicitatiegesprek.'

Aan zijn gezicht was kennelijk te zien dat hij het niet geloofde.

'Bij de Pine Cone Gallery,' legde ze uit. 'Sara Gage, de eigenaresse, zoekt een parttimeverkoper. En Jax heeft haar ervan weten te overtuigen dat ik daar precies geschikt voor zou zijn. Zelf denk ik dat ze allebei gek zijn.'

'Dat weet ik zo net nog niet,' zei Walker. 'Ze lijken mij allebei slimme vrouwen. Hoe dan ook, veel succes. En Allie?'

'Ja?'

Op hoop van zegen. Een kop koffie met haar drinken? Ver-

geet het. Dat was een veel te klein begin. 'Ik vroeg me af of jij en Wyatt een keer bij me willen komen eten. Niet uitgebreid, hoor. Maar ik zou een paar steaks op de grill kunnen gooien. En dan kunnen we daarna misschien even het water op...'
Allie fronste. 'Nou, Wyatt zou het wel leuk vinden...' zei ze onzeker.

En jij, wilde Walker vragen. Zou jij het leuk vinden? Hij wachtte af. Toen ze niets zei, voegde hij eraan toe: 'Het stelt niet veel voor. Gewoon een paar buren die samen eten.'

'Is dat echt alles?' Allie keek hem recht aan.

'Ja,' zei hij, van zijn stuk gebracht door haar directe vraag. Ze zei niets.

'Nee,' verbeterde hij. 'Ik bedoel, ik weet niet wat het is.'

Ze wachtte op verdere uitleg.

'Misschien is het alleen maar een etentje,' zei hij schouderophalend. 'Misschien kan het iets meer zijn. We kennen elkaar nog niet goed genoeg om dat te weten. Maar één ding weet ik wel over ons.'

Hij zweeg even. Dit was lastig. Hij wist niet goed hoe hij het moest zeggen zonder haar te beledigen.

'Wat dan?' vroeg ze koeltjes.

'Ik weet dat ik bij het feest van Jax en Jeremy iets voelde tussen ons. Ik weet niet hoe je dat zou moeten noemen. Een wederzijdse aantrekkingskracht, misschien. Ik geloof niet dat ik het me heb verbeeld. En ik geloof ook niet dat het alleen van mijn kant kwam. Wat het ook was, volgens mij voelde jij het ook.'

Haar ogen werden groot van verbazing. 'Wil je zeggen dat jij denkt dat ik... me tot je aangetrokken voel?' vroeg ze voor de duidelijkheid.

Hij knikte. Hij dacht dat hij dat wel duidelijk had gemaakt.

Haar gouden teint werd overspoeld met roze. Van verlegenheid, vroeg hij zich af. Of van boosheid? Hij zag haar prachtige kaken verstrakken tot een harde lijn. Boos, besloot hij.

'Ik weet niet wat jij die avond hebt gevoeld, Walker. Maar ik kan je nu meteen vertellen dat ik het niet heb gevoeld, wat het ook was. Ik voel me niet tot jou aangetrokken. Zelfs niet een beetje.'

'Ik geloof je niet,' zei Walker zonder erbij na te denken.

Haar wangen werden nog roder. 'Nou, dan ben je nog arroganter dan ik dacht.'

Au, dacht Walker. Dat deed pijn. Maar hij geloofde haar nog steeds niet. Niet helemaal.

'Wyatt, we moeten gaan,' riep ze naar haar zoon. 'Nu.'

Walker probeerde de schade te beperken. 'Hoor eens, ik bied je mijn verontschuldigingen aan. Ik heb de situatie kennelijk verkeerd ingeschat.'

Allie gaf geen antwoord, want op dat moment kwam Wyatt op haar afrennen.

'Mama,' riep hij. Zijn verlegenheid werd even naar de achtergrond gedrongen door zijn opwinding. 'Ik wil die boot!' Hij wees naar de boot waarop hij had zitten spelen. 'Ik weet al hoe je hem moet besturen,' zei hij ernstig. 'Ik heb het mezelf geleerd.'

Allie glimlachte strak. 'We zullen nog wel zien,' zei ze. 'Kun je nu meneer Ford even bedanken omdat hij ons hier heeft uitgenodigd, Wyatt? En omdat hij ervoor heeft gezorgd dat Cliff ons al die boten heeft laten zien?'

'Dank u wel,' zei Wyatt gehoorzaam.

'Graag gedaan.' Walker voelde zich een enorme idioot. 'Ik loop even mee naar jullie auto.'

'Dat is niet nodig.' Allie gaf hem de stapel brochures terug. Hij keek ze na terwijl ze de showroom verlieten en zette de brochures terug. Hij zou Cliff zijn verontschuldigingen moeten aanbieden. Die verkoop ging beslist niet door.

'En bedankt, Reid,' mompelde Walker toen hij weer naar zijn kantoor ging.

Eenmaal daar, ging hij achter zijn bureau zitten en probeerde zich te concentreren op de stapel papierwerk die voor hem lag. Toen hij besefte dat hij drie keer dezelfde zin had gelezen en nog steeds niet wist wat er precies stond, stond hij op en liep naar het raam.

Hij wist dat hij gelijk had. Hij wist dat hij zich niet verbeeld had dat ze zich op het feest tot elkaar aangetrokken hadden gevoeld. Dus óf ze had botweg tegen hem gelogen toen ze zei dat ze het niet had gevoeld, óf ze wilde het niet weten. Het moest het tweede zijn, besloot hij, spelend met het koordje van de jaloezieën. Ze maakte op hem niet de indruk van een oneerlijk iemand. Niet opzettelijk oneerlijk, tenminste. Maar eerlijk zijn tegen andere mensen was iets anders dan eerlijk zijn tegen jezelf. Eerlijk zijn tegen jezelf was oneindig moeilijker.

En nu werd het tijd dat hij eerlijk tegen zichzelf was, dacht hij. Ze gingen geen relatie met elkaar krijgen, om welke reden dan ook. Geef het dus maar op, Walker, hield hij zichzelf daar bij het raam voor. De waarheid was dat hij dat niet kon. Hij had het al geprobeerd. In de korte tijd dat hij haar kende, had ze op de een of andere manier een plaatsje veroverd in zijn hart. En hij kon haar er niet meer uit krijgen.

Een deel van het probleem was natuurlijk dat hij zich in lichamelijk opzicht zo enorm tot haar aangetrokken voelde. Maar dat was niet alles. Als hij aan Allie dacht, dacht hij meestal niet daaraan. In plaats daarvan dacht hij eraan hoe ze de pannenkoekjes van haar zoontje in stukjes sneed, zoals op de eerste morgen dat hij haar had ontmoet, bij Pearl's. Hij wist niet waarom dat beeld hem zo bijbleef. God mocht weten dat het niet sexy was. Eigenlijk was het juist het tegendeel van sexy. Het was moederlijk.

Op dat moment bleef hij heel stil staan. Misschien had Reid gelijk. Misschien wilde hij trouwen en kinderen krijgen. Huisje-boompje-beestje, zoals Reid het had gezegd. Maar als dat zo was, waarom had hij er de eerste keer dan zo'n puinhoop van gemaakt?

Hij zat daar nog steeds over te piekeren toen hij die avond de werf af reed. Hij had zijn raampjes opengedaan om de warme zomeravond binnen te laten en de geluidsinstallatie ver opengedraaid om Bruce Springsteen te horen, maar hij haalde die avond geen enkel genot uit de rit. Hij zat er namelijk aan te denken hoe het geweest was om met Caitlin samen te wonen in de maanden voor de miskraam.

Het was geweest alsof hij met een vreemde samenwoonde, dacht hij nu. Alleen erger. Een vreemde zou hij hebben leren kennen, terwijl hij en Caitlin, die elkaar eerst kenden, juist volkomen vreemden voor elkaar waren geworden. Vreemden die met elkaar getrouwd waren. Vreemden die samen een kind wilden gaan grootbrengen.

Voor die tijd hadden ze ten minste één ding gemeen gehad: ze voelden zich tot elkaar aangetrokken. Maar dat was het eerste wat verdween. Toen ze beseften dat ze verder helemaal niets deelden, begonnen ze elkaar te mijden. Dat was niet zo moeilijk in Walkers huis, met zijn oppervlak van driehonderdvijfentwintig vierkante meter. Walker begroef zich in zijn werk. En Caitlin? Walker had geen idee wat zij deed. Ze had geen werk in Butternut. Ze had haar baan opgegeven toen ze bij hem was ingetrokken. Ze had ook geen vrienden. Walker wist dat de plaatselijke bewoners haar gereserveerdheid voor onvriendelijkheid hadden aangezien. En hij had niets gedaan om die misvatting uit de wereld te helpen.

Het was hem dus een raadsel wat zij met haar dagen had gedaan. Maar hij had vermoed, en wist inmiddels zeker, dat ze eenzaam was geweest. Pijnlijk, hopeloos en deprimerend eenzaam. En Walker, die haar had overgehaald met hem te trouwen en hiernaartoe te verhuizen, had niets gedaan om haar te helpen.

Waarom had hij haar niet geholpen, vroeg hij zich af toen hij Butternut achter zich liet en naar het meer reed. Hij wist best waarom. Hij had haar niet geholpen omdat hij niet kon toegeven dat ze ongelukkig was. Dat ze allebei ongelukkig waren. Als hij dat had toegegeven, had hij ook moeten toegeven dat het een vergissing was geweest om haar over te halen met hem te trouwen. En toegeven dat je een vergissing had gemaakt, betekende dat je er de verantwoordelijkheid voor moest nemen, en meer nog, dat je er iets aan moest doen. En dat kon hij niet, omdat hij daarvoor kennelijk meer moed had moeten hebben dan hij in wezen bezat. Dus had hij haar genegeerd. En gehoopt dat ze op de een of andere manier gewoon... zou weggaan. Verdwijnen. Het verrassende was dat ze dat bijna gedaan had.

Waarom was hij anders zo verbaasd geweest toen ze op een late herfstochtend zijn studeerkamer in was gekomen en hem aarzelend op de schouder had getikt?

'Caitlin?' Hij had verbaasd opgekeken. 'Wat is er?'

'Het spijt me dat ik je stoor, maar...'

'Maar wat?' had hij met enig ongeduld gevraagd. Hij zat het businessplan voor de werf te herschrijven.

'Het zal wel niets zijn,' zei ze. Maar ze leek aangeslagen.

'Wat is er, Caitlin?'

'Ik heb de baby sinds ik vanmorgen wakker werd nog niet voelen bewegen,' zei ze eindelijk met een blik op het kleine buikje dat pas onlangs was verschenen.

'Is dat ongewoon?' vroeg Walker, die zich een beetje schaamde omdat hij het antwoord op die vraag niet wist. Hij was van plan geweest de boeken over zwangerschap en bevalling die Caitlin had meegebracht op zijn minst eens door te bladeren. Hij was er nog niet aan toegekomen.

'Ja, dat is ongebruikelijk,' zei Caitlin. 'Ik bedoel, ik ben bijna zes maanden zwanger. En ik voel de baby al een paar weken bewegen. Het werd juist meer, niet minder. Maar vandaag... niets.'

'Zelfs niet een klein beetje?' Hij voelde de eerste scherpe angst.

'Nee,' fluisterde ze. Ze was zo bleek dat haar huid bijna doorschijnend leek.

'Dan gaan we nu meteen naar dokter Novak.' Hij kwam onmiddellijk in actie. 'Ik zal bellen om te zeggen dat we eraan komen.'

Caitlin knikte en leek opgelucht dat Walker de leiding nam. Maar toen ze later die avond in een ziekenhuisbed zat, was er helemaal niets van haar gezicht af te lezen. Ze keek niet bang of opgelucht. Helemaal niets. Haar lichtblauwe ogen waren leeg en haar huid, die normaal bleek was, zag nu grauw.

Walker zat op de stoel naast haar bed. Hij keek door het raam naar de parkeerplaats, waar de eerste novembersneeuw dof glansde in het licht van de schijnwerpers.

Dokter Novak, Caitlins behandelend arts, kwam de kamer binnen.

'Hoe gaat het?' vroeg hij aan Caitlin terwijl hij haar kaart uit de zak aan het voeteneind van haar bed nam en die bestudeerde.

Caitlin gaf geen antwoord.

'Je verkeert waarschijnlijk nog in shock,' zei dokter Novak meelevend terwijl hij naast haar bed kwam staan. 'En dat is heel begrijpelijk. Het komt niet vaak voor dat een vrouw in dit stadium van haar zwangerschap nog haar baby verliest. Maar het gebeurt wel, Caitlin. Ook al weten we niet altijd waarom.'

Caitlin zei nog steeds niets.

'Kan ik je even spreken, Walker?' vroeg dokter Novak met een gebaar naar de gang.

Walker knikte en volgde hem.

'Caitlin is er misschien nog niet aan toe om dit te horen,' zei de dokter zachtjes. 'Als ze er wel klaar voor is, kun je haar eraan herinneren dat jullie allebei nog jong zijn. Jullie hadden dit keer geen problemen met het verwekken van een kind. En er is geen reden om aan te nemen dat jullie die de volgende keer wel zullen hebben. Jullie kunnen nog steeds een gezin stichten. Het gaat alleen iets langer duren, dat is alles.'

Walker wist niet wat hij moest zeggen. Hij twijfelde er sterk aan dat er voor hen een volgende keer zou zijn. Hij bedankte dokter Novak en ging de ziekenhuiskamer weer binnen. Caitlins ogen waren dicht en even dacht hij dat ze in slaap was gevallen. Maar ze deed ze open en zei zachtjes: 'Walker?'

Hij knikte en ging dichter bij het bed staan.

'Ik ga weg zodra ik ontslagen word, goed? Naar huis. Naar Minneapolis, bedoel ik.'

'Doe dat niet.' Hij voelde zich opeens schuldig en kon de gedachte dat ze alleen uit het ziekenhuis zou vertrekken niet verdragen. Ze zag er zo fragiel uit. Zo kwetsbaar.

Ze schudde haar hoofd bij zijn protest. 'Walker, we zijn getrouwd omwille van de baby. De baby is er niet meer.' Haar stem brak bij de laatste woorden. 'We hoeven niet meer getrouwd te blijven.'

'Ga niet weg,' zei hij weer. En hij meende het. 'Ik zal beter mijn best doen. Ik weet dat ik niet veel waard ben geweest als echtgenoot. Maar dat gaat veranderen. Dat beloof ik. Alleen... kom met me mee naar huis. Alsjeblieft.'

Achteraf besefte hij dat hij haar toen had moeten laten gaan. Het was egoïstisch van hem geweest om haar over te halen te blijven, alleen om zijn schuldgevoelens te sussen. Dat had hij toentertijd niet ingezien. Had het niet willen inzien...

Walker keek om zich heen en zag tot zijn verbazing dat de pick-up met draaiende motor voor zijn huis stond. Het was hem een raadsel hoe hij daar gekomen was. Zo echt als zijn herinneringen aan Caitlin die avond waren, zo vaag waren die aan de acht kilometer lange rit.

15

Een paar dagen na hun bezoek aan de werf stopte Allie net Wyatt in toen ze in de verte donder hoorden rommelen. 'Eindelijk,' zei ze opgelucht, en ze ging op de rand van Wyatts bed zitten. 'Ik dacht dat die storm nooit zou komen.' 'Wil je dan dat het gaat stormen?' vroeg Wyatt verrast. 'Dat wil ik zeker,' zei Allie. 'Want ik weet dat het dan wat koeler zal worden.' Het was een windstille, drukkende en vochtige dag geweest met een bewolkte hemel. Het meer was een glazig ovaal met de kleur van donker tin. Ze had gewacht op de storm en toen die niet kwam, was ze daar nerveus van geworden. Hoewel het eerlijk gezegd moeilijk te bepalen viel of dat aan het weer lag of aan wat Walker Ford de laatste keer dat ze hem had gezien tegen haar had gezegd. Ze fronste terwijl ze het laken om Wyatt gladstreek en bedacht wat een kolossaal ego die man moest hebben. Hoe moest ze anders het feit verklaren dat hij haar weigerde te geloven toen ze zei dat ze zich niet tot hem aangetrokken voelde?

Er klonk nog meer gerommel, dit keer dichterbij, en Wyatt verstijfde onder de lakens.

'Hé Wyatt, er is niets aan de hand.' Allie streek een losse krul uit zijn ogen. 'In Eden Prairie onweerde het toch ook wel eens?'

Hij knikte. 'Daar was ik er ook bang voor,' fluisterde hij.

'Dat weet ik,' zei Allie zachtjes. En om hem af te leiden, begon ze over iets wat ze de hele dag al met hem had willen bespreken. 'Wyatt, denk je dat je het leuk zou vinden om naar het dagkamp te gaan?'

'Bedoel je hetzelfde kamp als waar Jade en haar zusjes naartoe gaan?'

'Ja, dat. Ik heb vandaag de leider gesproken – ze heet Kathy – en zij zei dat ze nog plaats hebben voor iemand van jouw leeftijd. Ze klinkt trouwens heel aardig. En toen ik haar over jou vertelde en over alle dingen die je graag doet, zei ze dat ze dacht dat je het daar echt heel leuk zou vinden.'

Wyatt dacht erover na. 'Ga jij dan ook mee?' vroeg hij eindelijk. Hoopvol.

'Ik? Nee.' Allie schudde haar hoofd. 'Het is alleen voor kinderen van vijf tot twaalf jaar. Maar ik zou je wegbrengen en ophalen en daar zijn Kathy en de andere leidsters er als je hulp nodig hebt. En Joy, Jades oudste zus, is er ook. Zij is deze zomer juniorleidster.'

Hij knikte afwezig en ze merkte dat hij ergens mee zat. Hij verschoof onder de lakens. 'Ik denk dat ik het dagkamp wel leuk zal vinden,' zei hij. 'Maar wat ga jij dan de hele dag doen? Dan ben je hier helemaal alleen. Misschien voel je je dan wel eenzaam.'

'Wyatt,' zei Allie na een paar tellen, zowel ontroerd als bedroefd om zijn woorden. 'Je hoeft je over mij geen zorgen te maken, hoor. Let jij maar op jezelf. Dan let ik op jou en op mij, oké? Zo hoort dat bij ouders en kinderen. En nog iets, jochie. Ik heb helemaal geen tijd om me eenzaam te voelen terwijl jij naar het kamp bent, want ik ga het heel druk krijgen. Ik ga werken.'

'Werken? Heb je dan een baan?' vroeg Wyatt zo sceptisch dat Allie er bijna om moest lachen. Hij was te jong om zich te kunnen herinneren dat ze in het hoveniersbedrijf had gewerkt. 'Jazeker. Ik ga werken in een winkel die de Pine Cone Gallery heet. Het is een galerie in Main Street waar ze kunst van plaatselijke kunstenaars verkopen.' Er klonk weer een donderklap, ditmaal zo dichtbij en zo hard dat Wyatt verstijfde. Dus ging Allie snel verder: 'De vrouw van die winkel heeft me gevraagd of ik daar wilde werken terwijl jij naar het dagkamp bent, van negen uur tot drie uur, en ik heb ja gezegd. Ik bedoel, dat werkt prima voor ons allebei, denk je ook niet? Op die manier hebben we allebei lol. En 's avonds kun jij me over je dag in het kamp vertellen en ik jou over mijn dag in de galerie. Wat vind je ervan?' Ze glimlachte naar hem, vastberaden om positief te blijven. Deze scheiding zou van hen allebei een aanpassing vergen, wist ze.

Voordat Wyatt antwoord kon geven, zagen ze een felle bliksemflits, een paar seconden later gevolgd door zo'n harde donderklap dat Wyatt wegschoot in haar armen. Ze luisterden terwijl de donder weergalmde door de stille avond en zagen de lampen in Wyatts slaapkamer flikkeren, uitgaan en weer aan knipperen.

'Hé, niets aan de hand,' mompelde ze. Ze trok Wyatt tegen zich aan en probeerde te bedenken of er voor die dag een stormwaarschuwing was afgegeven. Ze wist het niet. Ze waren niet naar het stadje geweest, dus had ze niet naar de autoradio geluisterd of de krant gelezen. Misschien moest ze de televisie aanzetten, dacht ze, en ze wilde opstaan. Het volgende moment kwam er weer een bliksemflits, een tel later gevolgd door een oorverdovende donderslag, zodat Wyatt nog dichter tegen haar aan kroop. De lampen in het huisje gingen uit en weer aan en toen voorgoed uit.

'Ach, weet je?' Allie drukte Wyatt nog eens extra tegen zich aan. 'Het zou geen zomer zijn in Butternut als we niet minstens één keer zonder elektriciteit kwamen te zitten. We zullen de zaklamp maar even halen, oké? Over een paar uur is het immers donker.' Toen ze Wyatt meenam naar de keuken viel haar op dat het buiten al veel donkerder was dan normaal voor dit uur van de avond. En terwijl ze een la in de keuken opentrok, keek ze door het raam en ontdekte waarom dat was.

Aan de andere oever van het meer verzamelde zich een muur van zwarte wolken. In tegenstelling tot een echte muur stond deze niet stil. Hij bewoog. Snel. Zo snel zelfs dat hij recht op het huisje leek af te stormen.

Toen Allie dat zag, voelde ze de haartjes op haar armen overeind komen. Ze ging tussen Wyatt en het raam staan om te voorkomen dat hij het ook zag.

'Gevonden.' Ze haalde de zaklamp uit de la. Maar toen ze hem aandeed, leverde dat slechts een zwakke lichtstraal op. Wyatt had hem gebruikt om 'kampje' te spelen onder zijn fort van dekens in de woonkamer. Met een zucht tastte ze in de la naar batterijen. Ze wist dat het wel een paar uur kon duren voor ze weer elektriciteit hadden.

Er lagen geen batterijen in die la. En ook niet in een van de andere laden. Ze had net de laatste doorzocht toen haar blik op de telefoon op het aanrecht viel. Die werkte tenminste nog. Maar wie kon ze bellen? En wat kon ze zeggen? Zonder een antwoord te hebben op een van die vragen pakte ze de hoorn en hield hem tegen haar oor. Geen beltoon. Dus de telefoon deed het ook niet? Ze dacht aan haar mobieltje. Nee. Ze was nog steeds niet overgestapt op een maatschappij die dit gebied dekte. Ze wierp nog eens een blik door het raam. De wolkenmuur was dichterbij gekomen. Een koude rilling van angst liep over haar rug.

En toen dacht ze aan wat ze nog maar een paar minuten eerder tegen Wyatt had gezegd. Dat het haar verantwoordelijkheid was om voor hem te zorgen. Nou, dat lukte op dit moment niet erg, toch? Ze moest rustig blijven. Ze moest nadenken.

'Wyatt, ik geloof dat ik een oude kampeerlamp in de gangkast heb gezien.' Ze gaf hem de zaklamp. 'Jij kunt me helpen zoeken.' Wyatt liep met haar mee naar de kast en richtte de onzekere lichtstraal erop terwijl zij in de naar mottenballen ruikende diepte rommelde. Bij elke donderklap voelde ze hem naast zich verstijven.

Ze stond op haar tenen om de bovenste plank af te tasten toen Wyatt opeens naar het raam in de woonkamer liep.

'Daar is iemand,' zei hij toen hij zich weer naar haar omdraaide.

Allie keek hem niet-begrijpend aan en probeerde een slaapzak die ze per ongeluk van zijn plek had getrokken weer op de bovenste plank te duwen. Welke gek waagde zich in dit weer buiten, vroeg ze zich af. En verstijfde. Stel dat het inderdaad een gek was. Stel dat het zo iemand was als het personage in de B-film die ze een keer had gezien, een moordlustige maniak die een gezin had geterroriseerd dat vakantie aan het vieren was in hun huisje aan het meer? Of waren het het vleesetende zombies geweest, die dat gezin geterroriseerd hadden? Ze gaf de slaapzak een laatste duw. Ze had beslist te veel films gezien.

'Wyatt,' zei ze waarschuwend, 'niet opendoen. Weet je nog wat we afgesproken hebben? Als er een vreemde aan de deur komt, ga je mij halen, oké? Je laat hem niet binnen.'

'Maar het is geen vreemde,' zei Wyatt, die nog steeds door het raam keek. 'Het is meneer Ford. Van de werf.'

'Meneer Ford?' Allie liet de slaapzak op de grond vallen. Hier? Nu? Ze was minder verbaasd geweest als het vleesetende zombies waren.

Een luid bonzen op de deur spoorde haar aan tot actie.

'Moet ik hem binnenlaten?' vroeg Wyatt.

'Nee, jij blijft hier.' Allie wees naar een van de woonkamerstoelen. 'Ik ga wel kijken wat meneer Ford wil.'

Ze had de grendel amper van de voordeur gehaald en hem tegen een verrassend sterke windvlaag in opengeduwd toen Walker het huisje binnendrong.

'Heb je een kelder?' vroeg hij.

'Een kelder?' herhaalde ze overdonderd. Ze deed de voordeur dicht bij de zoveelste felle bliksemstraal.

'Ja,' zei hij snel. 'Een kelder, een souterrain, zoiets? Een ondergrondse ruimte?'

Ze schudde haar hoofd. 'Nee, dat hebben we hier niet.' Haar woorden gingen verloren toen een donderklap het huisje deed trillen.

'Waar is je zoon?'

'Hier.' Allie wenkte Wyatt, die het licht van de zaklamp in hun richting liet schijnen.

'Nou, pak hem op, dan gaan we.' Walker deed de deur weer open en toen zag Allie dat hij de motor van zijn pick-up had laten draaien en dat de koplampen nog aan waren.

'Waarheen?' vroeg ze.

'Naar mijn huis,' zei hij zachtjes maar dringend terwijl hij een blik op Wyatt wierp. 'Ik wil je zoon niet bang maken, maar tot twee uur vannacht is er een tornadowaarschuwing van kracht voor dit hele district. Er zijn er al minstens drie ontstaan in deze omgeving. En jullie tweeën blijven niet hier.' Hij keek om zich heen en voegde eraan toe: 'Deze stapel twijgjes ziet eruit alsof hij bij een flink briesje al zal instorten, laat staan bij een tornado.'

Allie staarde hem aan.

'En denk maar niet dat dit iets te maken heeft met het feit dat ik je laatst op de werf te eten heb gevraagd,' zei hij, omdat hij haar aarzeling aanzag voor een weigering. 'Daar heeft het niets mee van doen. Geloof me. Zoveel moeite hoef ik niet te doen om een afspraakje te maken met een vrouw.'

Maar dat was niet waar Allie aan dacht. Ze dacht: Een tornado? Hier? In de buitenwijk van Minneapolis hadden tornado's er gewoon bij gehoord, maar het was niet bij haar opgekomen dat ze er zo ver naar het noorden bang voor hoefde te zijn. Tornado's hielden over het algemeen van open ruimten. Ze kwamen minder vaak voor in de dichtbeboste streken van noordelijk Minnesota. Maar ze waren hier ook niet helemaal onbekend. Ze herinnerde zich dat ze als kind eens met haar vader was gaan kijken naar een huisje aan Butternut Lake dat door een tornado met de grond gelijk was gemaakt. Gelukkig was daarbij niemand gewond geraakt. De eigenaren waren er op dat moment niet geweest.

'We gaan,' zei ze opeens. Ze haastte zich met bonzend hart naar Wyatt. Ze dwong zichzelf rustig met hem te praten toen ze naast hem knielde.

'Wyatt, meneer Ford neemt ons mee naar zijn huis.'

'Waarom?' vroeg Wyatt, nog steeds met de zaklamp in zijn hand.

'Omdat...' Ze aarzelde en er kwamen wel honderd geschikte leugentjes bij haar op. Ze besloot het op de waarheid te houden. 'Omdat dit een zware storm is,' zei ze. 'Meneer Ford denkt dat we in zijn huis veiliger zijn.'

Wyatt knikte en ze pakte hem op en droeg hem naar de voordeur, waar Walker al ongeduldig stond te wachten. Er ging van alles door haar hoofd. Ze droeg de kleren waarin ze die nacht had willen slapen, een mouwloos shirtje en een pyjamabroek, maar ze had nu geen tijd om iets anders aan te trekken. Dus stapte ze in een paar slippers die bij de deur waren blijven staan, griste de sleutel van het huisje van een haakje aan de muur en deed hem in de zak van haar pyjamabroek.

'Klaar?' vroeg Walker. Ze knikte, liep achter hem aan naar buiten en trok de deur achter zich dicht. Ze schrok toen ze zag hoe donker het was geworden. De storm bevond zich nu recht boven hen, zag ze, en de hemel was zo zwart als midden in de nacht, behalve als hij werd verlicht door de veelvuldige bliksemschichten.

Walker deed het portier van zijn pick-up voor hen open en ze tilde Wyatt erin. Toen ze achter hem aan kroop, voelde ze de eerste regendruppels op haar schouders. Walker wilde het portier achter hen dichtslaan, maar het werd gegrepen door de wind en bijna weer opengerukt. Walker sloeg het met kracht weer dicht en haastte zich toen naar de andere kant van de auto.

Allie maakte onhandig de gordel om haar en Wyatt vast en Walker sprong achter het stuur en trok zijn portier dicht. Hij trapte op het gaspedaal en de pick-up sprong naar voren. Hij keerde hem en reed veel te snel de oprit af.

Toen ze de weg hadden bereikt, maakte Allie zich zorgen over andere dingen dan de snelheid waarmee Walker reed. De wind woei nu harder, zo hard zelfs dat er takken en zelfs kleine boompjes op de weg lagen. Walker moest eromheen rijden en Allie probeerde niet te denken aan de mogelijkheid dat ze op deze smalle weg een tegenligger zouden tegenkomen. Intussen gingen de grote druppels die op de ramen van de pick-up spetterden over in een stortbui. Het duurde niet lang voor het water over de voorruit droop en de ruitenwissers, die op volle snelheid heen en weer zwiepten, konden amper iets uitrichten tegen de zondvloed.

'Verdomme,' hoorde ze Walker zachtjes zeggen. Ze vroeg hem niet wat er mis was. Ze wist het al. Door de wind en de regen was het zicht praktisch nihil. Ze begreep niet hoe Walker zijn wagen op de weg wist te houden.

Ze keek naar Wyatt. Die zat stoïcijns voor zich uit te kijken. Ze kneep even geruststellend in zijn arm, net op het moment dat Walker een scherpe bocht maakte en naar ze aannam zijn oprit op reed. Toen ze die volgden, kwam iets met een scherpe knal op het dak van de pick-up terecht. Het geluid klonk nog

152

eens en nog eens, tot de knallen elkaar zo snel opvolgden dat het een voortdurend geraas was, zo hard dat Allie haar handen voor Wyatts oren hield.

'Wat is dat, mama?' vroeg hij angstig.

'Dat is hagel,' zei ze in zijn oor. 'Het duurt niet lang.' Ze zagen allebei hoe een lichtflits de duisternis aan de andere kant van de voorruit doorboorde en dat er hagelkorrels ter grootte van golfballen van de motorkap van de pick-up stuiterden.

Even verderop zag Allie met enige verbazing de verlichte ramen van Walkers huis in zicht komen. 'Heb jij nog elektriciteit?' riep ze.

'Ik heb een generator,' zei Walker terwijl hij de wagen onder de carport zette.

Uiteraard, dacht Allie. En je hebt vast ook een hele la vol batterijen voor de zaklampen.

'Oké, we gaan naar binnen.' Walker trok de handrem aan en zette de motor uit. Allie maakte de gordel los en liet zich uit de pick-up glijden, nog steeds met Wyatt in haar armen. Ze sloeg het portier dicht en bereidde zich voor op de korte ren van de carport naar de voordeur.

'Klaar?' vroeg Walker.

'Klaar,' zei ze.

Ze rende zo hard ze kon achter hem aan. Ze raakte doorweekt van de regen, haar haren wapperden in de wind en de laatste hagelstenen beukten op haar huid. Boven haar flitste de bliksem en ze hoorde een oorverdovende klap die ze zelfs in haar paniek herkende als het geluid van bliksem die inslaat in een boom. Ze hield Wyatt nog dichter tegen zich aan en hij drukte zijn hoofd tegen haar borst.

Toen deed Walker de voordeur open en duwde hen naar binnen.

'Alles goed?' vroeg hij toen hij de deur achter hen had dichtgeslagen en ze in de hal stonden.

'Ik geloof van wel.' Allie hijgde en verschoof de doornatte Wyatt van de ene heup naar de andere. 'Waar moeten we naartoe?' vroeg ze aan Walker. De adrenaline stroomde nog steeds door haar aderen. 'Naar de kelder?'

Hij schudde zijn hoofd. 'Nee, ik geloof dat we hier wel veilig zijn.' Hij ging hen voor naar de woonkamer. 'Dit huis is bestand tegen windsnelheden tot tweehonderdtachtig kilometer per uur.'

'Heel indrukwekkend,' mompelde Allie, die iets van de spanning uit Wyatts lijfje voelde wegebben. En toen ze net als hij de kamer rondkeek, begreep ze waarom. Overal brandde licht en het zag er ongelooflijk solide uit, van de dikke houten balken langs het hoge plafond tot de enorme veldstenen open haard die het grootste deel van een muur in beslag nam. Het voelde ook solide aan. Buiten woedde nog steeds de storm, maar binnen leek die ver weg. Onbeduidend.

'Ik ga een paar handdoeken voor jullie halen,' zei Walker, en hij verdween.

'Mama, het is zo groot,' zei Wyatt met een zucht terwijl hij om zich heen keek.

'Het is inderdaad groot,' beaamde Allie. Te groot, wilde ze zeggen. Maar ze hield zich in. Ze waren hier juist veilig omdat het zo groot was. Hun eigen huisje was kleiner en knusser, maar het kon best zijn dat het inmiddels niet meer overeind stond.

Walker kwam terug en gaf Allie een paar handdoeken. 'Ik ga naar mijn studeerkamer,' zei hij. 'Ik volg de storm met de Doppler-radar.'

Ze fronste. 'Dezelfde die meteorologen gebruiken?'

Hij knikte. 'Vissers gebruiken hem ook. Dat weet ik van de werf. Wil je eens kijken hoe het werkt? Dan kun je zien hoe krachtig deze storm is.'

'Nee, dank je,' zei Allie zwakjes. 'Ik geloof dat ik al een vrij goed idee heb van die kracht.'

'Oké,' zei hij met een snelle glimlach. Toen was hij weg.

Allie zette eindelijk Wyatt neer en wreef met een van de handdoeken zijn natte krullen droog. 'Dat is beter,' zei ze na een paar minuten, en toen ging ze met zichzelf aan de slag. Maar veel kon ze niet doen. Haar shirtje kleefde aan haar lichaam en haar pyjamabroek was doorweekt. Zuchtend depte ze een beetje met de handdoek.

Waarom ben ik altijd als ik hier kom zo goed als bloot en drijfnat? Ze voelde een lichte irritatie ten opzichte van Walker Ford, maar ze wist dat dat niet eerlijk was. Het was tenslotte niet zijn schuld dat ze steeds in de problemen raakte en hij haar telkens moest redden. Toch was het irritant. De man was zo verdomde... capabel. Zo goed voorbereid. Hij beschikte verdorie over een Doppler-radar. En zij had... nou, niet veel, eigenlijk. Behalve Wyatt. En een duidelijk misplaatst vertrouwen in haar vermogen om zelf voor hun kleine gezinnetje te zorgen.

Toen ze hen allebei zo goed mogelijk had afgedroogd, nam ze Wyatt mee naar een van de enorme banken, legde een schapenvacht over het leer om het te beschermen tegen hun natte kleren, ging zitten en nam Wyatt naast zich. Vervolgens trok ze nog een schapenvacht over hen heen. Wyatt wilde niet praten. Dat zag ze meteen. Hij was nog steeds alert en waakzaam. Maar geleidelijk ontspande hij zich en terwijl ze zachtjes zijn voorhoofd streelde, viel hij uiteindelijk in slaap.

Allie zelf probeerde wakker te blijven. Maar dat was moeilijk, vooral toen de storm wat ging liggen. Er lag zelfs iets geruststellends in de geluiden van de afnemende storm, het steeds verder verwijderde gerommel van de donder, de wegstervende wind en het steeds zachtere gekraak van de dakbalken. Na een tijdje dommelde ook zij in, maar even later schrok ze wakker toen Walker haar schouder aanraakte.

'Hoe gaat het hier?' vroeg hij.

'Prima, dank je.' Allie ging rechtop zitten en streek het haar uit haar gezicht. Ze vond het vervelend dat hij haar had zien slapen. Het leek zo'n intiem iets, iets waarvan je niet wilde dat anderen het zagen.

Walker keek niet naar haar. Hij keek naar Wyatt, die op haar schoot lag te slapen, en ze zag iets verzachten in zijn gezicht.

'Hij is een dapper kereltje,' zei hij zachtjes.

'Inderdaad,' beaamde Allie. Hij moest wel.

'Ik wilde je even laten weten dat de tornadowaarschuwing is ingetrokken,' zei hij. 'Voorlopig, in elk geval. Die storm maakt wel deel uit van een heel stormsysteem dat de komende paar uur over deze streek zal trekken.'

'Komen er nog meer?' vroeg ze ontzet.

Walker knikte. 'Jullie zullen hier de nacht moeten doorbrengen. Ik wil je wel naar huis brengen, maar de wegen zijn niet meer begaanbaar. Morgen kan ik jullie met de boot terugbrengen zodra het weer opknapt.'

'Ik denk dat we dan wel genoeg inbreuk op je privacy hebben gemaakt,' zei Allie verontschuldigend.

Hij haalde slechts zijn schouders op. 'Ik zal je laten zien waar de logeerkamer is, oké?'

Allie volgde hem met de slapende Wyatt in haar armen naar een slaapkamer op de benedenverdieping met twee eenpersoonsbedden. Net als de rest van het huis was de kamer zowel onpersoonlijk als luxueus. Net als in een hotel, besloot ze. Niet alsof hier echt iemand woonde.

Ze legde Wyatt op een van de bedden en hij verroerde zich amper. Ze draaide zich weer om naar Walker, die in de deuropening stond te kijken.

'Dank je,' zei ze nogmaals. Het was het enige wat ze kon bedenken.

Hij wuifde haar woorden weg. 'Heb je iets nodig? Andere kleren?' Zijn donkerblauwe ogen namen haar gekreukte shirtje en pyjamabroek op.

Ze schudde haar hoofd, maar haar gezicht werd warm. Om

haar verlegenheid te maskeren zei ze: 'Mijn kleren zijn prima. Ze zijn al bijna droog. En ik ben te moe om me er druk over te maken.'

Hij knikte. 'In de gang is een badkamer. En in de kast liggen extra dekens. Laat me weten of je nog iets anders nodig hebt, goed?'

'Doe ik,' loog ze.

'Nou, welterusten dan.' Hij draaide zich om. Net toen hij de deur dicht wilde doen, bleef hij nog even staan. 'O, trouwens,' zei hij, 'je moet morgenochtend Caroline maar even bellen. Ze maakte zich zorgen om jullie tweetjes.'

'Hoe weet je dat?'

'Ze belde me op mijn mobiel. Ze zei dat ze had geprobeerd jullie te bellen, maar dat je telefoon het niet deed. Ze was bang dat jullie niet wisten dat er storm op komst was en ze hoopte dat ik even bij jullie wilde gaan kijken.'

'Kwam je daarom naar ons toe?'

'Nee. Toen ze belde, wilde ik net weggaan. Ik wilde je een storm als deze niet alleen laten doormaken,' zei hij, en hij deed de deur dicht.

Allie stopte Wyatt nog even in, ging zelf in het andere bed liggen en deed de lamp op het tafeltje tussen hen in uit. Toen probeerde ze te slapen. Ze probeerde het echt. Maar het duurde niet lang voor de volgende onweersbui arriveerde, en daarna nog een. Uiteindelijk raakte ze de tel kwijt, en ze leken allemaal in elkaar over te lopen. Af en toe dommelde ze een paar minuten in en dan zag ze beelden van die avond voorbijschieten: Walkers handen op het stuur van zijn pick-up, Walkers gezicht terwijl hij naar de slapende Wyatt op de bank keek. Zodra ze zoiets zag, schrok ze weer wakker, gedesoriënteerd en in een onbekend bed.

Ze hield zichzelf voor dat het door de storm kwam, maar ze wist dat ze niet alleen daarom zo rusteloos was. Er zat haar nog iets anders dwars. Iets wat aan de rand van haar bewustzijn bleef hangen. Iets wat ze steeds moest verdringen. Hoewel de storm eng was geweest, had ze het gevoel dat dit... dit gevoel nog veel enger was.

16

De volgende morgen stond Walker in de zonverlichte keuken
een kop koffie in te schenken toen hij eerder voelde dan zag
dat Allie achter hem stond.

'Goedemorgen,' zei ze vanuit de deuropening.

Hij draaide zich om en ze maakte een halfslachtig wuivend
gebaartje. Ze was verlegen, besefte hij, en dat kon hij haar niet
kwalijk nemen. Ze kenden elkaar niet goed genoeg voor dat
gedoe van 'de volgende ochtend'. Niet dat er vannacht iets
tussen hen gebeurd was – niets intiems, tenminste – maar het
was nog steeds een ongemakkelijke situatie. Hij voelde het
ook.

'Goedemorgen,' zei hij, terwijl hij een mengsel van melk en
room in zijn koffie deed. 'Heb je een beetje geslapen?'

'Niet erg,' gaf ze toe, en ze sloeg haar armen beschermend
over elkaar. Ze droeg nog steeds de kleren die ze aan had
gehad toen hij haar en Wyatt gisteravond uit hun huisje had
gehaald. Een shirtje zonder mouwen, een pyjamabroek en slippers. Hij probeerde niet naar haar bijna blote schouders te staren, maar slaagde er niet in. Haar armen verstrakten.

'Wil je een kop koffie?' vroeg hij om de stilte te verbreken.

Ze knikte. 'Heerlijk.' Ze kwam aarzelend de keuken binnen. Hij schonk een kop koffie voor haar in.

'Met room?' vroeg hij.

'Ik doe het zelf wel,' zei ze toen ze naast hem stond. Hij overhandigde haar het kopje en ze nam het aan, pakte het pak room van het aanrecht en goot er iets van in het kopje. Hij gaf haar een lepel en ze glimlachte dankbaar terwijl ze in haar koffie roerde.

Hij dronk zijn eigen koffie op en keek weer naar haar. Haar honingkleurige haar, dat normaal gesproken in een nette paardenstaart zat, viel los en warrig om haar schouders, en haar hazelnootbruine ogen leken opvallend groen in het licht dat door de ramen naar binnen viel. Maar vooral haar mond vond hij die morgen betoverend. Die was heel licht roze en zag er op dat moment heel zacht en kwetsbaar uit. Hij voelde een onbekende strakheid in zijn borst, alsof zijn ademhaling werd afgesneden.

'Slaapt Wyatt nog?' vroeg hij in een poging het vreemde gevoel te negeren.

Ze knikte. 'Hij heeft de hele nacht doorgeslapen.'

'Niet te geloven,' zei Walker. Zelf had hij helemaal niet geslapen. Maar hij wist niet of dat helemaal aan de storm te wijten was.

'Inderdaad,' beaamde ze. Ze nam een slokje koffie. 'Als baby sliep hij zo vast en zo lang dat ik hem soms wakker maakte om me ervan te overtuigen dat alles goed met hem was. Mijn buurvrouw, die zelf vier kinderen had, vertelde me dat je het tweede kind nooit wakker maakt.' Ze glimlachte en schudde haar hoofd bij de herinnering. 'Ik denk niet dat ik daar ooit achter zal komen,' voegde ze eraan toe, meer tegen zichzelf dan tegen hem. En toen bloosde ze fel en wendde haar blik af. Ze vond kennelijk dat ze te veel had gezegd.

Het zette Walker aan het denken. Dacht ze dat echt? Dat ze nooit een tweede kind zou krijgen? Hij vond het te vroeg om zoiets te zeggen, vooral omdat ze nog zo jong was. Maar hij zei niets. Hij was niet echt thuis in zulke dingen. Bij lange na niet.

'En jij?' vroeg ze. 'Heb jij een beetje geslapen?'

'Ik heb helemaal niet geslapen,' bekende hij.

'Zelfs niet heel even?' vroeg ze verrast.

Hij schudde zijn hoofd. 'Nee. Op een gegeven moment besefte ik gewoon dat het niet ging gebeuren.'

'Maakte je je zorgen?' vroeg ze met een lichte frons. 'Over de werf, bedoel ik?'

'Zorgen?' herhaalde hij suf. Hij dacht eraan hoe mooi haar mond was. Zelfs als ze fronste.

'Nee,' zei hij toen eindelijk tot hem doordrong wat ze vroeg. 'Ik maakte me geen zorgen. Ik heb Cliff gebeld toen jij en Wyatt naar bed waren. Hij was ter plekke en heeft me verteld hoe het ging. Er is maar heel weinig schade. We hadden de meeste boten gistermiddag al naar binnen gehaald.'

'Dus je wist dat het ging stormen?'

'Ik dacht dat iedereen het wist,' zei hij. Het was geen oordeel. Slechts een vaststelling.

Ze zuchtte. 'Ik wist het niet,' zei ze schuldig. 'Ik was me helemaal nergens van bewust.' Ze voegde er met een lichte rilling aan toe: 'Als jij er niet was geweest, had het gisteravond heel anders kunnen aflopen.'

Hij wilde iets zeggen, maar ze zette haar lege koffiekopje met zo'n klap op het aanrecht dat hij ervan schrok.

'Idioot die ik ben,' zei ze strak. 'Anders had ik wel een mobieltje gehad. Of een generator. Of...'

'Hé, je moet niet zo hard voor jezelf zijn,' viel hij haar in de rede.

'Waarom niet?' vroeg ze met een rood gezicht. 'Waarom moet ik dat niet? Ik ben degene die het briljante idee had om hierheen te verhuizen. Om opnieuw te beginnen. Op zoek naar rust, stilte, eenzaamheid. Geen dingen waar Wyatt ooit om gevraagd heeft, trouwens. En ik was zo vastbesloten om alles zelf te doen. Zo vastbesloten en zo volkomen onvoorbereid. Ik bedoel maar, ik merkte gisteravond pas dat ik niet eens batterijen had voor de zaklamp. Weet je, ik ben hier al over aan het denken sinds ik vanmorgen wakker ben geworden.' Haar stem was nu iets zachter, maar nog steeds klonk er woede in door. 'En ik ben tot een besluit gekomen. Als het huisje er nog staat – en dat is een heel groot "als" – dan kan ik er maar beter mee ophouden nu ik de kans nog heb. Je weet wel, het huisje verkopen en teruggaan naar de buitenwijken, waar we duidelijk thuishoren.'

'Allie, stop.' Walker stak zijn hand op. 'Je maakt van een mug een olifant. Ten eerste is er met het huisje niets aan de hand, wat ik je een minuut geleden al probeerde te vertellen. Er zijn een paar spanen van het dak en er zijn wat bomen omgewaaid op je terrein, maar meer niet. Het spijt me dat ik gisteren die opmerking heb gemaakt over een stapel twijgjes. Ik had het duidelijk mis.' Hij zei bijna ook iets over de andere opmerking die hij gemaakt had. Die over de moeite die hij al dan niet moest doen om een afspraakje te maken met een vrouw, maar hij besloot het te laten.

'Hoe weet je hoe het met ons huisje is?' vroeg ze verbijsterd.

'Ik ben gaan kijken.'

'Wanneer?'

'Vanmorgen. Zodra de zon opkwam ben ik er met de boot naartoe gegaan. Ik heb de boot aan jouw steiger gelegd en even snel rondgekeken. Er is misschien nog wat schade die ik niet gezien heb, maar alles bij elkaar genomen zag het er heel behoorlijk uit.'

'Dat had je niet hoeven doen,' zei ze zachtjes. Het klonk niet als een beschuldiging. Eerder als een verontschuldiging.

'Ik kon niet slapen, weet je nog?' zei hij met een glimlach.

'En ik wilde zeker weten of jullie nog wel een huis hadden.

Tenzij je het meent, dat je je huisje wilt verkopen...' Hij maakte de zin niet af, bang voor het antwoord.

Ze beet op haar onderlip en dacht na over zijn vraag. 'Nee,' zei ze eindelijk. 'Ik geloof van niet. We kunnen niet terug. We horen niet meer thuis in Eden Prairie, maar ook nog niet hier. We zitten een beetje tussen de wal en het schip, Wyatt en ik.'

'Dat moet moeilijk zijn,' zei hij, en hij meende het. Maar hij was wel blij dat ze er niet ernstig over nadacht weg te gaan. Toen bedacht hij iets. 'Als je toch blijft, kan ik je wel helpen met de noodreparaties. Ik bedoel, je kunt om te beginnen investeren in een radio voor noodoproepen. Die is gemakkelijk te gebruiken en je kunt hem zo programmeren dat je gewaarschuwd wordt als er storm op komst is.'

'Laat me raden,' zei ze plagend. 'Jullie verkopen ze op de werf?'

'Dat klopt, ja,' zei hij met een glimlach. 'Maar dit was geen verkooppraatje.' Toen werd hij weer serieus. Hij wilde nog iets anders met haar bespreken.

'Achteraf gezien was het misschien niet zo'n goed idee dat ik gisteravond naar jullie toe ben gekomen om jullie hierheen te halen.'

'Waarom niet?'

'Nou, ten eerste is jullie huisje veel beter gebouwd dan ik gedacht had. En ten tweede was die rit op zichzelf al gevaarlijk. Het zicht was nihil. Ik had gemakkelijk tegen een boom kunnen rijden.'

'Maar dat heb je niet gedaan,' merkte ze op.

'Dat is waar.' Hij keek naar haar. Verbeeldde hij zich het nou, of was ze een stap dichterbij gekomen?

'Walker, waarom ben je gisteravond nou eigenlijk gekomen? De echte reden, bedoel ik,' vroeg ze.

Hij dacht aan wel honderd mogelijke antwoorden, stuk voor stuk bezijden de waarheid. In plaats daarvan zei hij: 'Is dat niet duidelijk?'

Ze gaf geen antwoord, maar deed nog een stap naar hem toe, zodat ze vlak voor hem kwam te staan. Toen stak ze langzaam haar hand uit en liet haar vingertoppen traag en licht over zijn stoppelige kaak glijden.

'Je ziet er zo moe uit,' zei ze.

Walker stond heel stil. Hij wist dat het moment voorbij zou zijn zodra hij iets zei of deed. Ze was net het hert dat hij een paar dagen geleden in het bos had gezien. Waakzaam. Gespannen. Schichtig. Eén plotselinge beweging en ze was ervandoor.

'Het spijt me dat ik laatst zo boos bij de werf ben weggegaan,' zei ze nu zachtjes, haar vingers nog steeds bij zijn kaak.

'Maak je er maar niet druk om,' mompelde hij. Hij wilde niet dat ze ophield met wat ze aan het doen was.

Dat deed ze niet. Ze boog zich naar hem toe, ging op haar tenen staan en kuste hem op de mond. Zacht en aarzelend. Alsof ze het idee om hem te zoenen uitprobeerde in plaats van hem echt te zoenen. En zonder haar ergens anders aan te raken, kuste hij haar terug. Zo zachtjes als hij kon.

Hij verlangde zo ontzettend naar haar dat hij al zijn zelfbeheersing nodig had om zich in te houden, om niet te doen wat hij zo graag wilde doen. Hij wilde zijn vingers door haar haar halen. Hij wilde haar hard tegen zich aan trekken en elke vierkante centimeter van haar lichaam tegen het zijne voelen. Hij wilde haar hals kussen, de holte onder aan haar hals en haar bijna blote schouders. Maar hij deed geen van die dingen.

Net als de meeste kussen maakte ook deze het een en ander los. Haar lichaam boog naar het zijne toe en hij voelde haar borsten tegen zijn borst, zacht maar stevig. Haar tepels, zo hard als kiezels, duwden tegen de dunne katoen van haar shirtje.

En toen hij zich niet meer kon inhouden, bewoog hij zo langzaam en voorzichtig als hij maar kon. Hij liet zijn armen zacht om haar middel glijden tot zijn handen op haar rug lagen. Toen trok hij haar bijna onmerkbaar tegen zich aan.

Als reactie weken haar lippen uitnodigend vaneen. En toen

zijn tong die van haar raakte, kregen ze een elektrische schok, zo fel dat hij bijna naar achteren sprong. Maar dat deed hij niet. Hij bleef haar gewoon zoenen. Haar lippen voelden zo zacht onder die van hem en haar mond smaakte ook verrukkelijk. Niet naar koffie, zoals eigenlijk had gemoeten, maar naar iets wat zoet was en schoon.

Terwijl ze zoenden, greep ze zijn schouders en klampte zich aan hem vast, en hij drukte zich tegen haar aan. Hij wilde elke vierkante centimeter van haar zachte lichaam voelen.

Toen gebeurde er iets. Hij wist niet waardoor het kwam. Het ene moment kuste ze hem hartstochtelijk en het volgende duwde ze hem weg. Het was een zachte duw, maar toch een duw.

'Ik moet weg,' zei ze ademloos. 'Ik moet Wyatt wakker maken.'

'Waarom?' vroeg hij vol verbazing.

'Omdat dit' – ze maakte een gebaar dat hen allebei omvatte – 'verkeerd is.'

'Hoezo verkeerd?' zei hij uitdagend, in de wetenschap dat iets wat zo goed voelde op geen enkele manier verkeerd kon zijn.

'Verkeerd omdat ik... Het was niet mijn bedoeling.' Ze deed een stap achteruit. 'Ik was gewoon moe, of impulsief, of, of... zoiets.'

'Nou, het lag niet alleen aan jou,' vermaande hij zachtjes. 'Geloof me, ik deed maar al te graag mee.'

Ze sloot haar ogen en schudde haar hoofd om zijn speelse opmerking te weerleggen. 'Wyatt en ik moeten echt weg. Vertrouw me gewoon, oké? We kunnen hier niet blijven.' Ze zette haar lege kopje in de gootsteen en hij zag tot zijn verbazing dat haar handen trilden. Ze was bang, besefte hij. Niet voor hem, maar voor wat er tussen hen gebeurd was.

'Ik zal jullie met de boot terugbrengen.' Opeens voelde hij een enorm medeleven met haar. 'Maak jij Wyatt maar wakker, dan pak ik de sleutels.'

Ze knikte zwijgend en liep de keuken uit.

Hij maakte een laatje open en haalde de sleutels van de boot eruit. Terwijl hij de la dichtduwde, voelde hij zijn mobiele telefoon trillen in de zak van zijn spijkerbroek. Hij haalde hem eruit en keek op het schermpje. Het was Reid. Hij liet de voicemail opnemen en deed de telefoon weer in zijn zak. Hij kon aan niets anders denken dan aan Allie. Hij voelde haar nog steeds licht tegen zijn lichaam en hij proefde haar lippen op die van hem.

Zijn telefoon begon bijna meteen weer te trillen. Dit keer nam hij op. 'Wat is er, Reid?' vroeg hij zonder omwegen.

'Ik moet een schaderapport hebben van de werf,' zei Reid kort.

'Ik bel je over een kwartier terug,' zei Walker. Hij deed de sleutels in zijn zak en schonk zichzelf een derde kop koffie in.

'Het heeft haast,' blafte Reid. 'We moeten zo snel mogelijk een schadeclaim indienen bij de verzekering. Denk maar niet dat Butternut de enige werf is die schade heeft. Die storm is over de hele noordoostkant van de staat geraasd.'

'Ik kan nu niet met je praten,' zei Walker. Voor het eerst die morgen voelde hij de vermoeidheid toeslaan. Tot op dat moment had hij op pure adrenaline gefunctioneerd, besefte hij. 'Ik bel je terug, goed? Ik moet eerst iets anders doen.'

'Dat had je gedacht,' gromde Reid ongeduldig.

'Dag, Reid.' Walker drukte op de knop, liep naar de keukendeur, maakte hem open en gooide zijn telefoon in de struiken.

17

'We hebben geluk gehad dat geen van die tornado's echt door bevolkt gebied is geraasd.' Caroline leunde tegen het buffet. Het was laat in de middag en zij en Allie dronken ijsthee terwijl Wyatt op de vloer met zijn Hot Wheels speelde.

'Enorm geluk,' beaamde Allie, die met het rietje in haar glas speelde. 'Het had veel erger kunnen zijn.'

'Ik kan nog steeds niet geloven dat het ze drie dagen heeft gekost om de Butternut Lake Drive vrij te maken.' Caroline klakte afkeurend met haar tong. 'Jij en Wyatt zullen je wel opgesloten hebben gevoeld.'

'Eigenlijk vond hij het geweldig,' zei Allie. 'Toen ik de omgevallen bomen op ons terrein zag, kon ik er alleen maar aan denken hoeveel het wel niet zou kosten om ze allemaal in stukjes te laten zagen en te laten afvoeren. Hij dacht alleen aan de nieuwe forten die hij ermee kon bouwen.' Ze lachte even.

'Had je niets nodig toen de weg afgesloten was?' vroeg Caroline.

'Niet echt,' zei Allie. 'Tijdens de storm viel de elektriciteit uit, dus ik moest wat gesmolten ijs uit de vriezer weggooien, maar we hadden genoeg over om het te kunnen uitzingen.

167

Walker Ford belde ook om te vragen of we iets nodig hadden.'
Ze voegde er snel aan toe: 'Ik zei dat we ons prima konden
redden.'

Verbeeldde ze het zich nu, dacht Caroline, of had Allie een
kleur gekregen toen Walkers naam viel?

'Ik moet je trouwens nog bedanken omdat je hem gevraagd
hebt bij ons te gaan kijken in de nacht van de storm,' ging
Allie verder.

'Hij zei dat hij al op weg was naar jullie huisje.'

'Ja. En hij heeft niet alleen bij ons gekeken,' zei Allie. 'Hij
heeft ons voor die nacht meegenomen naar zijn huis. En de
volgende morgen is hij nog voordat wij wakker waren teruggegaan om de schade aan ons huisje op te nemen. Dat is meer
dan je van een goede buur kunt verwachten, zou ik zeggen.'

'Nou, het verbaast me niets,' zei Caroline onverstoorbaar. 'Ik
weet het, sommige mensen hier vinden hem een beetje…' Ze
zocht naar het juiste woord. 'Afstandelijk,' besloot ze. 'Maar dat
is hij niet. Op zichzelf, misschien. Gereserveerd, dat zeker.
Maar niet onverschillig. Hij geeft veel om dit plaatsje en om
de mensen die er wonen. Hij houdt dat alleen liever voor
zich.'

Allie knikte peinzend. 'Er is die nacht nog iets anders gebeurd waarover ik met je wil praten.' Ze keek over haar
schouder naar Wyatt. Die ging helemaal op in zijn autootjes.
Ze draaide zich weer om, zuchtte en schudde haar hoofd. 'Ik
heb hem gezoend, Caroline,' zei ze eenvoudig. 'Toen we om
acht uur 's ochtends in zijn keuken stonden, heb ik hem gekust. Geen idee waarom.'

'Nou, ik denk omdat je dat wilde.' Caroline probeerde niet
te glimlachen.

'Ja, natuurlijk wilde ik dat,' beaamde Allie. 'Maar waarom
wilde ik dat?'

'Omdat je je tot hem aangetrokken voelt?' opperde Caroline. Ze wist dat Allie geen domme vrouw was. Integendeel.

Maar als het om dit onderwerp ging, was ze wel een beetje traag, vond Caroline.

'O, ik voel me zeker tot hem aangetrokken,' zei Allie met een spijtig glimlachje. 'Het is zelfs zo dat ik niet weet waar het op uitgelopen zou zijn als Wyatt niet in de logeerkamer had liggen slapen.'

Caroline zei niets. Ze had een vrij goed idee waar het op uitgelopen zou zijn.

'Sinds dat moment ben ik zo in de war,' ging Allie verder. 'Ik wil hem weer zien. Ik wil hem niet meer zien. Hoe dan ook, ik ben doodsbang.' Ze voegde er snel aan toe: 'Niet voor hem. Voor het gevoel dat hij me geeft.'

Caroline aarzelde en koos toen zorgvuldig haar woorden. 'Allie, is het gek dat je je tot hem aangetrokken voelt? Hij is tenslotte een knappe man.'

'Dat weet ik. Ik bedoel, dat wist ik voor die avond ook wel. Maar ik wist het met mijn hoofd. Ik wist het niet… met mijn lichaam. En Caroline,' zei ze, terwijl haar ogen wijdopen gingen, 'ik was er niet op voorbereid. Echt niet.'

'Allie?' vroeg Caroline zachtjes. 'Is Walker de eerste man voor wie je iets voelt sinds… sinds Gregg is overleden?'

Allie sloeg haar ogen neer. 'Ja,' zei ze.

Ze schaamt zich, dacht Caroline verrast. Ze schaamt zich omdat ze hem aantrekkelijk vindt.

'Het moet toch wel eens bij je zijn opgekomen dat je een keer iets voor een ander zou gaan voelen,' zei ze voorzichtig.

Allie haalde haar schouders op. 'Als ik erover had nagedacht misschien wel. Maar ik heb er niet over nagedacht. Toen Gregg niet terugkwam, dacht ik niet meer aan mannen. In elk geval niet op die manier. Het was bijna alsof ik ze niet echt meer zag, als je snapt wat ik bedoel.'

Caroline bleek precies te weten wat ze bedoelde. Zoiets was haar ook overkomen toen haar man, Daisy's vader, was weggegaan. Het was niet haar bedoeling geweest – niet precies, in

169

elk geval – maar ze was die eerste jaren altijd zo moe omdat ze een kind moest opvoeden en een zaak moest leiden dat ze elke gedachte aan mannen had laten varen. En later, toen ze in haar leven best plaats had kunnen maken voor een man, had ze ontdekt dat ze het niet meer gewend was om ze te zien als potentiële minnaars. In plaats daarvan zag ze ze alleen nog als klanten wier lege koffiekopjes ze moest bijvullen, of die hun eieren aan twee kanten gebakken wilden hebben, met een plakje bacon erbij.

Dat zíj mannen zo zag, was tot daar aan toe, maar voor Allie was dat helemaal verkeerd. Allie was zo jong, net dertig, en ze had nog een jong zoontje. Caroline had Daisy natuurlijk ook zonder vader grootgebracht en dat was goed uitgepakt. Haar dochter was zelfs zo'n beetje volmaakt geworden. Voor jongens lag het anders, geloofde Caroline. Die hadden een vader nodig, of in elk geval een vaderfiguur. Iemand met wie ze een balletje konden slaan.

Dus besloot ze haar mening te geven, iets wat ze gewoonlijk niet deed. Ze wist uit ervaring dat de meeste mensen graag hadden dat iemand naar hen luisterde, maar dat betekende niet noodzakelijkerwijs dat ze wilden dat die iemand hun ging vertellen wat ze moesten doen. Voor Allie besloot ze een uitzondering te maken. Er stond te veel op het spel om zich in te houden.

'Allie, luister.' Caroline pakte de kan met ijsthee en schonk Allies glas nog eens vol. 'Ik weet wat je wilt zeggen, dat je mannen vergeet, bedoel ik, maar het is raar met mannen. Wanneer je je hun bestaan weer herinnert, zijn ze er nog steeds. En dan blijkt dat ze er de hele tijd geweest zijn, of jij dat nu beseft hebt of niet.' Ze voegde er nog aan toe: 'En wat mannen betreft, is Walker een heel goed exemplaar. Je zou een slechtere kunnen uitkiezen als je er klaar voor bent het er weer eens op te wagen.'

'Jij laat het zo eenvoudig klinken.' Allie zuchtte.

'Dat komt omdat het soms ook eenvoudig is.'

'Niet voor mij,' hield Allie vol. 'Het feit dat ik me aange-trokken voel tot Walker geeft me het idee… dat ik ontrouw ben of zo. Alsof ik Gregg ontrouw ben. Of zijn nagedachtenis in elk geval.'

Caroline zuchtte. Ze wist dat dit haar begrip te boven ging en ze haatte het als mensen voorgaven dingen te begrijpen waar ze geen notie van hadden. Dus kneep ze even in Allies hand, die op het buffet lag. 'Ik kan niet zeggen dat ik weet hoe het voor je is, schat. Niet precies. Ik kan me wel voorstellen dat het heel erg verwarrend is. En moeilijk.'

Allie ademde langzaam uit. 'Dus wat doe ik nu?' Ze keek Caroline recht aan.

'Wat wil je doen?'

'Op dit moment?'

Caroline knikte.

'Ik wil hem vragen bij ons te komen eten. Gedeeltelijk om hem te bedanken. Maar ook omdat ik hoop dat ik me heb verbeeld dat die zoen zo fijn was.'

'Dus je hoopt dat hij niet kan zoenen?' Caroline lachte, in weerwil van Allies ernstige toon.

'Ja. Een heel slechte zoener. Afgrijselijk, zelfs. Dan kan ik die eerste kus uit mijn hoofd zetten. Voorgoed.'

'Dus die zou dan… toeval zijn?'

'Een toevalstreffer, inderdaad,' beaamde Allie.

Caroline schoot in de lach en Allie moest er zelf ook om grinniken. 'Erg logisch is het niet,' gaf Allie toe. 'Maar op dit moment kan ik niets anders bedenken.'

'Nou, het lijkt een goed idee om hem te eten te vragen,' zei Caroline. 'Maar ik zou er niet te veel op rekenen dat hij niet kan zoenen. Hij lijkt mij geen man die iets half doet.'

'Nee, inderdaad,' gaf Allie toe, opeens weer serieus. Er viel een comfortabele stilte, alleen verstoord door de motorgelui-den van Wyatt.

'Dank je, Caroline,' zei Allie even later. 'Dank je dat je naar me geluisterd hebt. En dat je me niet hebt veroordeeld.'

'Ik probeer nooit te oordelen,' zei Caroline. En dat was waar. Als ze een levensfilosofie had, was dat het waarschijnlijk. Oordeel niet. Niet als het niet per se hoeft.

Haar gedachtegang werd onderbroken door het geluid van de deur. Ze was vergeten het bordje op GESLOTEN te zetten nadat Allie en Wyatt om drie uur waren binnengekomen. Toen ze zag wie haar klant was, glimlachte ze. Het was Buster Caine. Ze had hem sinds die eerste keer, een maand geleden, niet meer gezien en ze begon zich al af te vragen of hij nog een huisje had gekocht.

'Meneer Caine,' zei ze terwijl hij naar het buffet liep.

'Noem me alsjeblieft Buster,' zei hij met een glimlach. Er verschenen vriendelijke rimpeltjes rond zijn blauwe ogen, precies zoals ze zich herinnerde.

'Buster,' herhaalde Caroline, en ze voelde zich opeens een beetje verlegen, wat haar zelden of nooit overkwam. 'Buster, dit is Allie Beckett,' zei ze. 'Allie, Buster Caine.' Buster en Allie schudden elkaar de hand.

'Ik hoop dat ik niet ongelegen kom,' zei Buster met een beleefde blik op Allie, die belangstellend van Buster naar Caroline keek.

'Helemaal niet.' Allie liet zich van haar kruk glijden en hielp Wyatt zijn autootjes bij elkaar pakken. 'Wyatt en ik moeten toch naar huis.'

'Je mag gerust blijven, hoor,' zei Caroline met enige nadruk. Als Allie soms vertrok omdat Buster Caine er was, moest ze niet zo raar doen. Er was absoluut geen reden waarom Buster en zij alleen gelaten moesten worden.

Maar Allie en Wyatt waren al op weg naar de deur. 'Bedankt voor de ijsthee,' zei Allie. 'En Wyatt, zeg jij eens dank je wel voor de melk en de koekjes.' Wyatt bedankte Caroline gehoorzaam.

'Wacht even, wanneer begin je bij de Pine Cone Gallery?'
riep Caroline haar na.

'Maandag,' riep Allie terug. 'Wens me maar succes.'

'Succes,' mompelde Caroline. Maar ze waren al weg en de
bel tinkelde toen de deur achter hen dichtzwaaide.

'Kom ik ongelegen?' vroeg Buster, die nog niet ging zitten,
nog eens. 'Ik kan ook een andere keer terugkomen. Tijdens de
normale openingsuren, bedoel ik.' Hij glimlachte een beetje
schaapachtig en Caroline besefte dat hij had gehoopt haar
weer alleen te treffen. Ze voelde vlinders in haar buik en pakte
snel een theedoek.

'Nee, je kunt wel blijven,' zei ze quasinonchalant. Ze spoelde
de theedoek uit bij de gootsteen en begon het buffet ermee
af te vegen. 'Maar ik weet niet wat ik je te eten kan aanbieden. Het is vandaag erg druk geweest. Ik geloof dat alles tegelijk op was.'

'Dat geeft niet. Ik heb al geluncht,' zei hij. 'Maar iets kouds
te drinken zou ik heerlijk vinden. Als het niet te veel moeite
is.'

'Helemaal niet. Wat dacht je van ijsthee? Ik heb hier een pas
gezette kan.'

'Klinkt goed.' Hij ging op een van de krukken zitten.

'En als ik me niet vergis,' zei ze, 'is er ook nog één stuk
appeltaart.'

'Daar kan ik natuurlijk geen nee tegen zeggen,' zei hij met
een glimlach.

Caroline schonk zijn ijsthee in en schoof het laatste stuk
appeltaart op een bordje. Ze zette het glas en het bordje voor
hem op het buffet, samen met schijfjes citroen, suiker, een servet en een vork.

'Dit is het tochtje hiernaartoe dubbel en dwars waard,' zei
Buster terwijl hij een stuk taart op zijn vork laadde.

Caroline glimlachte en schonk zichzelf ook nog een glas ijsthee in. 'Ben je nog hiernaartoe verhuisd?' vroeg ze.

'Ik ben zelfs al een heel eind op orde,' zei hij. 'Ik heb inmiddels alles uitgepakt.'

'Was je de nacht van de storm ook hier?' vroeg ze bezorgd.

Hij schudde zijn hoofd en slikte een mondvol appeltaart door. 'Ik was naar de Twin Cities om nog wat dingen af te handelen, maar nu ben ik terug. En ik ben niet alleen voor een stuk taart naar deze fantastische zaak gekomen. Hoewel de taart natuurlijk wel een bonus is.'

Caroline trok haar wenkbrauwen op. 'Wat kom je dan doen?'

Hij legde zijn vork neer. 'Ik kwam vragen of je een tochtje met me wilt maken in mijn vliegtuig. Je zei dat je nog nooit gevlogen had. Nou, dit is je kans.'

Even was Caroline te verbaasd om iets te zeggen. 'Ik?' sputterde ze eindelijk. 'In een vliegtuig?'

'Waarom niet?'

'"Waarom wel" zou een betere vraag zijn, vind je niet?'

Hij haalde zijn schouders op. 'Oké, wat je wilt. Waarom wel? Omdat je het nooit eerder hebt gedaan. En je zou mij het genoegen schenken van je gezelschap. Bovendien ben ik in het algemeen ook geen slecht gezelschap, al zeg ik het zelf.'

Caroline aarzelde. Ze had moeite een antwoord te formuleren.

'Kijk,' zei hij, 'mijn toestel staat op het gemeentelijke vliegveld van Butternut. Dat is vijf minuten rijden. En we hoeven niet lang weg te blijven. Een halfuur op zijn hoogst.'

Toen ze eindelijk iets zei, was dat het eerste wat bij haar opkwam. 'Storten die kleine vliegtuigjes niet vaak neer?'

'Nou, niets in het leven is helemaal vrij van risico,' gaf hij toe. 'Maar ik ben een uitstekend piloot en ik heb met dit toestel nog nooit problemen gehad.'

Caroline aarzelde nog steeds. 'Ik weet niet wat je rekent voor chartervluchten, maar ik kan het me waarschijnlijk niet veroorloven.'

'Ik ben hier geen klanten aan het werven, Caroline,' zei hij verrast. 'Ik verwacht niet dat je betaalt. Ik vraag je mee als vriend.'

174

'Als vriend?' herhaalde ze.

'Precies.'

Caroline kon nog steeds geen besluit nemen. 'Dus het wordt een afspraakje?'

'Een afspraakje?' Hij leek een beetje geamuseerd. 'Die heb ik al heel lang niet meer gehad, maar ik geloof dat ze het nog steeds zo noemen. Ja, dus. Ik denk dat het wel een afspraakje is. Heb je daar een probleem mee?'

'Niet echt een probleem,' zei Caroline. 'Maar we kennen elkaar nog niet erg goed, hè?'

Weer keek hij geamuseerd. 'Dat is waar. Maar is dat niet het doel van afspraakjes? Dat mensen elkaar wat beter leren kennen?'

'Ik neem aan van wel,' zei ze weifelend.

'Goed dan.' Hij dacht even na. 'Misschien moet ik je niet meenemen in mijn vliegtuig. Misschien is dat een beetje te… avontuurlijk voor een eerste afspraakje. Waarom gaan we niet ergens koffiedrinken? Aangenomen natuurlijk dat hier nog een andere gelegenheid is waar we een behoorlijke kop koffie kunnen krijgen.'

'Nee, Buster. Dit is de enige.' Ze keek om zich heen.

Hij zuchtte. 'Je maakt het me niet gemakkelijk, hè?'

Ze schudde haar hoofd. 'Het is niet mijn bedoeling om het je moeilijk te maken. Ik maak gewoon nooit afspraakjes.'

'Nooit?' vroeg hij zachtjes.

'De laatste tijd niet,' zei ze. Ze had natuurlijk wel afspraakjes gehad in de jaren sinds haar man bij haar weg was. Een leraar hout- en metaalbewerking van de middelbare school. Een dierenarts met een praktijk in het plaatsje. En ze had ze allebei enorm graag gemogen. Maar niet genoeg om ze te betrekken bij het leven dat zij en Daisy hadden opgebouwd. En nu Daisy uit huis was? Zou dat nu veranderen? Nee… Ze schudde een beetje triest haar hoofd.

'Nee tegen het afspraakje, dus?' Buster keek haar vragend aan.

'Nee tegen het afspraakje,' herhaalde ze een beetje onzeker.

'Ook goed,' zei hij. Hij haalde zijn portefeuille tevoorschijn en legde een bankbiljet op het buffet. 'Mocht je je bedenken, Caroline, denk er dan aan dat het alleen maar om een afspraakje gaat. Geen ceremonie om een verbintenis te bezegelen.' Zijn blauwe ogen twinkelden onmiskenbaar.

'Bedankt voor de taart,' zei hij, en Caroline knikte en keek hem na.

Ze pakte het biljet op dat hij op het buffet had gelegd – weer een van twintig –, werkte de vaat weg en nam het buffet nog eens af, met iets meer kracht dan nodig. Ze dacht aan iets wat ze nog geen kwartier geleden tegen Allie had gezegd. Dat mannen en relaties helemaal niet zo moeilijk hoefden te zijn. Dat het ook heel eenvoudig in elkaar kon steken. En was dat eigenlijk niet wat Buster Caine net ook tegen haar gezegd had?

Haar gepeins werd onderbroken door de telefoon van het eethuisje.

'Hallo?' zei ze.

'Mam?' Het was Daisy. En ze klonk bezorgd.

'Hallo, schat.' Caroline voelde de emotie in haar opwellen.

'Mam, is alles goed daar?'

'Natuurlijk,' loog ze. 'Hoezo?'

'O, niets. Ik heb je al een paar dagen niet gesproken. En je was niet in het appartement, dus besloot ik het beneden maar te proberen.'

'Ik weet dat ik je al even niet gebeld heb,' verontschuldigde Caroline zich. 'Ik wil niet dat je het gevoel krijgt dat ik je niet los kan laten, dat is alles.'

'Mam, zo voel ik het nooit. Dat weet je toch. Ik wil juist dat je vaak belt. Ik mis je.'

Caroline voelde tranen in haar ogen prikken. Waag het niet te gaan huilen, hield ze zichzelf voor. Waag het niet Daisy op te zadelen met het beeld van een eenzame en verdrietige moeder.

'Maar mam,' zei Daisy, 'is het niet een beetje laat om nog aan het werk te zijn?'

'Niet echt,' zei Caroline. 'Er kwam een vriend langs.'

'Een vriend?' vroeg Daisy belangstellend.

'Een klant,' corrigeerde Caroline zichzelf. 'Hij is hier nieuw. Een gepensioneerd militair. Hij wilde weten of ik zin had om een eindje met hem te gaan vliegen. Niet te geloven, hè?' Er viel een korte stilte en toen floot Daisy zachtjes. 'Ik zie dat ik een beetje te bescheiden was toen ik voorstelde dat je lid zou worden van een leesclub,' zei ze.

'Nou, ik heb geen ja gezegd,' zei Caroline getergd.

'Waarom niet?'

'Omdat... omdat hij zei dat het een afspraakje zou zijn.'

'Wat is daar mis mee?'

'Ach schat, dat weet ik niet,' antwoordde ze opeens geïrriteerd. 'Ik dacht alleen dat het op mijn leeftijd een beetje belachelijk zou zijn.'

'O, ja.' Daisy deed alsof ze zich opeens iets herinnerde. 'Ik vergat dat je al over de veertig bent. Nee, je hebt gelijk, mam. Je bent veel te oud voor afspraakjes. Tenzij...' Ze zweeg even voor het dramatische effect. 'Tenzij je denkt dat je rollator in zijn kofferbak past als hij je komt ophalen.'

Caroline rolde met haar ogen. 'Het gaat niet alleen om mijn leeftijd. Het is meer dat ik... ik ben er niet meer aan gewend om...' Haar stem stierf weg.

'Je bent er niet meer aan gewend om iets anders te zijn dan mijn moeder?'

'Zoiets,' gaf Caroline toe. 'Nu vind je me zeker wel heel sneu.'

'Helemaal niet,' zei Daisy. 'Je komt er nog wel achter. Maar ik moet nu gaan.'

'Oké, liefje,' zei Caroline. 'Ik hou van je.'

'Dag, mam,' zei Daisy opgewekt. En toen was ook zij weg.

Caroline zuchtte en leunde tegen het buffet. Ze voelde nu

eens niet de noodzaak om druk bezig te blijven. Ze had zich helemaal geen zorgen hoeven maken toen Daisy ging studeren. Daisy redde zich prima. Ze had zich zorgen moeten maken over zichzelf. In al die jaren dat ze moeder en zakenvrouw was geweest en waarin ze geprobeerd had zo goed mogelijk voor de zaak en voor Daisy te zorgen, was ze iets anders vergeten. Ze was vergeten hoe ze risico's moest nemen. Langzaam liep ze naar de kassa. Ze maakte hem open, tilde de geldla op en haalde het visitekaartje van Buster Caine eruit. Ze bleef er een hele tijd naar staan kijken, zich afvragend of ze de moed had hem te bellen. Uiteindelijk legde ze het terug en duwde de kassa met een klap dicht.

'Je bent hopeloos,' zei ze hardop in het lege restaurant. Maar ze voelde zich er niets beter door.

18

Walker pakte met beide handen de rand van de steiger en trok zich in één soepele beweging uit het meer. Hij bleef even zitten terwijl het water van zijn lichaam stroomde en toen ging hij op de steiger naar de nachtelijke hemel liggen kijken. Zijn borst ging snel op en neer na de inspanning van vijf kilometer zwemmen.

Het was een prachtige avond; de hemel was zo zwart en de sterren staken er zo fel tegen af dat hij werd herinnerd aan de nachtelijke hemel van een planetarium waar zijn ouders hem als kind eens mee naartoe hadden genomen. Hij zuchtte toen hij aan die dag terugdacht. Zoals zoveel dagen in zijn jeugd was hij slecht afgelopen. De show in het planetarium was prachtig geweest, maar toen ze weggingen, hadden zijn ouders ruzie gekregen over iets onbeduidends. De ruzie was geëscaleerd en tegen de tijd dat ze bij de parkeerplaats waren, hadden ze tegen elkaar lopen schreeuwen. Zijn vader was in ijzige stilte naar huis gereden en zijn moeder had naast hem zitten snikken van ellende.

En Walker? Die had ineengedoken op de achterbank gezeten, wetend dat hij zijn moeder moest troosten, maar niet hoe hij dat moest doen. Dus had hij in plaats daarvan geprobeerd zich alles te herinneren wat hij die dag in het planetarium had geleerd. Als hij zich alles goed in zijn hoofd prentte, had hij besloten, zou hij het later als ze naar bed gingen aan Reid kunnen vertellen. In die jaren was bedtijd het beste gedeelte van de dag. Hij en Reid lagen vaak te praten; er was maar een kleine ruimte tussen hun bedden. Vaak hadden ze toch luid moeten praten om zich verstaanbaar te maken boven de ruzies van hun ouders uit. Walker kon zich nu niet meer herinneren waarover ze gepraat hadden. Onbelangrijke dingen, waarschijnlijk. Honkbal, luchtbuksen, enge films.

Reid was een goede oudere broer geweest, dacht hij terwijl hij op de steiger lag. Altijd behulpzaam. Geduldig. Bereid te luisteren. En als Walker hem al had geïrriteerd, had hij dat nooit laten merken. Walker nam zich voor daaraan te denken als Reid hem weer eens tot waanzin dreef. En dat deed hij de laatste tijd voortdurend.

Hij ging zitten en keek als vanzelf naar de overkant, waar Allies steiger was. De lamp bij de steiger was uit. Net als die in het botenhuis. Maar de lampen in het huisje waren nog aan en elk raam was een geel vierkant. Hij keek op zijn horloge. Negen uur. In de loop van de komende paar uur zouden de lampen een voor een uitgaan. Eerst zou het ene raam zwart worden, dan het andere, tot er nog maar één lamp aan was. Uiteindelijk zou ook dat laatste licht doven, meestal rond elf uur.

Hij wist dat het niet normaal was dat hij elke avond zat te kijken hoe de lampen in haar huisje uitgingen. Maar hij hield zichzelf voor dat hij niet echt inbreuk maakte op haar privacy, omdat hij zich te ver weg bevond om naar binnen te kunnen kijken. Hij hield zichzelf ook voor dat er ergere manieren waren om de lange lege avonden te vullen, zoals het steeds opnieuw lezen van hengelsportbladen of Reids honderdste e-mail van die dag beantwoorden.

Maar toch. Hij wist dat het een beetje raar was, een beetje...
obsessief om zo vaak over de baai naar haar huisje te staren. En
'obsessief' was geen woord dat Walker vaak op zichzelf van
toepassing vond. Niet als het om vrouwen ging. Misschien was
hij obsessief als het over het werk of over vissen ging, maar
nooit over vrouwen. Hij glimlachte wrang. Op de een of andere manier had hij altijd gedacht dat hij daarboven stond. De
onzekerheid. De jaloezie. De gekte. De onaangename kanten
van de liefde, waarvoor hij tot voor kort immuun had gedacht
te zijn.

Niet dat zijn relatie met Caitlin geen onaangename kanten
had gehad. Dat was natuurlijk wel zo. In elk geval op het eind.
Wat zij samen hadden gehad, was geen liefde geweest, maar
iets anders. Wat wist hij niet. En als in antwoord op die vraag
kwam de herinnering aan een winteravond bij hem terug. Het
was nadat Caitlin uit het ziekenhuis was ontslagen, nadat ze
weer waren vervallen in hun oude patroon en elkaar beleefd
en vlijtig hadden ontweken.

Walker had niet kunnen slapen, iets wat steeds vaker gebeurde in zijn huwelijk met Caitlin, en hij had haar slapend
in bed achtergelaten en was naar beneden gegaan om nog het
een en ander te doen in zijn werkkamer. Toen hij eindelijk
weer boven was gekomen, had hij tot zijn verrassing ontdekt
dat Caitlin ook wakker was. Alle lampen in hun kamer waren
aan en ze had al haar kleren uit de kast en de laden gehaald en
gooide die in een aantal koffers die open op het bed lagen.
Walker zag dat haar anders zo bleke gezicht een felrode blos
vertoonde, waardoor ze er bijna koortsig uitzag.

'Wat ben je aan het doen?' vroeg hij.

'Is dat niet duidelijk?' zei ze terwijl ze een te volle koffer
probeerde dicht te doen.

'Ga je weg?' vroeg Walker. Hij wist dat het een belachelijke
vraag was, net als zij.

'Ja, Walker. Ik ga weg.' Ze begon kleren in een andere kof-

fer te stoppen. 'Je observatievermogen is echt verbijsterend.'
Walkers gezicht vertrok. Caitlin was zelden boos. Of sarcastisch, trouwens. Later had hij zich gerealiseerd dat hij helemaal niet wist hoe ze zich in de tijd dat ze samenwoonden had gevoeld. Ze had het hem niet verteld en hij had er niet naar gevraagd.

'Caitlin,' zei hij zachtjes, 'ik dacht dat het beter tussen ons ging. Sinds je...' Daar stopte hij. Hij kon de woorden niet over zijn lippen krijgen.

'Sinds ik de miskraam heb gehad?' maakte ze de zin voor hem af. 'Als je met "beter" bedoelt dat we beleefd tegen elkaar zijn als we ons een keer in dezelfde kamer bevinden, dan moet ik het met je eens zijn, Walker. Volgens mij doen we het fantastisch.'

'Kunnen we hier morgenochtend niet over praten?' Walker liep naar haar toe en legde voorzichtig een hand op haar schouder.

Zij schudde hem meteen af. 'Nee, Walker, we kunnen er niet morgenochtend over praten. Want morgenochtend ben ik hier niet meer. Ik vertrek zodra ik mijn spullen heb gepakt.'

'Dat kun je niet menen,' wierp Walker tegen. 'Het sneeuwt. De sneeuwploegen zijn nog niet eens langs geweest.'

'Ik waag het erop.' Ze deed nog een koffer dicht.

'Caitlin, nee. Het is niet veilig. Als je morgenochtend wilt vertrekken nadat de wegen zijn schoongemaakt, zal ik je niet tegenhouden.'

'Walker, je kunt me nu ook niet tegenhouden,' zei ze boos. 'Ik laat me niet tegenhouden. En het mag dan niet veilig zijn op de weg, hier in huis loop ik meer gevaar.'

'Wat wil je daar nou weer mee zeggen?' vroeg Walker geschokt. Hij had nog nooit met stemverheffing tegen haar gesproken, laat staan een hand naar haar opgeheven.

'Ik wil zeggen dat ik hier gevaar loop, Walker. Ik zou dood kunnen gaan van eenzaamheid. Wist je dat dat mogelijk was?

En weet je hoe ik dat weet? Ik weet het omdat ik het heb opgezocht op het internet. Een van de vele dingen die ik doe in
al die uren die ik elke dag moet vullen.'

'Ik moet werken,' zei Walker verdedigend. 'Ik moet de kost
verdienen. Ik kan me niet de hele dag met jou bemoeien.'

'Met mij bemoeien?' gaf ze woedend terug. 'Wat dacht je
ervan me eens mee uit eten te nemen? Niet elke avond. Af
en toe. Een keer. En wat dacht je ervan om eens hier te eten,
samen met mij? In plaats van de godganse dag op de werf te
blijven en je na thuiskomst in je werkkamer op te sluiten.'

'Dat is niet eerlijk,' protesteerde Walker. 'Je wist dat ik een
veeleisende baan had toen je met me trouwde. En ik heb je er
trouwens nooit van weerhouden om hier je eigen leven op te
bouwen.'

'Walker,' barstte ze los, met tranen in haar lichtblauwe ogen,
'dat kun je niet menen. Ik heb geprobeerd me aan te passen,
maar je hebt me totaal niet geholpen. Je hebt me aan niemand
voorgesteld. En als iemand ons al uitnodigde, heb je dat afge-
slagen. Wat moest ik dan doen? Alleen gaan en aan de mensen
uitleggen dat mijn man niet genoeg om me geeft – of om hen,
trouwens – om mee te komen?'

'Dat is niet waar,' mompelde Walker. Maar hij ging er niet
echt tegenin. Hij wist dat hij haar niet had geholpen hier in
te burgeren en hij wist ook hoe moeilijk dat kon zijn in een
plaatsje waar de meeste inwoners elkaar hun hele leven al
kenden.

Caitlin deed de laatste koffer dicht, sleepte hem van het bed
en wilde hem naar beneden sjouwen.

'Dit is krankzinnig.' Hij probeerde haar de koffer zachtzin-
nig afhandig te maken.

'Blijf van me af,' snauwde ze zo boos dat haar hele lichaam
trilde.

Daarna probeerde hij haar niet meer te helpen. En hij probeerde haar ook niet meer tegen te houden. Hij keek alleen

maar ontzet toe hoe ze alles in de kofferbak van haar auto laadde en die met een klap dichtsloeg.

Vervolgens draaide ze zich naar hem om. De hemel werd net iets lichter maar er viel nog steeds fijne natte sneeuw. 'Nog één ding, Walker,' zei ze met zoveel ingehouden woede dat hij er bang van werd. 'Een laatste woord van advies. Trouw nooit meer. En dénk er niet eens over ooit nog vader te worden. Jij bent namelijk veel te egoïstisch voor die dingen. Ik weet dat je dacht dat je alles kon hebben toen je me ten huwelijk vroeg. Een vrouw, een baby, een huis. Zomaar. Maar zo werkt het niet, Walker. Het is geen pannenkoekenmix waar je alleen maar water bij hoeft te doen. Het is ingewikkeld, Walker. En het is moeilijk. Er is inzet voor nodig. En discipline. En doorzettingsvermogen. En buiten je werk heb jij die eigenschappen niet, Walker. Niet één ervan.

Dus als je in de toekomst nog eens een nietsvermoedende vrouw ontmoet,' ging ze een beetje buiten adem verder, 'trouw dan niet met haar, oké? Maak zelfs geen afspraakjes met haar, als je het kunt vermijden. Want het zal erop uitlopen dat ze gekwetst wordt. Met jou komt het uiteraard wel goed. Het leven is lekker eenvoudig als je alleen om jezelf geeft, nietwaar, Walker?'

Toen stapte ze in haar auto en reed weg. Walker keek de verdwijnende auto na. En maakte zich akelig veel zorgen over de gladheid van de wegen. Toch liet hij haar gaan. Wat kon hij anders? Ze haatte hem. Erger nog, ze had gelijk dat ze hem haatte. Elk woord dat ze over hem had gezegd, was waar. Hij was een schoft. Een egoïstische schoft. Hoewel hij kon wijzen op de scheiding van zijn ouders en om het even welke andere factoren die konden verklaren waarom hij was zoals hij was, maakte het eigenlijk niet uit. Hij was als enige verantwoordelijk voor de man die hij was geworden, en als hij eerlijk was, wist hij niet eens of hij wel tijd zou willen doorbrengen met de man die hij was, laat staan dat hij hem wilde zijn.

Caitlin belde niet om te zeggen dat ze veilig in Minneapolis was gearriveerd. Ze belde helemaal niet meer, nergens om.

Een paar maanden later ontving hij de papieren voor de scheiding en daarna ging alle communicatie via hun advocaten. Walker stemde in met wat volgens zijn advocaat een buitensporig genereuze schikking was, maar dat kon hem niet schelen; hij wilde dat hoofdstuk van zijn leven afsluiten. Alleen was dat uiteraard niet zo eenvoudig. Dat was het nooit.

Nu keek hij weer naar Allies huisje aan de overkant van de baai. Terwijl hij al die herinneringen aan zich voorbij had laten trekken, waren daar alle lampen uitgegaan, op één na. Dus concentreerde hij zich op dat licht, dat zwakjes over het donkere water scheen, en intussen verlangde hij zo hevig naar haar dat hij er bijna door overweldigd werd.

De keerzijde van dat verlangen, besefte hij al snel, was frustratie. Hoe hij ook naar haar verlangde, heviger dan hij ooit in zijn leven ergens naar verlangd had, hij kon haar niet krijgen. Nu niet. Misschien wel nooit.

Het ergste was nog dat hij, zelfs als hij haar zou kunnen krijgen, niet wist of hij haar wel verdiende. Misschien had Caitlin wel gelijk. Misschien kon hij beter niet meer aan een vrouw beginnen. En misschien gold dat wel dubbel voor Allie. En voor haar zoon. Ze hadden al zo'n groot verlies geleden. Zoveel verdriet gehad. Het laatste wat zij nu nodig hadden, was iemand als hij, een egoïstische schoft die om niemand gaf.

Dat hield hij zichzelf tenminste voor. Toch weerhield dat hem er niet van zich die kus in de keuken te herinneren, de ochtend na de storm. Hoe het had gevoeld om Allie in zijn armen te hebben. De zoetheid van haar mond. En de zijdezachte huid van haar blote schouders, haar armen en haar hals. Nu hij hier zo zat, was het moeilijk te bepalen of die kus een begin was. Of een einde.

Hij zag de laatste lamp in haar huisje uitgaan, zodat die kant van de baai helemaal in het donker lag. Hij wilde opstaan, maar besefte dat hij nog niet moe was. Dus liet hij zich weer in het water glijden, zette zich af tegen de steiger en begon aan een krachtige crawl. Nog een paar kilometer en dan was hij vast te moe om aan iets anders te kunnen denken dan aan slapen.

19

Zodra Allie de moed bij elkaar had geschraapt om Walker uit te nodigen voor het eten, had ze er al spijt van. En hoe dichter de afgesproken avond naderde, hoe meer spijt ze kreeg. Toen de avond eindelijk was aangebroken, was ze bijna verlamd van spijt. Spijt en nog iets anders... Angst.

'Liefje, gaat het wel goed met je?' Caroline zat op de rand van Allies bed en bestudeerde zorgvuldig haar gezicht. Ze was gekomen om Wyatt op te halen, maar was gebleven om Allie te helpen haar zenuwen te bedwingen. 'Van hier af zie je namelijk een beetje groen,' zei ze.

'Het zal het licht wel zijn,' zei Allie afwezig. Ze keek fronsend naar de stapel kleren op het bed. 'Met mij is niets aan de hand, hoor.'

'Mooi.' Caroline klonk niet helemaal overtuigd. 'Dan zou ik me maar eens gaan aankleden. Walker zal zo wel komen.'

Allie liep nog steeds in het T-shirt van de Minnesota Twins en de pyjamabroek die ze na het douchen had aangetrokken. Haar haar was nog nat en zat in een paardenstaart.

'Ik... ik kan me niet aankleden.' Haar stem haperde terwijl ze de kleren op het bed bekeek. 'Niets lijkt echt geschikt.' Ze was haar hele kast door geweest en had bijna elk kledingstuk eruit gehaald. Niets had haar goedkeuring kunnen wegdragen en ze begon te denken dat dat ook niet zou gebeuren.

'O, wie sta ik nu eigenlijk voor de gek te houden?' zei ze opeens. Ze duwde wat kleren opzij en ging op de rand van het bed zitten. 'Ik kan het niet,' zei ze tegen Caroline. 'Ik kan het gewoon niet.'

'Je kunt je niet aankleden?' vroeg Caroline rustig.

Allie schudde haar hoofd. 'Nee. Het gaat om het afspraakje.' Haar schouders hingen moedeloos omlaag. 'Ik dacht dat ik het kon, maar ik kan het niet. Ik ben er gewoon nog niet klaar voor.'

Caroline bekeek haar bedachtzaam. 'Zie het dan niet als een afspraakje,' zei ze eindelijk. 'Beschouw het als twee vrienden die samen eten.'

Allie rolde met haar ogen. 'Dat gaat niet werken,' zei ze. 'We kennen elkaar amper.'

'Zelfs vrienden moeten ergens beginnen,' merkte Caroline op. 'Nou, kies iets om aan te trekken,' zei ze vastberaden. 'Anders doe ik het.'

Toen Allie geen aanstalten maakte, pakte Caroline een kort zomerjurkje.

'Wat dacht je hiervan?' vroeg ze opgewekt. Ze hield het jurkje omhoog.

Allie keek er amper naar. 'Veel te bloot,' zei ze.

'Nou, deze dan,' vroeg Caroline na even gezocht te hebben. Ze hield een bloes met lange mouwen en een lange rok omhoog.

'Niet bloot genoeg.' Allie kleurde een beetje.

Caroline grinnikte. 'Weet je hoe ik altijd mijn kleren uitkoos als ik een afspraakje had met mijn ex-man Jack?' vroeg ze.

Allie schudde haar hoofd.

'Ik keek hoe gemakkelijk ze uit te trekken waren. En weer aan, uiteraard.'

'Nou, dat gaat nu niet gebeuren.' Allie bloosde nog meer. 'Ik dacht dat jij zei dat ik moest doen alsof we gewoon twee vrienden waren die samen aten?'

'Dat heb ik inderdaad gezegd, hè?' Caroline bekeek nog eens de kleren. 'Hé, wat dacht je hiervan?' Ze hield een spijkerbroek en een witte kanten bloes omhoog. 'Een spijkerbroek is altijd goed, en dat wit doet het prachtig bij je bruine huid.'

Allie keek ernaar en zuchtte. 'Vooruit dan maar.' Ze nam de kleren van Caroline aan. 'Er is nog een ander probleem.'

'Wat dan?'

Allie stak haar linkerhand op en wiebelde met haar ring-vinger, waar haar trouwring om zat. 'Ik weet niet wat ik met mijn ring moet doen. Ik heb hem al drie keer af en weer om gedaan. Mijn vinger voelt zo bloot zonder die ring.'

'Laat hem om als je dat comfortabeler vindt,' zei Caroline. 'Hoe zit het met het eten?'

'De kip staat in de oven. De wilde rijst staat achter op het gasfornuis zachtjes te pruttelen en de salade is gemaakt.'

'Zie je wel, je bent er helemaal klaar voor,' zei Caroline met een stralende glimlach. 'En het ruikt trouwens heerlijk,' voegde ze er met een gebaar naar de keuken aan toe.

Toen Allie geen antwoord gaf, zei Caroline: 'Allie, je weet dat je dit kunt. Je doet gewoon één stap tegelijk, goed? Kleine stapjes. Babystapjes.'

Allie reageerde nog steeds niet. Wyatt kwam de kamer bin-nenstormen met een rugzak en een slaapzak.

'Ik ben klaar, Caroline,' zei hij trots. 'Ik heb alles zelf ingepakt.'

'Mooi zo.' Caroline ging met een hand door zijn warrige krullen.

'Ik heb mijn veldfles bij me, mijn kompas en mijn zaklamp,' legde hij met een klopje op zijn rugzak uit.

'Nou, dan ben je goed voorbereid,' zei Caroline ernstig.

'En je tandenborstel en tandpasta?' vroeg Allie.

'O.' Zijn gezicht betrok een beetje. 'Die ben ik vergeten.'

'Ga die dan ook nog maar even pakken,' zei Allie.

Hij sjokte de kamer uit, sjorrend aan zijn opeens zware rugzak.

'Wat heeft hij er toch in zitten?' vroeg Caroline verbaasd.

'Geen idee.' Allie zuchtte. 'Behalve de veldfles, het kompas en de zaklamp, bedoel ik.'

'Allie, hij denkt toch niet dat we gaan kamperen, hè?' Caroline fronste.

'Nee, ik heb hem verteld dat hij op jouw slaapbank mag slapen. Hij is helemaal opgewonden. Hij zegt dat hij nog nooit op een slaapbank heeft geslapen.'

'Nou, dat is tenminste iets. Ik had hem wel in Daisy's kamer willen leggen, maar ik was bang dat die te roze en te meisjesachtig voor hem zou zijn.'

Allie glimlachte afwezig. 'Caroline, je weet toch dat je hem niet de hele nacht hoeft te laten blijven? Ik pik hem met alle liefde weer op als Walker eenmaal weg is.'

'Absoluut niet,' zei Caroline. 'Zo is het veel gemakkelijker. Jij kunt een glas wijn – of twee – drinken zonder je er zorgen om te hoeven maken dat je nog moet rijden, en Wyatt en ik kunnen milkshakes en hamburgers maken bij Pearl's zonder eraan te hoeven denken dat hij tegen bedtijd weer thuis moet zijn.'

'Wyatt zal het geweldig vinden,' zei Allie verlangend. Ze wenste half dat ze er bij zou zijn in plaats van hier te moeten blijven voor een afspraakje waarvan ze niet zeker wist of ze er wel zo'n zin in had.

Maar de tijd tikte onherroepelijk door. Ze liep met Caroline en Wyatt naar Carolines auto en zei hen gedag, waarbij ze opgelucht merkte dat Wyatt eerder opgewonden was over het logeerpartijtje dan dat hij ertegen opzag. Daarna ging ze weer naar binnen, föhnde haar haar droog en trok de kleren aan die Caroline voor haar had uitgekozen. Ze vroeg zich af of ze sieraden moest omdoen en zich moest opmaken en koos uiteindelijk voor een paar gouden oorringetjes en een klein beetje lipstick.

Zo, dacht ze terwijl ze zichzelf bekeek in de badkamerspiegel. Ze zag er prima uit. Leuk. Maar niet als iemand die zich had voorbereid op een belangrijk afspraakje. Of een gewaagd rendez-vous.

Toen ze naar de keuken ging om naar het eten te kijken, dacht ze aan wat Caroline had gezegd, dat ze moest doen alsof ze een vriend te eten had. Dat lukt me wel, dacht ze terwijl ze olijfolie en azijn mengde voor de dressing. Ze moest wel toegeven dat haar handen waarschijnlijk niet zouden trillen als ze gewoon een vriend te eten had gevraagd.

Gelukkig stopte een paar minuten later Walkers pick-up voor het huisje. Allie ging hem tegemoet en probeerde vergeefs nonchalant te doen.

'Hallo,' zei ze. 'Je bent precies op tijd.'

'Nou ja, ik hoefde niet ver.' Hij overhandigde haar niet één, maar twee flessen wijn. 'Ik wist niet wat we zouden eten,' zei hij verontschuldigend, 'dus heb ik maar rode en witte meegebracht.'

'O, lekker.' Ze liet zich even afleiden door het feit dat ze zo dicht bij elkaar stonden. Hij kwam net onder de douche vandaan en zijn vochtige haar was netjes gekamd. En hij rook... hij rook fantastisch, dacht ze. Niet naar aftershave of een mannengeurtje. Gewoon schoon en mannelijk, waardoor ze nog dichter bij hem wilde staan. Ze voelde haar zenuwachtigheid weer iets toenemen.

'Kom binnen,' zei ze, en ze liep voor hem uit de trap op.

'Waar is Wyatt?' vroeg Walker terwijl hij achter haar aan liep.

'Bij Caroline.' Allie hoopte dat ze het luchtig genoeg bracht. Ze geloofde niet dat het nodig of verstandig was om erbij te zeggen dat hij daar de hele nacht zou blijven.

Toen ze het huisje binnenliepen, bleef Walker even bewonderend staan kijken terwijl zij in de keuken een kurkentrekker ging halen.

'Wat een fantastisch huis,' zei hij. 'Is er iets aan veranderd sinds je grootvader het heeft gebouwd?'

'Heel weinig.' Allie haalde twee wijnglazen uit de kast. 'Zulk hout vind je nergens meer.' Walker bekeek de knoestige grenenhouten wanden en het plafond, met hun warme honingtint in het lamplicht. 'Dat weet ik omdat ik het geprobeerd heb toen ik mijn huis wilde bouwen.'

'Volgens mij heb jij het anders ook niet slecht gedaan.' Allie kwam met twee glazen witte wijn de woonkamer binnen en gaf hem er een. Ze nam een teugje – een flinke slok eigenlijk – uit haar glas. Ze wist niet veel over wijn, maar ze wist wel dat deze lekker was. Heel lekker. Ze nam nog een slokje, kleiner ditmaal, en herinnerde zichzelf eraan dat ze rustig aan moest doen. Ze had die dag niet veel gegeten. Daar was ze te nerveus voor geweest.

'Wat is daar gebeurd?' vroeg Walker. Hij wees naar de open haard.

'O.' Allie nam voor de goede orde nog maar een slok wijn. 'Daar hing een hertenkop, maar Wyatt was er bang van, dus heb ik hem weg laten halen.' Ze schudde haar hoofd toen ze eraan dacht hoe vreselijk Wyatt hem had gevonden. 'Wyatt dacht dat de ogen van dat beest hem overal volgden.'

'Misschien was dat ook wel zo,' zei Walker geamuseerd.

Allie glimlachte. 'Over zulke dingen kan ik met hem geen grapjes maken. Hij is zo gevoelig. Ik moet zorgen voor de gezonde nuchterheid in dit gezin. Maar de helft van de tijd voel ik me daar volledig ongeschikt voor.' Ze zweeg even, bang dat ze een te persoonlijk onderwerp had aangesneden. 'Hoe dan ook,' ging ze verder om het gesprek een andere wending te geven, 'ik zoek een schilderij om daar op te hangen. Maar ik heb het juiste doek nog niet gevonden.'

'Het zal behoorlijk groot moeten zijn,' zei hij. 'Wat zoek je precies?'

Ze haalde haar schouders op en zei: 'Iets met Butternut Lake erop, denk ik. Ik weet het nog niet zo goed, maar ik heb het gevoel dat ik het zal weten zodra ik het zie.' Ze voegde eraan toe: 'Het is handig dat ik in de Pine Cone Gallery werk, want ik zie alles wat daar binnenkomt.'

'Dus je hebt de baan gekregen,' zei hij met een glimlach. Ze knikte.

'Dat verbaast me niets. Je vertelde me over het sollicitatiegesprek op de dag dat jij en Wyatt op de werf waren, en ik vond toen al dat Sara Gage gek zou zijn als ze je niet in dienst nam. Hoe gaat het?'

'Het is een hele overgang,' gaf ze toe. 'Ik bracht de hele dag door met een vijfjarig kind en nu heb ik steeds volwassenen om me heen. De omschakeling was moeilijker dan ik me had voorgesteld. Ik bedoel, alles wat Wyatt van me verlangt, is dat ik weet hoe ik macaroni met kaas moet klaarmaken, dat ik eraan denk ijslolly's te kopen bij de supermarkt en dat ik 's avonds een verhaaltje voorlees. Sara Gage en haar klanten hebben wat hogere verwachtingen.' Ze zuchtte toen ze eraan terugdacht hoe moe ze na de eerste werkdag was geweest. Ze had die avond alleen nog een pizza uit de vriezer kunnen halen voor het diner. Wyatt had het natuurlijk prachtig gevonden.

'Het went wel,' zei Walker nu. 'Het belangrijkste is of je het leuk vindt.'

'Ik vind het heel leuk,' zei Allie eerlijk. En dat was ook zo. Ze genoot ervan om met Sara te praten over de kunstwerken in de galerie, ze vond het leuk om de kunstenaars te ontmoeten en ze hield er vooral van om de klanten te helpen iets voor henzelf of voor iemand anders te kiezen, het volmaakte kunstwerk om mee naar huis te nemen of om weg te geven bij een housewarmingparty of als bedankje.

Ze begon Walker meer te vertellen over haar eerste week in de galerie, maar de ovenwekker ging af en ze ging naar de keuken om de kip te controleren. Die was klaar; de buitenkant was knapperig goudbruin. Ze deed een paar ovenwanten aan, tilde de schaal uit de oven en legde de kip op een houten plank.

'Wat doe je met Wyatt als je moet werken?' vroeg Walker, die toekeek hoe ze de kip aansneed.

'Hij gaat naar het dagkamp.' Allie was zich zoals steeds bewust van zijn nabijheid. Het leidde haar af, maar ze probeerde zich te concentreren op wat ze deed. Ze moest wel; ze had een scherp mes in haar hand.

'De eerste morgen dat ik hem afzette, waren er wat tranen,' gaf ze toe. Ze legde plakken kip op een bord. 'Meer dan een paar, eigenlijk.' En niet allemaal van hem. 'Maar hij deed het prima. Vooral omdat ze op die dag een boswachter op bezoek hadden.'

'Hij was zeker wel onder de indruk?'

'Nou, laten we het zo zeggen.' Allie liep met de kip naar de keukentafel. 'Wyatt wil nu liever boswachter worden dan autocoureur.'

Walker glimlachte. 'Kan ik eh… je helpen?' vroeg hij toen ze de rijst en daarna de salade op tafel zette.

'Ja,' zei Allie. 'Je kunt voor ons allebei nog een glas wijn inschenken.' Ze vroeg zich echter af of ze nog wel een glas wijn moest nemen. Haar lichaam tintelde nu al overal. Het probleem was dat ze niet goed wist of dat door de wijn kwam of door Walker.

Walker schonk de glazen nog eens vol en ze gingen aan tafel, die Allie mooi had gedekt met een blauw-wit geruit tafelkleed en een bosje zelfgeplukte boterbloemen in een pot vol water. Ze had geen kaarsen aangestoken, omdat dat volgens haar te veel de indruk gewekt zou hebben van een romantisch diner voor twee.

Een tijdlang beperkten ze zich tot koetjes en kalfjes. Walker maakte haar complimentjes over haar kookkunst en schepte nog eens op. Allie deed maar alsof ze at, want ze had een gevoel alsof er iets fladderde in haar buik.

194

'Hoe gaat het op de werf?' Ze nam nog een slokje wijn. Dat kon ze tenminste aan.

'Goed,' zei hij. 'Zo goed dat mijn zakenpartner, die toevallig ook mijn broer is, wil dat ik het dagelijkse management aan Cliff Donahue overlaat en weer in Minneapolis kom wonen.'

'Ga je dat doen?' Allie voelde tot haar verbazing een steek van bezorgdheid.

'Dat weet ik nog niet,' zei hij schouderophalend. 'Ik vind het heerlijk om hier te wonen, maar ik weet niet hoeveel langer ik het nog kan rechtvaardigen om hier fulltime te blijven.'

Allie verschoof op haar stoel en probeerde niet te denken over de mogelijkheid dat Walker ergens anders zou gaan wonen. Het was vreemd dat ze het zo erg vond als je bedacht dat ze tot voor kort alles had gedaan om hem te mijden.

'Hoe zijn jij en je broer in de boten terechtgekomen?' vroeg ze vervolgens, oprecht geïnteresseerd. Óf ze werd een beetje dronken, óf werven waren opeens ongekend interessant.

'O, dat ging vanzelf.' Hij schonk haar een derde glas wijn in. 'Reid en ik hebben altijd een enorme belangstelling gehad voor boten, waarschijnlijk omdat we zijn opgegroeid naast een werf aan het Minnetonka-meer. Toen we klein waren, gaf de eigenaar ons een paar dollar om de zaak te vegen, dat soort dingen. Tegen de tijd dat we op de middelbare school zaten, werkten we daar na school en tijdens onze studie werkten we er in de zomervakantie. Na ons afstuderen hebben we genoeg geld gespaard om zelf een werf te kopen. Het was er een puinhoop, eerlijk gezegd; het enige voordeel was de lage prijs.' Hij glimlachte bij de herinnering en voegde eraan toe: 'Maar we wisten toentertijd nog niet hoe bang we hadden moeten zijn.'

'Ik neem aan dat het een succes werd,' zei Allie, die helemaal opging in wat hij zei. Nu hij over zijn werk praatte, was zijn normale gereserveerdheid verdwenen. Ze had hem nog nooit zo geanimeerd en betrokken gezien, en ze dacht aan iets wat Caroline over Walker had gezegd. Dat hij geen man leek die iets half deed. Dat gold in elk geval voor zijn werk. Ook voor andere dingen? Ze voelde zich warm worden. Warm van verwachting. Dat kwam niet door de wijn, wist ze. Het kwam door Walker.

'Zal ik je eens wat zeggen? Het was inderdaad een succes,' zei hij toen Allie weer aandacht had voor het gesprek. 'We waren jong en dom, maar we werkten ongelooflijk hard. We hebben iets gemaakt van die werf. En van de volgende. En die daarna.'

'Hoeveel hebben jullie er?'

'Twaalf,' zei Walker, en hij dronk zijn glas leeg. 'En we zijn nog steeds op stoom.'

'Een wervenimperium?' vroeg Allie, maar half voor de grap.

'Wie weet.' Walker haalde zijn schouders op. 'Ik zou het echt niet weten. Mijn broer Reid is een gedreven man. Onze vader is vertrokken toen we nog jong waren en volgens mij was dat een zware klap voor Reid, zwaarder zelfs dan voor mij. Het is alsof hij iets moet bewijzen, hoewel hij met recht kan zeggen dat hij dat al gedaan heeft. Hij is nog steeds niet tevreden.' Hij zuchtte. 'Ik weet niet of hij dat ooit zal zijn.'

Allie zat bedachtzaam met haar wijnglas te spelen. 'Dus je broer probeert de rekening met je vader te vereffenen. En jij? Wat is jouw motivatie?'

Walker dacht erover na. Toen glimlachte hij bijna verlegen. 'Eerlijk zeggen?'

Ze knikte.

'Je bent toch wel eens op een mooie dag het water op geweest?'

'Vaak,' zei ze met een glimlach. Die dagen vormden de gelukkigste herinneringen aan haar kindertijd.

'Nou, ik heb een theorie,' zei hij. 'Het kan me niet schelen wie je bent of hoeveel problemen je hebt. Ik daag je uit op een mooie dag met een bootje het water op te gaan en je niet gelukkig te voelen. Om niet gewoon volmaakt en irrationeel gelukkig te zijn. Zo heb ik het tenminste altijd gevoeld.' Hij schonk het laatste beetje wijn in haar glas.

'Dus jij doet om zuiver altruïstische redenen in boten?' vroeg Allie plagerig.

'Nee, niet helemaal,' gaf hij toe. 'Het is een zaak en ik verdien er de kost mee, maar als ik iemand kan helpen zijn droom waar te maken door hem een boot te verkopen, is dat uiteraard een van de krenten in de pap.'

'Over die droom gesproken,' zei Allie nu. 'Ik geloof dat ik er klaar voor ben om je aan je aanbod te houden ons aan een boot te helpen.'

'Mooi, want volgens mij heb ik de volmaakte boot voor jullie tweetjes.'

'Echt?'

Hij knikte. 'Tweedehands, maar in uitstekende staat. Het is een Chris-Craft van zes meter en hij heeft precies het juiste formaat en de juiste snelheid voor dit meer. Het zou prachtig zijn als je hem eens kwam bekijken. Of misschien kunnen we hem hierheen laten brengen, dan kun je er een proefvaart mee maken op het meer.'

'Wyatt zou in de zevende hemel zijn,' zei Allie, die al voor zich zag hoe hij in hun nieuwe boot over het meer voer.

'Dat kan ik me voorstellen,' zei Walker met een glimlach. 'En het is een goede boot voor verschillende doeleinden. Je zou er zelfs in kunnen gaan vissen als je dat wilde.'

Allie fronste.

'Je gaat hem toch wel leren vissen, hè?' vroeg hij in alle ernst, alsof het een morele verplichting was.

'Ik zie niemand anders zich aanbieden,' zei ze voor de grap. Ze voegde er niet aan toe dat ze Wyatt al had geleerd veters te strikken, te fietsen en te zwemmen. Hem leren vissen zou niet moeilijker zijn. Alleen de vis van de haak halen...

'Ik bied me aan,' zei Walker opeens. 'Ik snap niet dat ik er niet eerder aan gedacht heb. Ik ga elke zondagmorgen om halfzes. Ik kan hem oppikken van jullie steiger. Als jij denkt dat hij er klaar voor is, natuurlijk. Hij moet wel vroeg opstaan. En lang stil kunnen zitten.'

'O, ik geloof wel dat hij er klaar voor is,' zei Allie. Ze dacht het niet, ze wíst het. 'Vroeg opstaan is geen probleem, niet als hij een goede reden heeft. Hetzelfde geldt voor stilzitten. Hij kan verrassend veel geduld hebben als het moet.'

'Mooi,' zei Walker resoluut. 'Dan doen we dat. Komende zondag.'

'Waarom niet?' zei ze, maar ze voelde zich er toch niet helemaal gemakkelijk onder. Het ging allemaal zo snel. Te snel. Of niet? Wat was er nu precies gebeurd? Walker ging met haar zoon vissen. Dat was toch niet zo'n probleem?

Het bleef even stil en Allie dronk haar glas leeg en zette het op tafel. Toen ze weer opkeek, zat Walker naar haar te staren. Nee, niet te staren. Hij raakte haar aan met zijn ogen, echt. Hij raakte haar hele lichaam met zijn blik aan, net als op het feest. En net als die avond voelde Allie iets in haar strak aantrekken, als een elastiek dat op het punt stond te knappen. Opeens besefte ze dat ze vergat adem te halen; ze zoog wat lucht naar binnen en stond abrupt op, zodat ze bijna haar stoel omgooide.

'Ik ga koffiezetten,' mompelde ze. Ze haastte zich naar het aanrecht en prutste met het deksel van het blik met gemalen koffie. Toen ze het eindelijk open had en de lepel eruit haalde, begonnen haar handen weer te trillen, zo erg dat ze koffie op het aanrecht morste toen ze die in het apparaat wilde doen.

'Laat mij dat maar doen,' zei Walker, die nu naast haar stond en zijn hand uitstak naar de lepel. Zijn vingers raakten die van haar terwijl hij hem van haar overnam en Allie voelde zich net een opgewonden tiener bij deze nonchalante aanraking.

'Wil je echt koffie?' vroeg hij zachtjes.

Ze schudde haar hoofd.

Hij liet de lepel in het blik vallen en nam haar hand tussen zijn beide handen. Hij draaide hem met de palm naar boven, hield met zijn ene hand haar pols vast en volgde met een vinger van de andere hand een denkbeeldige lijn langs de binnenkant van haar onderarm, van haar pols naar haar elleboog. Allie sloot haar ogen. Het leek wel of haar huid brandde waar hij die aanraakte. Wat niet verklaarde waarom ze opeens huiverde. Toen zijn vinger bij de holte van haar arm was, stopte hij. Hij bleef haar hand vasthouden, boog zich langzaam naar haar toe en kuste haar lippen zo licht dat Allie zich afvroeg of ze het zich verbeeldde.

'Wat doe je?' fluisterde ze. Ze deed haar ogen open.

'Ik doe wat ik had moeten doen zodra ik binnenkwam,' zei hij met een lage, schorre stem. 'Zodra ik je daar op de oprit zag staan en zag hoe belachelijk mooi je was.' Hij kuste haar nogmaals en toen nog een keer. Tergend lichte kussen die amper een indruk nalieten op haar lippen en die haar hele lichaam deden verlangen naar meer.

'Alsjeblieft,' zei ze zachtjes, zonder te weten wat ze daar precies mee bedoelde. Maar Walker wist het wel. Hij liet haar hand los, zijn armen gleden om haar middel en hij duwde haar bijna onmerkbaar naar achteren, tegen het aanrecht. Ze dacht dat het maar goed was dat hij haar een steuntje in de rug had gegeven. Toen hij zijn hoofd boog en haar weer kuste, was het een heel andere kus dan de zachte die hij haar al gegeven had. Dit was een veeleisende kus. Hongerig en dringend. En toen hij zijn tong in haar mond duwde, voelde ze een warme sensatie door haar hele lichaam stromen.

Ademen, Allie, hield ze zichzelf voor. Probeer gewoon normaal te ademen. Maar het was moeilijk zich ergens anders op te concentreren dan op het gevoel dat hij haar gaf. Haar hele lichaam leek wel een stemvork, die door Walkers aanraking tot zingen werd gebracht.

Ze liet haar armen om zijn middel glijden en toen over zijn rug, en ze voelde de warmte van zijn huid door de stof van zijn shirt heen. Ze trok hem naar zich toe en drukte zich tegelijkertijd harder tegen hem aan. Elke seconde wilde ze – nee, moest ze – meer voelen.

Opeens wist ze wat er moest gebeuren. Zijn shirt moest uit. Ze moest zijn blote huid voelen onder haar handen. Dus liet ze haar handen onder zijn shirt glijden, over zijn platte buik en zijn goedgevormde borst. Daarna gleden ze weer naar beneden, grepen de zoom van zijn shirt, trokken het in één vloeiende beweging over zijn hoofd en lieten het op de keukenvloer vallen.

Zo, dacht ze, en ze drukte zich tegen zijn blote, gebruinde huid. Ze ging te zeer op in het moment om zich te verbazen over haar gedrag. Ze liet haar handen nog eens over zijn borst gaan, over zijn schouders en zijn rug. Zijn huid was glad en warm van de zon, op zijn borst groeide wat donker haar en zijn schouders waren sterk en gespierd.

Ze wist dat Walker genoot van haar aanraking. Zijn ademhaling versnelde en zijn borst ging sneller op en neer. Ze liet haar handen op zijn schouders rusten, tilde haar kin op en nodigde hem uit haar heftiger te zoenen. Dat deed hij, en toen zijn tong verder haar mond binnendrong, versnelde Allies ademhaling ook.

Ver weg, in een stukje van haar brein dat nog normaal functioneerde, was een waarschuwing te horen. Rustig aan, dit gaat te snel. Trap op de rem.

Ze schonk er geen aandacht aan. Ze genoot van alles wat ze voelde. Elkaar vasthouden, elkaar zoenen, elkaar aanraken. Dit heb ik gemist, dacht ze. Dit heb ik nodig.

Net toen ze het gevoel had dat hun passie het omslagpunt bereikte, leek Walker zich terug te trekken. Het tempo te vertragen. Zijn greep op haar werd losser, zijn lippen verlieten haar mond, gingen langs haar hals en kwamen terecht in het holletje onder aan haar keel. Het was een bijzonder gevoelig plekje voor Allie en dat leek hij intuïtief te weten. Hij ging er met zijn lippen overheen, zachtjes en langzaam, met zo'n doelbewuste tederheid dat Allie bijna kronkelde van verlangen.

En terwijl hij haar daar kuste, gingen zijn handen naar de voorkant van haar bloes en tastten naar het eerste van de vele knoopjes. Hij ging geduldig te werk, maakte er een open en ging verder naar het volgende. Toen hij er een paar open had, hoorde ze hem gefrustreerd zuchten.

'Te veel knopen,' mompelde hij, zijn adem warm tegen haar hals.

Gebeurt dit echt, vroeg Allie zich af. Zijn we elkaar echt aan het uitkleden? In mijn keuken? En gaan we hier vrijen? Op het aanrecht? Op de vloer? Het leek ongelooflijk. Maar ook krankzinnig goed mogelijk.

Ze had het gevoel dat ze buiten haar lichaam trad. Niet dat ze haar lichaam niet kon voelen. God wist dat ze het kon voelen, tot de laatste vezel, maar het was alsof er tijdelijk iemand anders in woonde. Iemand die maar om één ding gaf: hoe verbazingwekkend alles voelde wat Walker met haar deed.

Hij was klaar met de knoopjes en trok haar bloes voorzichtig open, zodat haar crèmekleurige beha met kant en haar gebruinde decolleté onthuld werden. 'Prachtig,' zei hij zachtjes terwijl hij op haar neerkeek. Hij schoof één kant van haar bloes naar achteren, liet hem over haar schouder glijden en begon toen met enorme tederheid de blote schouder te kussen.

Allie huiverde weer heftig, ook al was het nachtelijke briesje door het open keukenraam zwoel en warm. Ze wachtte tot Walker haar bloes uit zou doen, maar in plaats daarvan richtte hij zijn aandacht weer op haar lippen. Het verschil was dat Allie nu zijn blote borst door de dunne stof van haar beha kon voelen. Haar tepels werden hard en bijna pijnlijk gevoelig voor zijn aanraking, en ze drukte zich met een nieuw, bijna uitzinnig verlangen tegen hem aan.

Walker kreunde diep in zijn keel, en Allie wist dat hij eindelijk de controle kwijtraakte. Daar werd ze een beetje bang van, maar het wond haar ook op. Ze wist dat de logische uitkomst – of misschien de onlogische uitkomst – van hun gedeelde passie een schokkend genot zou opleveren. Ze moest zich er alleen aan overgeven, hield ze zichzelf voor. Ze moest dat alarmsignaaltje in haar hoofd verdringen en zich ontspannen. Zich ontspannen en het laten gebeuren.

Ze had het zich nog niet voorgehouden of er kwam een herinnering bij haar op, schijnbaar uit het niets. Een herinnering die zo gedetailleerd en volledig was dat ze met een schok terugkwam in een ander tijdstip in haar leven. Een hartbrekend tijdstip...

Het was een warme avond aan het eind van het voorjaar, een paar dagen voordat Greggs eenheid naar Afghanistan zou vertrekken, en toen Allie wakker werd, was zijn kant van het bed leeg. Ze ging rechtop zitten, meteen alert, en riep hem, maar hij gaf geen antwoord. Toen hoorde ze het vertrouwde, ritmische geluid van iemand die met een basketbal dribbelde.

Ze stapte uit bed, liep naar het raam en zag Gregg nog net een basketbal in de basket op hun oprit gooien.

Ze liep weg van het raam en ging bij Wyatt kijken, vast in slaap in zijn gloednieuwe peuterbedje. Daarna trippelde ze stiletjes door het huis en kwam door de open garagedeur naar buiten. Ongezien keek ze toe hoe Gregg nog een paar ballen in de basket liet belanden.

Toen ze uit de schaduw stapte, zag hij haar. Hij keek een beetje schaapachtig.

'Sorry.' Hij kwam naar haar toe. 'Heb ik je wakker gemaakt?'

'Nee.' Ze pakte de basketbal aan, liet hem uit haar handen rollen, nestelde zich in zijn armen en drukte haar wang tegen zijn T-shirt, dat vochtig was van het zweet. 'Je hebt me niet wakker gemaakt. Maar je zou de buren wakker kunnen maken.'

'Ik weet het. Ik stop al.' Hij trok haar tegen zich aan.

'Is alles goed met je?' vroeg ze, naar hem opkijkend.

'Ik weet het niet,' zei hij zacht. En toen: 'Ik lag te denken. En dat zou ik eigenlijk niet moeten doen. Ik kan nu beter proberen niet te denken, toch?'

'Wat dacht je dan?' Ze legde haar wang weer tegen zijn borst. Ze durfde niet naar hem te kijken. Eigenlijk wilde ze niet horen waaraan hij had liggen denken.

Hij gaf niet meteen antwoord. Ze luisterde naar zijn ademhaling, naar de krekels, naar het fluisterende briesje in de bomen. 'Stel dat ik niet terugkom?' zei hij eindelijk. 'Stel dat we niet meer tijd hebben dan deze laatste nachten?'

Ze verstrakte in zijn armen. 'Natuurlijk kom je terug,' zei ze, terwijl ze haar greep verstevigde. 'We zullen weer samen zijn.'

Daarna nam ze hem mee terug naar bed en ze vreeën tot de zon opging boven het rustige, doodlopende straatje in de buitenwijk. Geen van beiden kon de slaap weer vatten.

Opeens voelde Allie dat Walker zich met een ruk van haar losmaakte en was ze weer terug in het heden.

'Wat is er?' vroeg ze verward.

'Ik weet niet wat er is. Zeg jij het maar,' zei Walker zwaar ademend.

'Niets... Er is niets.' Ze was in de war. Op de een of andere manier was het vreemd om weer met hem in de keuken te zijn. In haar gedachten was ze zo ver weg geweest.

'Het ene moment was je nog hier, en het volgende was je weg.' Hij ging met zijn vingers door zijn haar.

'Ik... ik werd afgeleid,' gaf ze toe. Haar lichaam verlangde alweer naar dat van hem. 'Het spijt me. Ik ben er weer.'

Hij aarzelde en toen schudde hij zijn hoofd. 'Je bent hier nog niet klaar voor.' Hij pakte zijn shirt van de keukenvloer en trok het weer aan.

'Jawel,' corrigeerde Allie automatisch.

'Lichamelijk misschien.' Hij probeerde de knoopjes van haar bloes weer dicht te doen. 'Maar emotioneel niet.'

'Dat is niet waar.' De tranen sprongen in haar ogen.

'Allie,' zei hij, worstelend met de knoopjes. 'Hoe kun je zeggen dat je er klaar voor bent terwijl je nog steeds je trouwring om hebt?'

Ze keek naar haar vinger. Daar zat de ring, zachtjes glanzend in het licht van de keukenlamp. Het feit dat ze hem droeg was onweerlegbaar. Er was niets tegen in te brengen. Ze zuchtte beverig en veegde snel een traan weg. Ze had geen idee waarom ze huilde.

Walker maakte met trillende vingers het laatste knoopje van haar bloes dicht. Zijn ademhaling was nog steeds gejaagd. Nu ophouden was voor hem ook moeilijk, besefte Allie. Een deel van hem, een heel groot deel, wilde doorgaan. Om te kijken waar dit op uit zou lopen.

'Blijf,' zei ze zachtjes.

Hij schudde zijn hoofd, en zijn blauwe ogen waren zo donker dat ze bijna zwart leken. 'God, ik zou het graag doen. Maar ik zou me er later niet goed over voelen. En jij ook niet.'

Ze knikte zwijgend. Daar had ze niets op te zeggen. Ze wist dat hij gelijk had. Ze wist ook dat ze nog zo hevig naar hem verlangde dat het bijna lichamelijk pijn deed.

'Ik moet gaan,' zei hij bijna verontschuldigend. 'Ik meende het toen ik zei dat ik met Wyatt zou gaan vissen. Ik pik hem zondagochtend op van jullie steiger. Precies om halfzes, oké?'

Ze knikte. Toen hij aanstalten maakte om te vertrekken, viel haar iets in.

'Walker?'

Hij bleef staan en kwam toen terug.

'Walker, hoe moet het nou met... met ons?' vroeg ze met een gebaar dat hen allebei omvatte.

'Ons?' zei hij. 'Nou, ik denk dat "ons" zal moeten wachten tot jij er klaar voor bent.'

Ze dacht erover na. Het klonk eenvoudig genoeg. Maar er was één probleem. 'Hoe weet ik of ik er klaar voor ben?' vroeg ze zachtjes.

'Dat weet ik niet,' zei hij eerlijk. 'Ik denk dat je het dan gewoon weet.'

'En dan kom ik naar je toe en zeg: "Ik ben er klaar voor"?' vroeg ze sceptisch.

'Zoiets,' zei hij met een half glimlachje. Hij gaf haar een snelle zoen op haar voorhoofd en toen was hij weg.

Opeens voelde Allie zich zwak. Ze liet zich op de keukenvloer zakken en bleef daar een hele tijd zitten vechten tegen de tranen, terwijl ze dacht aan het absurde van de situatie. Ze zat in de val. Ze zat vast tussen twee levens. Het ene, haar huwelijk met Gregg, was voorbij. Het andere, haar relatie met Walker, stond op het punt te beginnen. Maar ze wilde, ze kon het niet laten beginnen. Nu niet. Misschien nooit.

Over babystapjes gesproken, dacht ze verdrietig, terugdenkend aan de woorden van Caroline.

20

'Moet ik je even helpen, makker?' vroeg Walker.
Wyatt schudde zijn hoofd. 'Nee, het gaat wel.' Hij fronste geconcentreerd. In zijn ene hand had hij een haakje en in de andere een kronkelige roze worm.

Normaal gesproken viste Walker het liefst met kunstaas, maar hij had besloten dat wormen opwindender zouden zijn voor iemand van Wyatts leeftijd. Hij had er geen rekening mee gehouden hoe moeilijk het kon zijn een worm aan een haakje te krijgen als je zulke kleine handen hebt. Niet dat Wyatt klaagde. Absoluut niet. Hij bleef het gewoon proberen.

'Het is moeilijker dan het lijkt,' zei Walker bemoedigend. Hij verbaasde zich nogmaals over Wyatts vastberadenheid om alles zelf te doen.

Wyatt kneep de worm stevig tussen zijn duim en zijn wijsvinger en leidde het uiteinde van de haak midden door het lijfje. 'Zo,' zei hij tevreden, en hij maakte aanstalten om zijn hengel uit te werpen.

'Nou, denk aan wat ik tegen je gezegd heb.' Walker leunde naar voren op zijn bankje.

Wyatt knikte, legde de hengel over zijn rechterschouder en

wierp de lijn met een lichte slingering en een bijna sierlijke boog in het water. Toen zijn haakje het water raakte, bleef de rood-witte dobber die Walker eraan had vastgemaakt, drijven. Als een vis in het aas hapte zou de dobber op en neer gaan en over het water glijden en Wyatt erop attent maken dat hij beet had.

'En nu is het afwachten.' Wyatt herhaalde plechtig de woorden van Walker.

'Hopelijk niet te lang.' Walker glimlachte en bedacht net als op die andere zondagochtenden van deze maand wat een leuk joch Wyatt was.

Wyatt zat in een trui, een spijkerbroek, een honkbalpet van de Minnesota Twins en rode Converse-gympen op een van de twee bankjes in Walkers vissersbootje. Zijn kin rustte op de dikke rand van het oranje reddingsvest dat Walker hem had omgedaan en zijn voeten bungelden omdat zijn benen niet tot de bodem van de boot reikten.

Dit was een van de dingen die Walker nog het meest verbaasden over Wyatt, bedacht hij nu. Hoe klein hij was. Alle jonge kinderen waren natuurlijk klein, maar om dat zo van dichtbij mee te maken was iets heel anders dan het van een afstandje zien.

Het wekte een beschermend gevoel in hem op, een gevoel dat hij nooit eerder voor iemand had gehad. Hij lette extra goed op als hij de gespen van Wyatts reddingsvest dichtdeed, als hij hem in en uit de boot hielp en bij het varen. Normaal gesproken hield Walker ervan flink snelheid te maken. Met Wyatt naast zich stuurde hij voorzichtig door de baaien en langs de aanvoerstroompjes van het meer. Als een oude man, dacht hij. Of als een vader.

Die gedachte duwde hij snel weg. Wyatt kon wel een betere vader krijgen. Die had hij al gehad, daarvan was hij overtuigd. Walker was er zeker van dat hij niet zo'n lief joch kon zijn als zijn vader geen aardige vent was geweest. Een vent die iets wist waar Walker zich helemaal geen voorstelling van kon maken. Namelijk hoe je een vader moest zijn.

Ook al had Walker het niet in zich om een vader te zijn, hij kon beginnen door iets anders voor een jong kind te betekenen, dacht hij. Een leermeester, bijvoorbeeld. Of misschien gewoon een vriend.

En dat was waarschijnlijk wat hij nog het verbazingwekkendste vond aan Wyatt. Dat hij elke keer het gevoel had dat hij met een vriend op stap was. Het kind bleek verrassend goed gezelschap.

Ten eerste klaagde hij nooit. Niet dat ze zo vroeg gingen vissen. Niet dat hij moe was. (Hoewel Walker hem heimelijk had zien geeuwen en hem zelfs in zijn ogen had zien wrijven toen hij dacht dat Walker niet keek.) Niet over de kou, al was het 's morgens vaak kil op het meer. En ook niet over het feit dat hij stil moest zitten, wat Walker het moeilijkste voor hem had geleken.

In plaats daarvan zoog hij als een spons alles op wat Walker hem leerde. Hij was een snelle leerling. Verrassend snel. En in plaats van de hele tijd vragen te stellen, iets waarvan Walker had gedacht dat alle kinderen het deden, kwam hij maar af en toe met een vraag. En als hij dat deed, leek die ongewoon intelligent en scherpzinnig. Ook in dat opzicht viel Walker op hoe weinig hij wist van kinderen. Misschien was Wyatt wel een heel gewoon vijfjarig jochie. Eigenlijk geloofde hij dat niet. Hij leek op de een of andere manier te bijzonder om gewoon te zijn.

'Kijk!' Wyatt doorbrak zijn gedachtegang. Hij wees naar zijn dobber, die over het wateroppervlak scheerde.

'Hé, je hebt beet,' zei Walker. Hij wilde hem helpen, maar bedacht dat Wyatt geen hulp wilde. Toch kon hij het niet laten hem wat aanwijzingen te geven.

'Oké, niet te snel. Geen plotselinge bewegingen. Je wilt hem aan de lijn houden.'

Wyatt knikte resoluut en begon aan de molen te draaien, langzaam maar gestaag.

'Daar komt hij,' zei Wyatt, wiens ernst even door opwinding werd doorbroken. 'Hij zit nog steeds aan de lijn.'

'Goed werk,' zei Walker. De lijn trok de dobber over het water. Toen hij dicht genoeg bij de boot was, kon zowel Walker als Wyatt de zilveren schubben van de vis zien glinsteren onder het groene wateroppervlak.

'Oké, nou komt het moeilijke deel.' Walker was opeens gespannen. Hij wilde niet dat Wyatt de vis nu kwijtraakte, niet nu hij zo dichtbij was. Dat was al eens eerder gebeurd, en hoewel Wyatt het manmoedig had gedragen, was hij wel teleurgesteld geweest.

Maar Wyatt raakte de vis niet kwijt. Hij haalde hem nog wat verder in, pakte met twee handen de lijn en tilde het dier uit het water.

'Je hebt een kleinbekbaars gevangen. Dat is niet gemakkelijk in dit meer,' zei Walker goedkeurend. 'Hij lijkt mij zo'n vijftien centimeter lang.'

Wyatt tilde de vis in de boot en keek opgetogen toe terwijl het dier energiek met zijn staart sloeg. Na een paar tellen keek hij fronsend op naar Walker en daagde het begrip in zijn ogen. 'Hij is niet groot genoeg om hem te houden, hè?'

Walker schudde zijn hoofd. 'Hij is vrij klein voor een kleinbekbaars. Hij moet nog wat groeien. Dan wordt hij wel twee keer zo groot.'

Wyatt keek een beetje sip. Maar niet langer dan een seconde. 'Ik gooi hem terug,' zei hij, en hij schrok even toen de vis nog eens kronkelde aan de lijn die hij nog steeds vasthield.

'Oké, met dit deel ga ik je even helpen.' Walker stak zijn hand uit naar de vis. 'Als je hem op de verkeerde manier vasthoudt, zijn die kieuwen scherp genoeg om je aan te snijden. Denk daaraan. En het haakje eruit halen is ook lastig. Kijk hoe ik het doe.' Walker pakte de vis met beide handen

209

vast. 'De volgende keer moet je het zelf doen.' Hij hield de vis voorzichtig met één hand vast en haalde met de andere hand het haakje uit zijn bek. Toen gooide hij het dier weer in het water. Wyatt boog voorover en zag hem even onder het wateroppervlak hangen voor hij snel wegzwom.

'Komt het wel goed met hem?' vroeg hij fronsend aan Walker.

'Zeker weten,' zei Walker. 'Hij zal waarschijnlijk nog heel wat jaartjes leven. Tenzij je hem op een dag nog eens vangt, natuurlijk.' Hij knipoogde tegen Wyatt.

'Denk je dat hij familie heeft?' vroeg Wyatt toen, met vragende bruine ogen.

'Absoluut,' antwoordde Walker ernstig. 'Een heel grote familie. Met een heleboel broertjes en zusjes. Maar ik geloof niet dat ze elkaar echt kennen. Niet zoals wij de leden van onze familie kennen.'

Hij wachtte tot Wyatt nieuw aas aan zijn hengel zou doen, maar het jochie bleef over het water uitkijken, in de richting waarin de vis was gezwommen. En hij zag er zo verdrietig uit, besefte Walker verrast. Zijn bruine ogen glansden alsof er tranen in stonden en zijn onderlip stak naar voren op een manier die tegelijkertijd tragisch en lief was. Hij vroeg zich af of Wyatt zou gaan huilen, en als hij dat deed, of Walker zou weten hoe hij hem moest troosten. Dit is niet echt mijn ding, dacht Walker. Wat was angstaanjagender dan het vooruitzicht een huilend kind te moeten troosten?

Maar Wyatt huilde niet. Hij bleef gewoon verdrietig kijken. En Walker probeerde met een hulpeloos gevoel te bedenken waarom hij zo verdrietig was. Was hij bang dat hij de vis pijn had gedaan? Of was hij ongelukkig omdat hij in tegenstelling tot de vis geen broertjes en zusjes had?

Toen Wyatt eindelijk iets zei, had dat niets met de vis te maken. 'Kun jij basketballen?' vroeg hij, naar Walker opkijkend.

'Basketballen?' herhaalde Walker verrast. 'Eh, ja,' zei hij na een paar tellen. 'Dat kan ik wel. Ik heb op de middelbare school in een team gespeeld. Sindsdien doe ik het nog maar af en toe. Ik ben er waarschijnlijk niet meer zo goed in.' Toen vroeg hij kameraadschappelijk: 'En jij? Kun jij basketballen?' Wyatt knikte. 'Ja,' zei hij. 'Maar ik kan het niet meer zo vaak doen. Ik ben waarschijnlijk ook niet meer zo goed als vroeger.' Walker bedwong een glimlach. 'En basketbalwedstrijden kijken op tv?' vroeg hij. 'Doe je dat wel eens? Het is niet hetzelfde als zelf spelen, maar het kan behoorlijk spannend zijn.' Even verhelderde Wyatts gezicht. 'Wij hebben net kabel-tv gekregen,' zei hij, 'dus misschien kan ik nu basketbal kijken.' Toen viel hem iets anders in en zijn gezicht betrok weer. 'Ik zal het wel aan mama moeten vragen. Ik mag niet zoveel tv-kijken. Ze zegt dat het slecht voor mijn hersens is.'

'Daar heeft ze waarschijnlijk wel gelijk in,' zei Walker met een glimlach. 'Als het basketbalseizoen begint, mag je misschien een keer naar mijn huis komen om samen met mij te kijken.' Hij had er bijna aan toegevoegd dat hij een flatscreen van zeventig inch had in plaats van het oude toestel dat hij bij Wyatt in de woonkamer had zien staan. Maar hij was bang dat dat als omkoping gezien zou worden, vooral nu hij toch al de grens had overschreden. Allie had gezegd dat hij met Wyatt mocht gaan vissen, niet dat hij hem mocht uitnodigen tv te komen kijken.

'Ik vind het leuk om weer bij jou thuis te komen.' Wyatts gezicht lichtte op van verlangen. 'Toen we er die nacht van de storm zijn geweest, heb ik bijna alleen maar geslapen. En weet je? Ik wed dat mijn moeder er niet eens nee tegen zou zeggen. Ze kan soms wel streng zijn, over dingen als tandenpoetsen. Maar ze is niet echt gemeen of zo.'

Walker probeerde nogmaals zijn glimlach te onderdrukken. 'Nee, ik geloof niet dat ze gemeen is. Maar ik zal het haar eerst moeten vragen, oké? Zij is tenslotte de baas.'

211

Wyatt knikte tevreden en stak zijn hand uit naar het deksel van de koelbox van piepschuim waarin Walker het aas bewaarde. Hij draaide zich nog even om naar Walker. 'Mijn vader leerde me basketballen voor hij wegging,' zei hij.

'O.' Walker wist niet goed wat hij anders moest zeggen. Ze hadden het nooit eerder over Wyatts vader gehad, en nu het onderwerp ter sprake kwam, voelde hij zich onwillekeurig verstrakken. Lafaard, vermaande hij zichzelf. Toch vroeg hij zich af wat Wyatt wel en niet wist over de dood van zijn vader. Wyatt merkte niets van zijn onbehagen. 'Hij had geen tijd om me alles te leren,' zei hij. 'Maar hij heeft me voorgedaan hoe ik een lay-out moet doen.'

'Een lay-up?' corrigeerde Walker automatisch, en meteen ergerde hij zich aan zichzelf. Wat maakte het uit hoe Wyatt het noemde? Hij wist waar hij het over had.

Wyatt liet zich niet van de wijs brengen. Hij knikte. 'Hij leerde me hoe je een lay-up moest doen,' zei hij.

'En dat weet jij nog?' vroeg Walker zachtjes.

Wyatt knikte nadrukkelijk.

Kon dat wel, vroeg Walker zich af. Als zijn vader meer dan twee jaar geleden was gesneuveld, kon Wyatt op zijn hoogst drie zijn geweest toen hij vertrok. Misschien nog jonger. Gingen zijn herinneringen zo ver terug? Walker probeerde te achterhalen of hij ook zulke vroege jeugdherinneringen had, maar kon niets bedenken. Misschien was dat maar beter ook, dacht hij.

Toen besefte hij dat Wyatt vol verwachting naar hem keek. Alsof hij wachtte tot Walker iets zou zeggen. Maar wat? Hij wist echt niet wat hij hiermee aan moest. Op dat moment verraste Wyatt hem nog eens.

'Mijn vader is dood,' zei hij nuchter tegen Walker. 'Hij ging naar een oorlog.'

'Dat weet ik,' zei Walker. 'Ik vind het heel erg voor je,' voegde hij eraan toe, en hij besefte voor het eerst in zijn leven hoe ontoercikend die frase was.

'Het geeft niet,' zei Wyatt, en toen stak hij tot Walkers grote verbazing zijn hand uit en legde die heel even op die van Walker. Hij had nooit eerder zoiets gedaan, en Walker was zo verbaasd dat hij niet wist wat hij moest doen. Of zeggen. Het was zo'n klein gebaar, maar het sprak boekdelen over het kind dat Wyatt was. Hoe lief hij was, en hoe zachtaardig. Walker moest iets wegslikken en deed het enige wat hij kon bedenken. Hij trok de klep van Wyatts honkbalpet naar beneden tot zijn chocoladebruine ogen niet meer te zien waren, en toen weer omhoog zodat Wyatts bruine ogen weer tevoorschijn kwamen. Wyatt glimlachte blij naar hem en opeens werd Walker herinnerd aan het kind dat hij en Caitlin samen hadden kunnen hebben. Hij voelde een doffe pijn ergens in zijn borst toen hij voor het eerst besefte dat wat hij altijd beschouwd had als het verlies van Caitlin ook zijn verlies was.

Op datzelfde moment voelde hij een duidelijke ruk aan zijn lijn. 'Hé, maatje,' zei hij tegen de nog steeds glimlachende Wyatt. 'Volgens mij heb ik je hulp nodig.'

Een uur later stuurde Walker de boot weer naar de steiger van Allie en Wyatt. De zon had de vroege ochtendmist inmiddels weggebrand en het oppervlak van het meer, dat lichtgrijs was geweest toen ze die morgen waren vertrokken, was nu diepblauw. Het werd een warme dag, maar nu was die volmaakt. Goudglanzend en warm, met nog iets van de koelte en frisheid van de nacht in de lucht.

'Je zult wel honger hebben,' zei Walker toen de steiger in zicht kwam.

'Ik ga dood van de honger,' zei Wyatt opgewekt.

Walker tuurde naar de steiger. Nog geen spoor van Allie. Ze kwam meestal pas naar buiten als ze zijn boot hoorde naderen. Hij was gaan genieten van de keren dat ze Wyatt oppikte of afzette. Het waren de enige momenten in de week waarop hij Allie zag en ze waren veel te kort. Maar hij moest er tevreden mee zijn. Meer kreeg hij niet van haar, en ze hielden hem steeds weer zeven dagen op gang. Hij was als een motor die op de allerlaatste druppels brandstof liep, maar in plaats van op brandstof liep hij op hoop. Hoop dat ze ergens in de nabije toekomst meer zouden hebben dan deze overdracht van Wyatt, meer dan de weinige snelle woorden die ze wisselden over het weer, de hengelomstandigheden of de thermoskan koffie de ze altijd voor hem maakte.

Terwijl hij naar de steiger voer, zag hij Allie het huisje uit komen terwijl ze haar handen afdroogde aan een theedoek. Hij wuifde naar haar en zij wuifde terug. Hij zette de motor af en draaide de boot zó dat hij zachtjes tegen het uiteinde van de steiger stootte.

'Hoi, mam!' riep Wyatt terwijl Walker de boot vastlegde.

'Hoi, schat,' riep Allie terug vanaf het stenen pad naar de steiger.

Wyatt klom uit de boot en voor deze ene keer zei Walker niet dat hij voorzichtig moest zijn. Hij keek toe hoe Wyatt de steiger af rende, Allie tegemoet, en hij zag hoe Allie hem opving en hem een dikke knuffel gaf. Ze had het nog niet gedaan of ze trok haar neus op en hield hem op afstand.

'Wyatt,' zei ze lachend, en ze zette hem neer, 'heb je vis gevangen of heb je erin liggen rollen?'

'We hebben ze gevangen,' zei hij trots.

'Mooi.' Allie woelde met haar hand door zijn haar. 'Maar misschien moet je toch maar even douchen voor je komt ontbijten. Gooi je kleren maar in de wasmand, dan zet ik zo de douche voor je aan, oké?'

Hij knikte en rende met onverminderd enthousiasme naar het huisje.

'Goedemorgen,' zei ze tegen Walker, en ze kwam naar het eind van de steiger.

'Goedemorgen.' Walker probeerde niet naar haar te staren.

Ze droeg een mouwloos bloesje en een afgeknipte spijker-broek, die allebei een heerlijke hoeveelheid blote, zonge-bruinde huid lieten zien. Ze had nu eens geen paardenstaart en haar goudblonde haar viel recht en glanzend tot op haar schouders.

'Wyatt heeft je niet eens bedankt,' zei ze verontschuldigend toen ze bij de boot stond. Haar twee volmaakte knieën be-vonden zich precies op ooghoogte.

'Dat heeft hij wel gedaan,' verzekerde hij haar.

'Nou, ik zou je ook willen bedanken,' zei ze.

'Dat is niet nodig.' Hij maakte de boot los. Hoe graag hij ook wilde blijven praten, hij wist dat Wyatt in het huisje op haar wachtte.

'Het is wel nodig,' corrigeerde ze hem. 'En als je vanmorgen tijd hebt, hoop ik dat je me iets wilt laten terugdoen door een ontbijt voor je klaar te maken.'

Hij hield zich vast aan het uiteinde van de steiger. 'Weet je het zeker?' vroeg hij.

Ze glimlachte op hem neer. 'Heel zeker,' zei ze. 'Het is wel het minste wat ik kan doen. Ik heb in de stad gehoord dat een goede gids wel honderd dollar per uur vraagt.'

'Ik wil niet beweren dat ik een goede gids ben,' zei hij ter-wijl hij zijn boot weer vastmaakte. 'Maar ik wil dolgraag een kop koffie.'

Hij klom uit de boot en liep met haar naar het huisje.

'Wil je je even wassen aan het aanrecht?' opperde ze toen ze op de veranda stonden.

'Graag.' Hij volgde haar naar de zonnige, heerlijk ruikende keuken en begon zich te wassen bij de gootsteen.

'Hier,' zei ze toen hij zijn handen had afgedroogd aan een theedoek. Ze gaf hem een stomende mok koffie en een enorme bosbessenmuffin in een geruit servetje. 'Neem deze maar mee naar de veranda. Dan red je het wel tot het ontbijt klaar is, en je kunt meteen de nieuwe schommelbank uitproberen die ik

215

bij de doe-het-zelfzaak heb gekocht. Ik zou wel bij je willen komen zitten, maar ik moet even controleren of Wyatt eraan denkt zeep te gebruiken onder de douche.'

'Is het mogelijk dat hij dat niet doet?' vroeg hij geamuseerd.

'Heel goed mogelijk.' Allie glimlachte bijna verlegen naar hem voordat ze de keuken uit liep.

Haar verlegenheid was schattig, dacht Walker terwijl hij met zijn koffie en muffin naar de veranda ging. En vreemd genoeg had die juist het tegenovergestelde effect op hem dan verwacht kon worden. Het zou hem gereserveerder moeten maken. In plaats daarvan wilde hij haar juist zoenen. Eigenlijk kon hij haar wel opvreten. Allie stond vanmorgen niet op het ontbijtmenu, dacht hij spijtig.

Dus ging hij op de schommelbank koffie zitten drinken, die lekker en sterk was, met een heleboel room erin, en hij at zijn warme muffin, die heerlijk naar boter smaakte en vol zat met verse bosbessen. Hadden zij en Wyatt die samen geplukt, vroeg hij zich af, onderuitgezakt op de schommelbank. Hij stelde zich het tafereel voor en wilde dat hij erbij had kunnen zijn.

Hij zat nog aan hen te denken toen Allie haar hoofd naar buiten stak. 'Het ontbijt is klaar,' zei ze. Hij liep achter haar aan de keuken in, zijn lege mok in de hand. Haar bloes was nog wat vochtig nadat ze had toegezien op Wyatts douche en Walker zag dat hij een beetje aan haar lichaam bleef kleven. Ook haar haar was vochtig geworden in de badkamer en krulde bij de punten.

'Je zult nog wel wat koffie willen.' Ze pakte zijn mok en schonk hem bij uit de koffiepot. 'De room staat op tafel,' voegde ze eraan toe toen ze hem de volle mok teruggaf.

'Dank je.' Hij wierp een blik op de keukentafel. Die was gedekt met een verbleekt, gebloemd tafelkleed en in het midden stond een bos witte asters in een pot. De bloemen zagen er vers uit, alsof ze die ochtend waren geplukt, en er vielen vlekjes zonlicht op dat door de keukenramen naar binnen stroomde.

'Ik hoop dat je honger hebt,' zei Allie, die een karaf sinaasappelsap en een mandje vol bosbessenmuffins op tafel zette. 'Reken maar,' verzekerde Walker haar. Hij keek toe hoe ze een stel ovenwanten aantrok, de ovendeur opendeed en er voorzichtig een gietijzeren koekenpan uit haalde, die ze op een treefje op tafel zette.

'Ik heb een frittata gemaakt,' legde ze uit. Er kwam een heerlijke geur vrij in de keuken.

'Een frie-wat?' vroeg Wyatt, die net de keuken in kwam. Hij zag er heel schoon uit en zijn natte krullen waren plat gekamd.

'Een frittata,' zei Allie, die gebaarde dat hij aan tafel moest gaan zitten.

Wyatt schoof op zijn stoel en keek argwanend naar het eiergerecht dat midden op tafel stond.

'Wees maar niet bang.' Allie sneed een punt af en legde die op zijn bord. 'Je vindt het vast lekker.'

Hij stak een vork vol frittata in zijn mond, kauwde en slikte.

'O, het zijn gewoon eieren,' zei hij met duidelijke opluchting.

Walker en Allie lachten allebei en schepten zelf ook op.

'Wat ik nog zeggen wou,' zei Walker tussen twee happen door. 'Cliff Donahue vertelde me hoe enthousiast jullie waren over de boot waarmee jullie een proefvaart hebben gemaakt.'

Eerder die week had Cliff een boot naar de botenhelling aan Butternut Lake gebracht en Allie en Wyatt daar getroffen. Hij was een eindje met ze gaan varen en had Allie de kans gegeven ook even aan het roer te staan. Walker was opzettelijk niet meegegaan. Hij wilde niet dat Allie het gevoel kreeg dat ze ergens toe verplicht was.

'We vonden hem prachtig,' zei Allie terwijl ze Walkers lege glas weer vol sinaasappelsap schonk. 'En hij liep heerlijk. Ik kan gewoon niet geloven dat de prijs zo redelijk is.'

'Heel redelijk,' beaamde Walker. Als hij geluk had, speelde hij net quitte op die boot, bedacht hij.

Daarna aten zij tweeën in stilte verder. Wyatt kletste hon-

217

derduit, maar zonder om een reactie te vragen. Walker luisterde ook niet echt naar wat hij allemaal zei. In plaats daarvan genoot hij van het moment. Zo'n gewoon moment. Maar ook zo ongewoon. Ze waren net een gezin, dacht hij. Alleen waren ze dat natuurlijk niet. Toch moest het zo zijn om deel uit te maken van een gezin. Een echt gezin. Een gelukkig gezin.

'Mag ik van tafel?' vroeg Wyatt nadat hij twee stukken frittata en een grote bosbessenmuffin had gegeten. Weer had hij Walker verrast. Hoe kon zo'n klein kereltje zoveel eten?

'Je mag van tafel,' zei Allie. 'Als je je bord maar op het aanrecht zet.' Wyatt droeg zijn bord naar het aanrecht en ging toen naar de woonkamer, waar hij onmiddellijk een nieuw spoor begon te leggen voor zijn trein.

'Kan ik je helpen afruimen?' vroeg Walker aan Allie.

'Graag,' zei ze. Samen ruimden ze de tafel af en deden de afwas. Allie waste en hij droogde. Nooit eerder was het bij hem opgekomen dat afwassen iets sensueels had. Toen hij haar zag met haar blote bruine armen tot de ellebogen in het warme sop, dacht hij daar anders over. Net als over de manier waarop ze hem per ongeluk aanraakte toen ze de droge borden in het kastje wilde zetten. Hij was zelfs teleurgesteld toen het karweitje erop zat.

'Nou, je zult wel andere dingen te doen hebben,' zei ze bijna verontschuldigend.

Alleen werken, dacht Walker. En sinds ik jou heb ontmoet, is dat een stuk minder interessant.

Hij haalde zijn schouders op en zei: 'Niet echt.'

'Niet?' Ze keek een beetje verbaasd.

Hij had haar bijna ter plekke gevraagd of hij kon blijven, of hij de rest van de dag bij hen kon doorbrengen. Maar hij hield zich in. Zij zou hem vertellen wanneer ze klaar was voor meer. En het had hem heel redelijk geleken toen ze dat die avond in haar keuken hadden afgesproken. Het enige probleem was dat hij zich nu begon af te vragen wanneer ze er precies klaar voor zou zijn. En hoeveel langer hij daarop kon wachten zonder gek te worden.

'Ik geloof dat je ons voor vandaag wel genoeg van je tijd hebt gegeven,' zei Allie met een glimlach. 'Kom, dan loop ik met je mee naar je boot.'

Hij zei Wyatt gedag, die op zijn buik een trein over het spoor lag te duwen, en volgde Allie naar de veranda. Daar deed hij iets volkomen onverwachts. Niet alleen voor haar, maar ook voor hemzelf. Hij nam haar in zijn armen, duwde haar tegen de muur van het huisje, rechts van de deur, waar Wyatt hen niet kon zien, en kuste haar.

Eerst zachtjes. Toen harder. Ze verstijfde een beetje omdat ze erdoor overvallen werd, maar na een paar tellen voelde hij haar lichaam ontspannen en haar lippen bewegen tegen die van hem. Eerst aarzelend, en toen minder ingehouden.

Rustig aan, waarschuwde een innerlijk stemmetje. Maar hij lette er niet op. Hij kon het niet. Hij had hier zo vaak fantasieën over gehad. Hierover en over nog meer. Veel meer. En nu hij haar echt in zijn armen had, haar kuste en haar aanraakte, kon hij zich niet helemaal beheersen. Hij wist dat hij haar te stevig vasthield en haar een beetje te hard kuste, en hij zou zich verontschuldigd hebben als hij lang genoeg had kunnen ophouden met zoenen.

Dan ging hij er natuurlijk van uit dat ze wilde dat hij ophield haar te kussen. En dat was duidelijk niet zo. Toen ze zich eenmaal hersteld had van de verrassing, kuste ze hem net zo hongerig als hij haar. In dat opzicht zat ze vol verrassingen, wist hij. Onder al die terughoudendheid en die verlegenheid lagen een felheid en een passie waarmee hij amper had kennisgemaakt. Wanneer ze met elkaar naar bed gingen – en dat ging gebeuren – zou voor hen allebei alles anders worden. Het werd niet iets wat een van hen nonchalant van zich af kon zetten of kon vergeten. Het werd iets wat in hen gebrand zou worden, zowel emotioneel als lichamelijk.

219

Hij liet zijn handen in de achterzakken van haar korte broek glijden en trok haar tegen zich aan. Hard. Er ontsnapte haar een kreuntje en ze maakte zich van hem los. 'Wat doe je?' vroeg ze ademloos en met grote, verbaasde ogen. Ze leek niet boos. Ze zag eruit als iemand die wist dat ze er gevaarlijk na aan toe was haar zelfbeheersing te verliezen.

'Ik kus je,' mompelde hij, en hij deed het nog eens. Ze duwde hem zachtjes maar vastbesloten weg. 'Dat was geen kus,' merkte ze op, nog steeds hijgend. Hij lachte. 'Wat was het dan?' Hij boog zich weer naar haar toe en drukte zijn lippen in haar hals. 'Dat was vrijen met onze kleren aan.' Nu was het zijn beurt om zacht te kreunen. Van alleen haar woorden raakte hij nog meer opgewonden. 'Ik weet niet of dat wel kan,' mompelde hij, terwijl hij het kuiltje onder aan haar hals kuste. 'Maar ik wil het wel proberen.' Ze zuchtte even en hij boog ver genoeg naar achteren om haar te kunnen aankijken. Haar haar zat in de war, haar ogen waren warm en glansden en haar lippen weken iets van elkaar. Hij stelde zich voor dat hij haar zou optillen, haar het huisje in zou dragen, op het bed zou leggen en met haar zou vrijen. Steeds weer. En niets weerhield hen daarvan, alleen dat jongetje dat in het huisje met zijn treintje lag te spelen.

Hij deed een stap achteruit om een veilige, of misschien alleen een veiliger afstand te scheppen. 'Neem me niet kwalijk.' Hij ging met zijn vingers door zijn haar. 'Ik liet me een beetje meeslepen.'

'Jij niet alleen,' zei Allie, en hij merkte dat ze zich moest concentreren om normaal te ademen. Hij boog weer naar haar toe en kuste haar zacht op de lippen. Toen ging hij naar de steiger, stapte in zijn boot, gooide hem los en voer over de baai naar zijn botenhuis.

En de hele tijd wist hij dat zij daar nog stond, tegen de buitenmuur van het huisje om steun te vinden, nog steeds met die verbijsterde uitdrukking op haar gezicht. Hij wist niet hoe hij dat wist. Het was gewoon zo. Hij zou er zijn hoofd om verwed hebben.

21

Op een onverwacht koele zaterdagavond halverwege augustus bevond Allie zich in een ongebruikelijke positie voor een moeder van een vijfjarig kind: ze had niets te doen en niemand om iets mee te doen. Wyatts laatste logeerpartijtje bij Caroline was zo'n succes geweest dat ze hem nog eens had uitgenodigd. Wyatt was natuurlijk buiten zichzelf geweest van opwinding. Dat gold niet voor Allie. Ze vond het fantastisch dat Wyatt en Caroline in de loop van de zomer zo'n hechte band hadden gekregen. Wat ze minder fantastisch vond, was dat ze nu een hele avond in haar eentje moest zien door te komen. Vroeger vond ze het nooit erg om alleen te zijn. De laatste tijd betekende alleen zijn maar één ding. Nee, maak daar maar twee dingen van. Aan Walker Ford denken en proberen niet aan Walker Ford te denken.

Natuurlijk dacht ze niet alleen aan hem als ze in haar eentje was. Ze dacht altijd aan hem. Maar in het gezelschap van andere mensen – een klant in de Pine Cone Gallery of Wyatt in het huisje, bijvoorbeeld – was het gemakkelijker om zich met andere dingen bezig te houden. En dat was een goede zaak, want als ze niet bezig was met andere dingen en haar gedachten de vrije loop liet, gingen die altijd meteen naar Walker.

Ze zat in een ligstoel op de steiger en toen ze huiverde, vroeg ze zich af of de kille nachtlucht een zeldzame dip was in het zomerweer of de voorbode van de snel naderende herfst. Nadat ze Wyatt naar Caroline had gebracht, had ze een grote wollen trui aangetrokken en een glas witte wijn voor zichzelf ingeschonken en was ze naar het meer gegaan, zogenaamd om van de zonsondergang te genieten, maar in werkelijkheid om naar Walkers huis aan de overkant van de baai te kijken.

Het was gewoon zielig, dat wist ze. Ze gedroeg zich als een zestienjarig meisje met een niet beantwoorde verliefdheid. Maar ze kon er niets aan doen. Of ze wilde er niets aan doen. Het een of het ander.

Hoe dan ook, op onbewaakte momenten keek ze vaak over de baai naar Walkers steiger en botenhuis en naar het huis dat daarboven op de klip stond. Meestal probeerde ze dit te verhullen door tegelijkertijd iets anders te doen, bijvoorbeeld door natte badkleding en handdoeken aan de drooglijn achter het huisje te hangen en intussen nonchalante blikken te werpen op Walkers kant van de baai. En als ze Wyatt een verhaaltje voorlas voordat hij ging slapen, keek ze elke keer als ze een bladzijde omsloeg door het raam naar het verre lampje op zijn steiger, dat zacht gloeide in de vallende duisternis.

Hoe vaak ze ook over de baai naar zijn huis keek, ze zag Walker nooit. Het was gewoon te ver weg. Zelfs haar uitstekende ogen waren niet zo scherp. Ze had er een keer over gedacht om de oude verrekijker te pakken die op de bovenste plank van de gangkast lag. Ze had echter besloten dat ze dan een grens zou overschrijden, een grens tussen zomaar wat dagdromen en opzettelijke stalking.

Wanneer ze 's avonds naar zijn huis keek, vroeg ze zich toch af of hij er was en wat hij aan het doen was. En ze vroeg zich tot haar grote ergernis ook af of hij alleen was of met iemand anders. En of die iemand toevallig een vrouw was. Hoewel Walker tegen haar had gezegd dat hij zou wachten tot zij klaar voor hem was, had hij er niet bij gezegd dat hij in de tussentijd niets met andere vrouwen zou hebben. Ze had hem ook geen enkele reden gegeven om te geloven dat ze binnenkort klaar voor hem zou zijn. Dus wat moest hij doen, een celibatair leven leiden?

Ja, zei een stemmetje in haar hoofd. Een onredelijk stemmetje, moest ze toegeven. Dat was precies wat hij moest doen. Al was het maar omdat de gedachte aan Walker met een andere vrouw haar vervulde van withete jaloezie. Met een nasmaak van pijnlijk verdriet. Verdriet omdat ze iets zo graag wilde en zichzelf toch niet toestond het te hebben.

Ze huiverde nogmaals en dacht erover een deken uit het huisje te halen. Of het op te geven en naar binnen te gaan. Ze zat hier al een paar uur. De zon was ondergegaan, de duisternis was gevallen en de temperatuur was van aangenaam koel gezakt tot onbehaaglijk koud. En nog steeds zat ze hier. Iemand met een beetje verstand ging nu terug naar het huisje en nam een bad of stapte in bed met een goed boek, maar haar verstand liet het een beetje afweten. Dus bleef ze naar het lampje op Walkers steiger zitten kijken.

Net als bijna elke avond was de lamp om negen uur aangegaan. Ze vroeg zich af of er een timer op zat. Het zou haar niet verbazen. Het was iets wat bij haar nooit zou opkomen, maar wat Walker volkomen logisch zou vinden. Hij was logisch. Praktisch. Ordelijk. Maar hij was ook aantrekkelijk, peinsde ze. Aantrekkelijk en ongelooflijk, gekmakend, krankzinnig sexy.

Ze dacht terug aan hun laatste kus, afgelopen zondagmorgen op de veranda van haar huisje, en ze voelde het verlangen naar hem langzaam bezit van haar nemen, als het tastbare wezen dat het voor haar geworden was. Toen stelde ze zich voor hoe dat verlangen over het zwarte, rimpelige oppervlak van het nachtelijke meer trok en Walker vond, waar hij ook was en wat hij ook deed, en hoe het hem in zijn greep nam, eerst zachtjes, en dan strakker. Nu word je echt gek, dacht ze ongeduldig. Nu moet je echt naar binnen en naar bed. Toch verroerde ze zich niet. En na een tijdje werd haar duidelijk waarom ze zich niet verroerde. Vannacht werd alles anders. Vannacht ging ze de vraag beantwoorden die ze zichzelf steeds weer stelde. Waarom ging ze niet naar hem toe? Waarom stond ze niet gewoon op en ging naar hem toe? Er was geen duidelijke reden waarom ze dat niet zou doen. Ze waren allebei volwassen. Allebei ongebonden. Allebei vrij om een relatie met elkaar te beginnen. Ze moest natuurlijk aan Wyatt denken, maar dat had ze gedaan. Wyatt aanbad Walker. Hij vertrouwde Walker. En hij vond het heerlijk om bij hem te zijn.

Waarom zat ze hier nog steeds te huiveren als ze de volgende twaalf uur in Walkers armen kon liggen en heerlijk en ongestoord de liefde met hem kon bedrijven?

Ze hoefde niet ver te zoeken naar het antwoord op die vraag. Het zat aan de ringvinger van haar linkerhand. Een smalle, gouden band die ze al acht jaar droeg. Zes jaar waarin zij en Gregg getrouwd waren geweest, en nog twee jaar – nee, meer dan twee jaar, twee jaar, vier maanden en tien dagen – waarin ze weduwe was.

Ze had geprobeerd hem af te doen. De laatste tijd had ze dat ook verscheidene malen gedaan. Maar uiteindelijk deed ze hem altijd weer om. Zonder die ring leek haar ringvinger bloot. Ze voelde zich er ongemakkelijk bij. Onvolledig. Alsof ze een arm of been miste in plaats van een ring.

Erger nog was het gevoel dat ze kreeg als ze hem lang genoeg af liet, hetzelfde gevoel dat ze had gehad nadat zij en Walker elkaar gekust hadden. Het gevoel dat ze Gregg ontrouw was, of in elk geval zijn nagedachtenis.

Nu dacht ze aan wat Gregg voor haar gewild zou hebben. Zou hij gewild hebben dat ze alleen bleef, vroeg ze zich af. Ze wist meteen dat dat niet zo was. Hij was niet zelfzuchtig geweest. Integendeel. Hij zou hebben gewild dat haar leven doorging nadat aan dat van hem een einde was gekomen. En niet alleen dat het doorging, maar dat het een liefdevol en gelukkig leven was. Waarom kon ze die ring dan niet afdoen? Ze draaide er ongeduldig aan, maar deed hem niet af. Dit ging moeilijk worden, wist ze. Om hem af te doen en af te laten. Misschien wel het moeilijkste wat ze nog moest doen. Niet dat andere dingen ook niet moeilijk waren geweest. Wyatt vertellen dat zijn vader niet terugkwam. Greggs begrafenis bijwonen. Zijn spullen inpakken...

Dat bracht haar op een andere kwestie. Ze had het nooit aan iemand verteld, maar zelfs nadat ze hun huis had verkocht en zij en Wyatt waren vertrokken, was ze niet in staat geweest Greggs spullen weg te geven. Ze had alles bewaard, van onbelangrijk dingen – ongeopende pakjes wegwerpscheermessen – tot doodnormale dingen – witte sportsokken, pas gebleekt en netjes in elkaar gerold. Ze had alles heel zorgvuldig ingepakt in kartonnen dozen met nette etiketten en die in een gehuurde opslagruimte gezet. Ze had zich nooit afgevraagd waarom. Tot deze avond.

Ze beet peinzend op haar onderlip. Waarom had ze dat gedaan? Waarom had ze al zijn spullen bewaard? Omdat... Alles werd stil in haar. Zelfs haar ademhaling stopte. Ze bevond zich aan de rand van iets, de rand van een ontdekking. Iets zo eenvoudigs, dat tegelijkertijd zo moeilijk te begrijpen was.

Opeens wist ze het. De reden waarom ze al zijn spullen had bewaard, was dat ze ergens niet geloofde dat hij er niet meer was. Ze geloofde niet echt dat hij niet meer terugkwam.

Maar hij is weg, hield ze zichzelf voor. Hij komt niet terug. Nu niet. Nooit. Het leven dat ze samen hadden gehad, was voorbij. Voor altijd. En het enige wat zij en Wyatt nog van Gregg hadden, waren hun herinneringen.

Ze wachtte tot er iets gebeurde. Iets dramatisch. Iets groots. Een bliksemflits die insloeg in een naburige boom of een donderklap die de nachtelijke hemel uiteenreet. Maar er gebeurde niets. Of eigenlijk gebeurde er van alles. Maar het gebeurde in haar hart en in haar hoofd. En hoe schokkend haar ontdekking voor haarzelf ook was, de rest van de wereld ging gewoon door.

Ze wist niet hoe lang ze daar had gezeten toen ze opeens opstond en op onvaste benen naar het huisje liep. Ze ging naar binnen, liep recht naar haar slaapkamer en haalde een doos uit de onderste la van haar kaptafel. Daarin bewaarde ze een deel van haar leven met Gregg dat ze niet in de opslag had kunnen zetten.

Ze ging op de rand van het bed zitten en dwong zichzelf de spullen in de doos een voor een te bekijken. Een foto van haar en Gregg, genomen tijdens hun eerste jaar op de universiteit, waarop ze onmogelijk jong en gelukkig leken. Een uitnodiging voor hun bruiloft, vijf jaar later. Een brief die Gregg haar had geschreven toen hij haar en Wyatt had achtergelaten in het ziekenhuis, de nacht na Wyatts geboorte. Daarin vertelde hij haar hoeveel hij van hen hield en beloofde hij de beste vader voor Wyatt te worden die hij kon zijn. Nog een foto, dit keer van een tweeënhalfjarige Wyatt op Greggs schouders, vlak voordat ze samen naar hun eerste wedstrijd van de Minnesota Twins gingen. Het was ook de laatste gebleken.

Er was nog een brief, van een man van Greggs National Guard-eenheid, geschreven nadat Gregg was gesneuveld. Daarin vertelde hij Allie hoe dapper Gregg was geweest en hoeveel zorgen Gregg zich had gemaakt om het welzijn van de andere mannen in zijn eenheid. Het was een eer geweest om met hem te dienen, schreef hij.

Er zaten nog een heleboel andere dingen in de doos. Een paar dwaze spulletjes – een servetje van de pub waar Gregg

Allie op hun eerste afspraakje mee naartoe had genomen – en ook hoogst ernstige dingen – Greggs identiteitsplaatjes van de National Guard. Allie dwong zichzelf alles te bekijken, elke foto te bestuderen, elke brief en elk document te lezen. Toen ze klaar was, was ze uitgeput. Ze deed alles weer in de doos en zette hem weg, maar liet de foto van Gregg en Wyatt eruit. Die zette ze op haar kaptafel. Ze moest hem gauw eens inlijsten en dan zette ze hem ergens waar Wyatt en zij hem vaak zouden zien. Het feit dat dat pijn deed, betekende niet dat de foto naar een la verbannen moest worden.

Toen deed Allie haar trouwring af. Ze schoof hem gewoon van haar vinger en legde hem in haar sieradendoosje. Ze wist dat hij daar nu thuishoorde. En terwijl ze dat deed, zag ze zichzelf opeens in de spiegel boven de kaptafel. Tot haar verrassing zag ze sporen van tranen. Ze wist niet eens dat ze gehuild had.

Ze liep naar de badkamer, plensde koud water in haar gezicht en depte het droog met een handdoek. Vervolgens haalde ze een borstel door haar verwarde haar. Daarna ging ze rechtstreeks naar haar handtas, die ze op de keukentafel had laten staan. Alles wat ze nodig had, zat erin. Portemonnee, sleutels, haar gloednieuwe mobieltje dat het ook hier deed en waarvan ze Caroline die avond het nummer had gegeven. Ze controleerde of het helemaal was opgeladen. Dat was zo. Ze zorgde ervoor dat ze hem zou horen als Caroline haar om een of andere reden nodig had.

Toen deed ze de lampen uit en sloot de voordeur af. Ze stapte in haar auto, startte de motor en reed weg. Het was vreemd hoe rustig ze was. Geen enkele bezorgdheid. Geen spoor van nervositeit. Pas toen ze Walkers oprit op reed, voelde ze iets van opwinding. Ze parkeerde naast zijn pick-up, liep naar de voordeur en belde aan.

Stilte. Toen voetstappen. En na wat wel een eeuwigheid leek deed Walker de deur open.

'Allie?' zei hij verrast. Hij droeg een spijkerbroek en een T-shirt. De stereo op de achtergrond speelde rockmuziek en ze zag een halfleeg glas rode wijn op een tafel staan. Hij zag eruit als een man die een ontspannen avondje thuis wilde doorbrengen. Maar hij leek niet teleurgesteld toen hij haar zag. Integendeel.

'Ik ben er klaar voor,' zei Allie eenvoudig.

Ze veronderstelde dat hij op dat moment duizend dingen had kunnen doen, maar hij glimlachte alleen, trok haar in zijn armen en deed de deur achter haar dicht.

22

'Waar is Wyatt?' vroeg hij terwijl hij zijn armen om haar heen sloeg.

'Bij Caroline.' Ze sloeg haar armen om zijn nek en kuste hem vol op de lippen, zonder enige terughouding.

Hij kuste haar een paar heerlijke momenten terug. Toen maakte hij zich met tegenzin van haar los, hield haar op armlengte afstand en keek haar met een vreemde blik aan. Alsof hij haar nooit eerder had gezien.

'Wat is er?' Even vlamde de paniek op. Het had voor haar zo goed gevoeld om vanavond hier te komen. Stel dat het voor hem niet goed voelde?

'Niets.' Hij streelde zachtjes haar wang. 'Ik kan alleen niet geloven dat je er echt bent.'

'Het is toch goed, hè?'

'Moet je dat nog vragen?' zei hij. 'Ik heb het gevoel alsof ik de loterij heb gewonnen.'

Ze lachte.

'Allie, mag ik je iets vragen?' vroeg hij.

Ze knikte en deed bewust moeite om haar aandacht te bepalen bij wat hij nu ging zeggen. Ze verlangde nu zo erg naar hem dat het moeilijk was zich ergens anders op te concentreren.

'Wat is er gebeurd? Ik bedoel, tussen de laatste keer dat ik je zag en vanavond?'

'Niets,' zei ze eenvoudig. 'Niets en alles.'

Hij trok zijn wenkbrauwen op.

'Ik besefte dat ik er klaar voor was,' voegde ze eraan toe. Hij pakte haar hand en hield hem omhoog tegen het licht.

'Geen trouwring,' zei hij zachtjes, en hij liet zijn vingers over haar blote vinger gaan. Ze huiverde. Zelfs de meest onschuldige aanraking wond haar op.

'Geen trouwring,' beaamde ze. 'Ik heb hem vanavond afgedaan. Voorgoed.'

'Weet je het zeker?' Hij keek haar doordringend aan.

'Heel zeker,' zei ze. 'Ik vertel het je allemaal later wel, dat beloof ik. Maar ik ben niet gekomen om te praten.' Ze stond zelf verbaasd toen ze vervolgde: 'Niet meteen, tenminste. Eerst wil ik iets anders doen.' En ze kuste hem weer voor het geval hij nog twijfelde over wat ze bedoelde.

Hij hield haar weer even van zich af en trok haar toen naar zich toe. 'Nu heb ik echt het gevoel dat ik de loterij heb gewonnen,' zei hij terwijl hij zijn gezicht begroef in haar hals.

Ze lachte. 'Betekent dat dat ik binnen mag komen?' vroeg ze. Ze stonden nog steeds in de hal, vlak achter de voordeur.

'O, ja. Natuurlijk. Dat zou ik bijna vergeten.' Hij omhelsde haar stevig en gaf haar een zoen op haar voorhoofd. 'Neem me niet kwalijk. Ik ben geen erg goede gastheer, hè?' Hij nam haar bij de hand en leidde haar naar de woonkamer. Er brandde vuur in de open haard, zag ze.

'Kan ik iets voor je inschenken?' vroeg hij.

'Lekker. Doe maar wat jij hebt.'

Hij kuste haar nog eens en verliet de kamer. Ze wandelde naar de open haard; ze miste hem nu al. Toen hij terugkwam, gaf hij haar een glas rode wijn en ze nam een slokje. De wijn was heerlijk, maar ze was niet echt in de stemming. Als er iets was waar ze vanavond geen behoefte aan had, was het wel zich moed indrinken.

Ze zette haar wijn op de schoorsteen en hij nam haar weer in zijn armen.

'Dat vuur is fijn,' zei ze terwijl ze hem een zoen in zijn nek gaf.

'Bedenk wel dat ik niet wist dat je zou komen,' merkte hij op.

Ze glimlachte en ze bleven even staan zoenen. Op de achtergrond speelde Bruce Springsteen en af en toe knisperde er een houtblok in de open haard.

Allie wist dat zoenen met Walker nooit een doel op zich was. Hoe meer ze elkaar zoenden, hoe meer ze naar hem verlangde. Dat gold kennelijk ook voor hem, want voor ze het wist had hij beide handen om haar middel gelegd en tilde hij haar op. Ze sloeg haar benen om hem heen, verstevigde haar greep om zijn hals en nam zijn tong verder in haar mond.

Elke verlegenheid die ze ooit tegenover hem gevoeld had, was verdwenen als sneeuw voor de zon. Terwijl de weken van vastberaden afwijzing plaatsmaakten voor een heftig verlangen, was ze alleen nog maar bang dat ze hem niet stevig genoeg kon vasthouden, hem niet gepassioneerd genoeg kon kussen, niet elke vierkante centimeter van zijn lichaam tegen elke vierkante centimeter van haar lichaam kon voelen.

Ze plukte ongeduldig aan zijn shirt en trok toen even ongeduldig aan de band van zijn spijkerbroek. Het leek oneerlijk dat zijn kleren niet gewoon naar behoefte van hem afvielen. Ze uittrekken werd veel te tijdrovend, besefte ze.

'Allie,' mompelde hij in haar hals nadat hij hun kus had afgebroken. 'Allie, moet ik even voor eh… bescherming zorgen?'

Bescherming, vroeg ze zich af. O, natuurlijk. Bescherming. Het was lang geleden dat ze zich daar zorgen over hoefde te maken.

'Dat ben ik helemaal vergeten,' gaf ze toe. 'Kun jij eh… daarvoor zorgen?'

'Nou en of,' zei hij.

'Dat zou fantastisch zijn.' Ze trok zijn T-shirt uit en ging met haar handen over zijn blote borst. Ik hoop wel dat hij het bij de hand heeft, voegde ze er in zichzelf aan toe. Als ik nog langer moet wachten, word ik gek, geloof ik.

'En eh… wat mijn liefdesleven betreft,' ging hij verder, duidelijk afgeleid door haar handen, die gretig over zijn borst bewogen. 'Ik heb de laatste tijd geen seks meer gehad. Aan het begin van de zomer ben ik naar de dokter geweest en toen was alles prima in orde. Ik hoopte toen tegen beter weten in dat er iets tussen ons zou gebeuren en ik wilde er klaar voor zijn.' Hij ging met zijn lippen langs haar oorlelletje en voegde eraan toe: 'Achteraf geloof ik dat ik een beetje te zelfverzekerd ben geweest.'

'Niet te zelfverzekerd, blijkt. Zelfverzekerd genoeg.' Allie glimlachte en trok hem dichter tegen zich aan. 'En wat mijn liefdesleven betreft, Walker, dat is heel eenvoudig. Alleen Gregg. Daarvoor niemand. En daarna ook niemand meer.'

Walker trok zich verrast een beetje terug en keek haar vragend aan.

'Wil je… wil je zeggen dat je man de enige is met wie je ooit naar bed bent geweest?'

'Tot op dit moment,' zei Allie, die de knoop van zijn spijkerbroek losmaakte en zich erover verbaasde dat Walker het niet zat werd om haar alleen maar vast te houden. 'Als het niet te aanmatigend van me is om te denken dat wij met elkaar naar bed gaan,' voegde ze eraan toe, en ze zoende hem in zijn nek.

'Dat is niet aanmatigend,' zei Walker een beetje terughoudend. 'Maar ik zou liegen als ik zei dat ik het feit dat je maar met één andere man gevreeën hebt niet een beetje intimiderend vind. Iemand die zoveel van je hield. Het is moeilijk om dat te evenaren.'

'Zo moet je het niet zien.' Allie streelde zijn wang. Walker zag er opeens besluiteloos uit. Ze wist dat hij geen man was die vaak last had van gebrek aan zelfvertrouwen, laat staan een verlammende twijfel aan zichzelf. Ze wilde ook niet dat hij hier te veel over nadacht. En ze wist dat er maar één manier was om hem af te leiden. Gelukkig was het een heel goede manier.

Dus sloeg ze haar benen nog strakker om zijn middel en kuste ze hem nogmaals, waarbij ze zijn hele tong in haar mond nam en er hard aan zoog. Hij kreunde, legde zijn handen over de achterzakken van haar spijkerbroek en kneep zachtjes. Nu was het haar beurt om te kreunen.

Hij knielde, legde haar op het dikke, zachte kleed voor de open haard en liet zijn handen onder haar trui glijden. 'Ik wilde je mee naar boven nemen, naar mijn slaapkamer,' zei hij. 'Maar ik zie in dat we dat nooit zullen halen.'

23

'Je bent zo mooi,' zei Walker verwonderd. Hij steunde op een elleboog en keek op Allie neer. Ze lagen nog steeds op het kleed voor de open haard en hij keek naar de schaduwen die de vlammen over haar blote huid lieten dansen.

Allie wilde hem tegenspreken, maar hij legde haar met een zoen het zwijgen op.

Toen hij eindelijk ophield met zoenen, keek hij bij het licht van het vuur nog eens naar haar huid en vroeg zich hardop af: 'Wat doe je om je huid zo mooi te houden? Neem je elke ochtend een bad in vloeibaar goud of zo?'

'Ja, precies.' Er speelde een glimlach om Allies lippen. 'Elke ochtend, zodra ik mijn tanden heb gepoetst.' Ze tastte naar de schapenvacht die ze tijdens de vrijpartij van de bank had getrokken en sloeg hem om haar naakte lichaam.

Walker keek geamuseerd toe. 'Het is een beetje laat voor preutsheid, vind je ook niet? Vooral nu je me de laatste twee uur zo eh... grondig kennis hebt laten maken met je lichaam. En Allie? Geloof me als ik zeg dat dat lichaam nooit bedekt zou mogen worden. Niet als het niet absoluut nodig is.'

Allie glimlachte, maar weigerde de schapenvacht af te doen. 'Wil je soms dat ik voortaan geen kleren meer draag?' 'Alleen als we samen zijn.' Walker ging met zijn vingers door haar honingblonde haar. 'Ik denk wel dat de burgers van Butternut ervan zouden genieten om je naakt te zien, maar ik ben te egoïstisch om je met hen te delen.'

Allies lippen weken iets van elkaar en haar hazelnootbruine ogen werden donkerder. Walker wist instinctief dat hij haar nu gemakkelijk uit die schapenvacht zou kunnen praten. Hoe onwaarschijnlijk ook, zijn verlangen om met haar te praten was op dat moment nog groter dan zijn verlangen om nog eens met haar te vrijen.

'Allie,' zei hij, nog steeds het haar met de gouden highlights strelend, 'was het vanavond anders voor jou dan je had gedacht? Of heb je er niet over gedacht hoe het zou zijn? Tussen ons, bedoel ik.'

'O, ik heb er zeker over gedacht,' zei ze met een wrang glimlachje. 'De laatste tijd heb ik zelfs aan weinig anders gedacht.'

Hij schudde verbaasd zijn hoofd. Dus zo was het voor haar ook geweest?

'En jij?' vroeg ze bijna verlegen. 'Heb jij er ook aan gedacht?'

'Je hebt geen idee,' verzuchtte hij.

'Hoe dicht kwam deze avond bij wat je je had voorgesteld?'

'O, niet eens in de buurt,' zei hij. Hij hield op met strelen en liet een vinger over haar hals naar de holte aan de basis glijden. Ze huiverde. 'Mijn verbeelding schoot hopeloos tekort,' ging hij verder. 'Ik wist dat het verbijsterend zou zijn om met jou te vrijen. Maar niet dat het zó verbijsterend zou zijn.'

Ze bracht haar hand omhoog en streelde met de rug ervan zijn wang. 'Ik had het niet beter kunnen formuleren,' gaf ze toe.

'Ik zou maar één ding willen veranderen,' zei hij terwijl zijn vinger van haar hals naar het begin van haar decolleté gleed, dat nog net zichtbaar was boven de schapenvacht. Ze kronkelde even van verlangen en ongeduld, maar ze hield de vacht stevig vast. Nu was het haar beurt om te willen praten.

'Wat dan?' vroeg ze.

'Nou, als ik eraan dacht, stelde ik me altijd voor dat ik je naar mijn slaapkamer zou dragen en dat we in mijn bed zouden vrijen. Zoals je verdient.'

'Nou, ik heb er geen spijt van dat het hier is gebeurd.' Ze klopte even op het kleed naast haar. 'We konden niet wachten, dat is het. Trouwens, iedereen kan vrijen in een bed. Daar is niet veel fantasie voor nodig.'

Hij glimlachte. Misschien had ze een punt. Ze hadden zeker geen gebrek aan fantasie gehad bij hun vrijpartij van die avond.

'Trouwens,' zei ze met een blik door de woonkamer, 'dit is een heel romantische kamer. Als een soort bos in het noorden. Mannelijk en tegelijkertijd verleidelijk.'

Walker fronste. 'Als een vrijgezellenhok, bedoel je?'

'Nee, dat bedoelde ik niet...' begon Allie met een licht hoofdschudden te zeggen. Maar Walker viel haar in de rede.

'Het is belangrijk voor me dat je iets weet, oké?'

'Oké,' zei Allie.

'Met uitzondering van mijn ex-vrouw, die hier vierenhalve maand gewoond heeft, heb ik vóór vanavond nog nooit een vrouw in mijn huis gehad. Ik weet dat je het niet gevraagd hebt, maar je moet het weten. Er was een vrouw in Minneapolis die ik af en toe zag, maar ik heb haar niet meer opgezocht sinds ik je die dag bij Pearl's heb ontmoet. Daarna heb ik haar gebeld en gezegd dat ik haar niet meer kon ontmoeten. Niet op die manier, in elk geval. En omdat onze hele relatie eigenlijk niet meer inhield dan dat...' Zijn stem stierf weg.

'Walker, het is goed,' zei Allie zachtjes. 'Ik weet dat je geen vrouwenversierder bent, als je daar soms bang voor bent. Als je dat wel was, zou de geruchtenmolen in Butternut overuren maken. En je bent me ook geen verklaring schuldig. Voor

237

niets wat vóór vanavond gebeurd is. Het spijt me als ik je het gevoel heb gegeven dat je je moest verdedigen.' Ze kwam omhoog en kuste hem licht op de lippen. 'Dat was niet mijn bedoeling.'

Hij voelde de spanning uit zijn lichaam wegtrekken. 'Je hebt me niet het gevoel gegeven dat ik me moest verdedigen,' verzekerde hij haar. 'Ik wil alleen dat je weet dat ik dit niet voortdurend doe. Dit is anders. Jij bent anders.'

'Denk je niet dat ik dat kan merken aan de manier waarop je met me vrijt?' vroeg Allie zachtjes, terwijl ze nog steeds zijn wang bleef strelen.

'God, dat mag ik hopen.' Walker boog zich naar haar toe om haar te kussen.

Na een paar tellen maakte Allie zich weer van hem los en vroeg met een ondeugend glimlachje. 'Weet je nog wat je zei over vrijen in een echt bed?'

Hij knikte.

'Nou, het is nog niet te laat. Je kunt me nu meenemen naar je kamer.' Ze deed de schapenvacht af en wierp hem nonchalant opzij.

Walker slikte. Ze was zo mooi dat het bijna pijn deed om naar haar te kijken.

'Dat zou ik wel willen.' Zijn stem was dik van begeerte. 'Maar ik denk dat we de gelegenheid weer zijn misgelopen.'

Zijn hand ging naar een van haar borsten, die glansde als goud in het licht van het vuur, op de roze, tepel na, die meteen hard werd onder de streling van zijn vingers.

'Het probleem met naar boven gaan,' zei hij langzaam, terwijl hij bijna net zo genoot van de verwachting als hij wist dat hij zou genieten van het vrijen zelf, 'is dat het minstens zestig seconden zou kosten om in mijn slaapkamer te komen. En zo lang kan ik niet wachten. Niet meer.'

'Er is geen enkele reden waarom je zo lang zou moeten wachten.' Ze trok hem naar zich toe en begon aan een nieuwe vrijpartij, zo intens dat ze naderhand zowel uitgeput als dolgelukkig waren.

Uiteindelijk kwamen ze toch in Walkers slaapkamer terecht.

Tegen die tijd was van het vuur in de open haard niet meer over dan een hoop gloeiende kolen en was in de hemel de lichtroze tint van de vroege morgen te bespeuren.

'Het is hier zo vredig,' zei Allie terwijl ze door het slaapkamerraam naar de mist op het meer keek. Ze had de schapenvacht weer om zich heen geslagen en haar verwarde haar hing los over haar blote schouders.

'Kom in bed,' zei Walker, die van achteren zijn armen om haar heen sloeg en het extra gevoelige plekje in haar nek kuste.

Allie zuchtte en het klonk hem in de oren als een volmaakte mengeling van tevredenheid en verlangen. Ze ging weg van het raam en volgde Walker naar het bed. Daar vrijden ze nog eens, genietend van het heerlijke gevoel van de koele lakens tegen hun blote huid.

Net toen de zon opging, viel Allie in slaap. Walker wist dat hij niet zou kunnen slapen, dus keek hij naar haar. Ze zag er zo jong uit, dacht hij, met haar ontspannen slapende gezicht en haar honingkleurige haar sierlijk om haar hoofd op het kussen.

Maar hij wist dat ze op haar manier heel volwassen was. Veel volwassener dan hij. Ze had niet alleen meer verdriet gekend in haar leven, ze had ook meer verantwoordelijkheid moeten nemen. Een succesvol bedrijf leiden, zoals hij had gedaan, was mooi. Maar in je eentje verantwoordelijk zijn voor een kind? Dat was van een heel andere orde.

Opeens voelde hij zich schuldig toen hij eraan dacht hoe moe ze vandaag zou zijn. Hij kon weer gaan slapen zodra zij weg was. Maar zij had een hele dag voor zich met een energieke vijfjarige.

Dus gaf hij niet toe aan wat hij het liefst zou doen – zijn vinger over de binnenkant van een van haar benen halen. Hij wist dat ze door dat gebaar meteen wakker zou worden. En dat het weer op vrijen zou uitdraaien. Hij had nog nooit een vrouw meegemaakt wier lichaam zo gretig reageerde op zijn aanraking. Het was ongelooflijk vleiend. En enorm opwindend. Hij slikte moeizaam en probeerde zijn verlangen te onderdrukken. Ze hadden al vier keer gevreeën, maar hij wilde meer. Ze had de zestienjarige jongen in hem gewekt en hem teruggebracht naar een tijd waarin zijn seksuele behoeften onuitputtelijk en onverzadigbaar waren.

Maar zij moest slapen. Als ze wakker werd, was er nog genoeg tijd om te vrijen. Dus ging hij in de kussens liggen, sloot zijn ogen en luisterde naar het gestage ritme van haar ademhaling. Hij voelde de heerlijke warmte van haar naakte lichaam.

Zo bleef hij liggen tot hij iets anders voelde. Het was een onbekend gevoel. Het begon met het versnellen van zijn hartslag en werd gevolgd door een onbenoembaar gevoel in zijn ribben. Alsof er iets strak omheen zat, wat hem het idee gaf dat de lucht uit zijn lichaam werd geperst. Even vroeg hij zich paniekerig af of er iets mis was. Had hij een hartaanval? Of een beroerte? Maar dat was niet erg waarschijnlijk. Hij was pas vijfendertig en voorzover hij wist volmaakt gezond.

Het was aannemelijker dat het psychosomatisch was. De lichamelijke uiting van iets wat hij normaal gesproken goed kon negeren. Of ontkennen. Of op een veilige afstand houden.

En hij wist dat het angst was.

Hij was natuurlijk eerder bang geweest. Je werd geen vijfendertig zonder ooit bang te zijn. Dit was duidelijk een ander soort angst.

Hij dacht aan Allies man, die aan de andere kant van de aardbol in een oorlog had gevochten en was aangevallen door de vijand. Dat was een bijzonder soort angst, voorbehouden aan mensen die dapper genoeg waren om zich in een bijna onmogelijk gevaarlijke situatie te begeven. Een dergelijke angst had hij nooit gevoeld.

Hij had andere soorten angst meegemaakt. Toen hij en zijn broer tieners waren, waren ze eens op een bewolkte zomermiddag met een aluminium kano het meer op gegaan en vervolgens overvallen door een onweersbui. Toen was hij bang geweest. En ook toen hij een paar winters geleden laat op een avond hiernaartoe was gereden. Zijn pick-up was weggegleden op de gladde weg en hij had bijna een boom geraakt. En afgelopen voorjaar had hij in de schemering in het bos gewandeld en was hij per ongeluk tussen een moederbeer en haar twee jongen terechtgekomen. Even had hij gedacht dat ze hem zou aanvallen en hij was bang geweest.

Terwijl hij naar Allie lag te kijken, besefte hij dat hij nooit zo'n angst als nu had gevoeld. Bliksem, een gladde weg, een boze beer – niets daarvan had hem ook maar bij benadering zo bang gemaakt als hij nu was. Voor het eerst in zijn leven was hij verliefd. En dat was angstaanjagend.

Hij dacht ook voor het eerst in lange tijd helder na. Terwijl hij daar zo lag te kijken naar de slapende Allie, wist hij precies wat hij moest doen. Hij wist alleen niet of hij dapper genoeg was.

24

'Allie, er is iets met je,' zei Sara Gage peinzend terwijl ze haar van achter het bureau in het kantoor van de Pine Cone Gallery bestudeerde. Sara zat achter de computer en Allie stond te wachten op instructies voor het ophangen van de nieuwe collectie aquarellen van een plaatselijke kunstenaar die Sara onlangs had ontdekt.

'Hoezo?' vroeg Allie op haar hoede. Het was maandagmorgen en hoewel er een hele dag voorbij was gegaan sinds ze op zondagmorgen Walkers huis had verlaten, had ze nog steeds het gevoel dat ze de sporen droeg van de tijd die ze samen hadden doorgebracht. Niet alleen inwendig, maar ook uitwendig.

'O, ik weet het niet,' zei Sara fronsend. 'Je gloeit helemaal. Alsof je een gezichtsbehandeling hebt gehad of zoiets.'

Of zoiets. Iets als twaalf ononderbroken uren van uitzinnige seks met Walker Ford. Maar dat was twee dagen geleden en Allie begon zich af te vragen of de 'gloed' waar iedereen opmerkingen over maakte ooit zou verdwijnen.

Tegen Sara zei ze luchtig: 'Ik wou dat ik een gezichtsbehandeling had gehad. Voorzover ik weet is dat een luxe die Butternut niet te bieden heeft.' Ze voegde er niet erg overtuigend aan toe: 'En dat is eigenlijk jammer.' Wat echt jammer was, was hoe moeilijk het sinds de nacht met Walker was geweest om normaal te functioneren. Zelfs de eenvoudigste handelingen, zoals boter op een boterham smeren, een bed opmaken of haar tanden poetsen, leken meer aandacht te vergen dan zij kon opbrengen.

Het probleem was dat ze constant terugdacht aan die nacht. Ze speelde hem tot in detail in haar hoofd af. En er waren een heleboel details, het een nog verrukkelijker dan het ander.

Eentje kwam er bij haar op, maar toen besefte ze dat Sara weer naar haar zat te staren zonder moeite te doen haar nieuwsgierigheid te verbergen. Allie staarde terug en wist niet wat ze moest doen. Had Sara haar een vraag gesteld? Ze had geen idee, maar ze nam zich voor te proberen niet voortdurend aan Walker Ford te denken. Dat kon ze toch wel? Ze zou het rustig opbouwen. Ze zou proberen een minuut niet aan hem te denken. Meteen dacht ze weer aan hem. Misschien was een minuut te lang, besloot ze. Dertig seconden was waarschijnlijk beter haalbaar.

'Wil je nu bespreken hoe ik die aquarellen moet ophangen?' vroeg ze aan Sara in de hoop die dertig seconden door te komen.

'De schilderijen?' vroeg Sara afwezig. Allie vroeg zich af of haar gebrek aan concentratie soms besmettelijk was.

'De nieuwe aquarellen?' zei ze nog eens.

'O, ja,' zei Sara. 'Daar komen we straks wel op. We hebben nog een kwartier voor de galerie opengaat, en omdat je hier al zes weken werkt, dacht ik dat dit een goed moment zou zijn voor een functioneringsgesprek.'

'Nu meteen?' vroeg Allie bezorgd. Ze wist niet of ze lang genoeg kon opletten om een dergelijk gesprek te voeren.

Sara vatte haar bezorgdheid anders op. 'O, Allie,' zei ze snel, 'denk alsjeblieft niet dat ik niet blij ben met je werk, want dat ben ik wel. Geloof mij maar. In vergelijking met een maand geleden hebben we twintig procent meer verkocht, en ik weet dat dat helemaal aan jou te danken is.'

Allie wilde protesteren, maar Sara wuifde haar tegenwerpingen weg. 'Nee, het is waar,' zei ze. 'Het doet me pijn het te moeten toegeven, maar je bent een betere verkoopster dan ik. De klanten vinden je aardig. En wat nog belangrijker is, ze vertrouwen je. Ze hebben niet het gevoel dat je ze alleen maar iets wilt verkopen. Ze merken dat je wilt dat ze blij zijn met hun aankoop.'

'Dat wil ik ook,' zei Allie zonder erbij na te denken.

'Dat weet ik.' Sara glimlachte. 'Je kunt een dergelijke oprechtheid niet veinzen, Allie. En hoewel oprechtheid niet altijd een voordeel is in de detailhandel, geldt dat wel in een zaak als deze, die het voornamelijk moet hebben van vaste klanten. Dus ik hoef je niet te zeggen dat ik erg gelukkig ben met je aanwezigheid hier. Maar hoe ligt het voor jou? Vind jij het leuk om hier te werken?'

'Nou en of,' zei Allie opgelucht. Die vraag was tenminste gemakkelijk te beantwoorden.

'Mooi.' Sara knikte tevreden. 'Ik weet dat het niet veel betaalt. Maar ik ben van plan je aan het eind van het jaar een bonus te geven, gebaseerd op de winst. En afgezien van het geld wil ik dat je je baan bij de Pine Cone Gallery ziet als een investering in je toekomst. Begrijp me niet verkeerd. Ik vind het heerlijk om deze galerie te leiden. Maar dat zal niet altijd zo blijven.' Ze zuchtte en nam een slokje thee uit de mok op haar bureau. 'Het is veel werk, en mijn man is de winters in Minnesota zat. Eerlijk gezegd, Allie, zou ik er wel over willen denken de galerie te verkopen als ik de juiste koper zou kunnen vinden. Iemand die er net zoveel om geeft als ik, en om de kunstenaars die hun werk hier hebben hangen. Iemand zoals jij,' besloot ze met enige nadruk.

'Zoals ik?' vroeg Allie verrast.

'Waarom niet?' zei Sara. 'Je houdt van kunst, dat is wel duidelijk. Je hebt een goed oog voor wat zal verkopen. Je bent een goede verkoopster. En ik denk dat je er ook goed in zult zijn om een relatie op te bouwen met de kunstenaars die we vertegenwoordigen. Dat is soms het meest uitdagende aspect van een galerie, maar het kan ook heel bevredigend zijn.'

Allie knikte geïntrigeerd. 'Maar ik heb er helemaal geen ervaring in,' bekende ze.

'Nog niet,' zei Sara. 'Daar kunnen we gemakkelijk verandering in brengen. Morgen ga ik naar een kunstenaarsstudio in de buurt van Ely, ik heb een afspraak met een vrouw die prachtige met de hand gesmede gouden sieraden maakt. Ik heb haar werk vorig voorjaar op een kunstmarkt gezien en loop er sinds die tijd over te denken het hier te verkopen. Vind je het leuk om mee te gaan?'

'Ik zou het prachtig vinden,' zei Allie eerlijk. 'Het klinkt fascinerend. En ik moet je bedanken omdat je aan mijn toekomst denkt. Dat is meer dan ik soms doe,' voegde ze eraan toe.

'Mooi,' zei Sara met een glimlach. 'Nou, moeten we nog iets anders bespreken voor we opengaan?'

'Nee.' Allie wilde al opstaan. Toen bedacht ze zich. 'Of eigenlijk wel.' Ze dwong zichzelf weer te gaan zitten. 'Ik vroeg me af...' Ze haperde even en zocht naar de juiste woorden. Ze wilde niet onprofessioneel overkomen. Vooral niet na het gesprek dat ze net hadden gehad. 'Ik vroeg me af,' begon ze weer, 'of ik woensdag vrij kan krijgen. Het geeft niet als het te laat is, als je al andere plannen hebt. Ik weet dat het kort dag is.'

Sara haalde haar schouders op. 'Natuurlijk,' zei ze, 'als je een dag voor jezelf moet hebben, neem je vrij.'

'Ik hoef geen dag voor mezelf te hebben,' zei Allie eerlijk. Ze wilde geen valse indruk wekken. 'Ik wilde woensdag vrij nemen omdat ik iets leuks wil gaan doen met een man.'

'Een man?' Sara trok verbaasd haar wenkbrauwen op. Na een paar tellen zei ze zachtjes: 'Ik wist niet dat je weer aan mannen toe was.'

'Ik ook niet,' bekende Allie. 'Ik bedoel, het is allemaal nog erg pril.'

Sara glimlachte meevoelend en toen zei ze: 'Nee, dat is prima. Neem woensdag maar vrij. Je hebt het verdiend. Als het niet al persoonlijk is, mag ik dan vragen wie die man is?'

'O nee, het is niet te persoonlijk.' Allie vond het wel een beetje persoonlijk, maar besefte dat ze eraan gewend moest raken dat mensen wisten dat Walker en zij iets met elkaar hadden. En dat ze erover praatten.

Dus keek ze Sara recht aan. 'Het is Walker Ford,' zei ze, en ietwat onnodig voegde ze eraan toe: 'Van de werf.' Als ze die zomer iets geleerd had, was het wel dat iedereen in Butternut elkaar kende.

'Walker Ford?' herhaalde Sara, en haar wenkbrauwen gingen verbaasd omhoog. Toen leek ze zich te herstellen. 'Neem me niet kwalijk,' zei ze snel. 'Ik wil je niet voor het hoofd stoten. Ik ben niet verbaasd omdat hij met jou uitgaat. Ik ben verbaasd dat hij überhaupt uitgaat. Ik dacht dat hij niet beschikbaar was.'

'Nou, zoals ik al zei, het is allemaal nog heel pril,' zei Allie vaag om de vraag over Walkers beschikbaarheid uit de weg te gaan. 'Het stelt nog niet veel voor.' Leugenaar. Het stelde heel veel voor. Voor haar in elk geval. 'Ik vraag niet graag om een vrije woensdag,' ging ze verder, 'maar Wyatt is dan naar het dagkamp, en dat maakt het wat eenvoudiger.' Ze had nog steeds niet besloten hoe ze Wyatt over haar en Walker moest vertellen. Wyatt beschouwde Walker tenslotte als zijn vismaatje, niet als iemand die een verhouding had met zijn moeder.

'Natuurlijk.' Sara knikte. 'Ik ben alleen nieuwsgierig. Waar gaan jullie naartoe?'

'We gaan picknicken,' zei Allie. 'We varen met Walkers boot naar een van de eilandjes in Butternut Lake. Red Rock Island, geloof ik.'

'Nou, dat klinkt leuk,' zei Sara een beetje weemoedig. 'Ik

246

kan me niet herinneren wanneer mijn man en ik voor het laatst hebben gepicknickt.'

Allie wist niet wat ze daarop moest zeggen, dus glimlachte ze beleefd en verontschuldigde zich om de galerie open te gaan doen. Zo. Dat was niet al te pijnlijk geweest, dat gesprek met Sara, hield ze zichzelf voor. Het pijnlijke zou nu komen. Hoe zenuwachtig ze ook was over het feit dat ze Walker weer zou zien, ze wist echt niet of ze er wel twee dagen op kon wachten. Dat werd een marteling. Een ware, zoete marteling.

Achtenveertig uur later zat Allie op haar steiger te wachten op Walker, die in zijn snelle motorboot over het meer op haar af kwam varen. Ze liet haar blote voeten langs de steiger bungelen en raakte nog net het wateroppervlak. Ze wist dat ze zou moeten opstaan voor Walker zijn boot aanlegde, maar op dat moment wist ze niet of ze het wel kon. Haar knieën trilden zo heftig dat ze niet zeker was of ze haar gewicht wel konden dragen.

Ze wist niet of ze opgewonden, zenuwachtig of gewoon gek was. Ze wist wel dat ze die morgen niet zichzelf was. Toen ze Wyatt had afgezet bij het dagkamp, had ze bijvoorbeeld de onopgemaakte bedden, de vaat in de gootsteen en de lading was bij de wasmachine genegeerd. In plaats daarvan had ze een bubbelbad genomen, iets wat ze 's avonds al zelden deed, laat staan midden op de ochtend. En toen ze zich had afgedroogd en haar haar had geföhnd, had ze kleren gepast voor de picknick. Wat eigenlijk een beetje dwaas was gezien het feit dat een T-shirt, een korte broek en sportschoenen de enige verstandige keus waren voor dit uitje.

Om eerlijk te zijn wilde ze niets verstandigs aan. Ze wilde iets… iets romantisch dragen. Of het nu praktisch was of niet. En dat was het uiteindelijk niet. Het kledingstuk dat ze koos – een lichtgele zomerjurk, waar ze geen schoenen bij droeg – was niet echt geschikt om mee in en uit een boot te klimmen en over een rotsig eiland te lopen.

247

Toen Walkers boot zo'n honderd meter van haar verwijderd was, hield ze haar hand boven haar ogen om ze te beschutten tegen het licht dat van het water weerkaatste. Ze voelde haar hart samenknijpen toen ze hem voor het eerst goed zag sinds ze de ochtend na hun vrijpartij afscheid hadden genomen. Hij ziet er fantastisch uit, dacht ze. Hij is fantastisch. Haar knieën begonnen nog erger te trillen.

Hij wuifde en zij wuifde terug. Toen dwong ze zichzelf op te staan, hoewel haar benen wel van rubber leken, zodat ze hem kon helpen de boot vast te leggen.

'Hallo,' zei hij bijna verlegen. Hij manoeuvreerde de boot parallel aan de steiger en stak een hand uit om hem tegen het stootkussen aan de steiger te houden.

'Hallo,' zei ze. Haar stem klonk een beetje pieperig. En ze had nog steeds een probleem met haar knieën.

Hij stak een hand naar haar uit en ze pakte hem vast om haar evenwicht te bewaren toen ze in de boot stapte.

'Heb je alles wat je nodig hebt?' Hij keek haar vragend aan.

Allie bloosde. Hij dacht natuurlijk dat ze volkomen onvoorbereid was op een dag op het water. Geen hoed of zonnebril. Geen badpak of badhanddoek. Geen flesjes water, geen zonnebrandmiddel, geen muggenolie. Niets daarvan was op haar lijstje terechtgekomen, besefte ze. Ze had er alleen aan gedacht zichzelf mee te nemen, en haar gele zomerjurkje.

Als Walker het al vreemd vond, zei hij er niets van. Hij duwde zijn boot af en voer naar het midden van het meer.

'Mooie dag voor een picknick, hè?' vroeg hij, en hij keek naar haar zoals hij zo vaak deed. Alsof hij door de dunne stof van haar jurk heen kon kijken.

'Een volmaakte dag,' beaamde Allie, die de warme zon op haar schouders voelde. Ze was zozwaar bang geweest dat het koel zou zijn. De plaatselijke bewoners zeiden allemaal dat de herfst vroeg zou invallen. En gisteren had ze aan de overkant van het meer een boom gezien waarvan de bovenste takken al een vurig rode kleur kregen. Maar vandaag? Vandaag was het ideaal weer. Warm, zonnig en een beetje heiig, met een zacht, weldadig briesje dat meer een streling leek dan wind.

'Je ziet er fantastisch uit,' zei Walker, die met zijn vrije hand haar hand pakte. 'Als de zomer zelf.'

'Dank je.' Allie streek wat haartjes weg die los waren gekomen uit de vlecht die ze had gemaakt.

'Eh... herken je deze boot?' vroeg hij nu. Zijn ogen twinkelden van verwachting.

Allie bekeek hem en fronste. 'Is dit... is dit de boot die ik gekocht heb?'

Walker knikte met een tevreden trek op zijn gezicht. 'Wat vind je ervan?'

'Ik vind,' zei ze langzaam, terwijl ze nog steeds de boot bekeek, 'ik vind dat hij er heel anders uitziet dan toen ik er met Cliff een proefvaart in gemaakt heb.'

'Nou ja, ik heb hem een beetje opgeknapt,' gaf Walker toe.

'Een beetje?' vroeg Allie.

Hij knikte. 'Ik heb de motor vervangen. Ik vond dat jij en Wyatt wel wat meer power konden gebruiken. En ik heb de banken opnieuw laten bekleden. Dat oranje vond ik een beetje armoedig. Deze blauwe en witte strepen leken beter bij je te passen.'

'Hij is prachtig,' beaamde ze met bewonderende blikken op de grote, glanzende motor en de frisse, blauw met wit gestreepte kussens. 'Eerlijk zeggen. Heb je nog wat verdiend aan deze boot na die opknapbeurt?'

'O, ik ben er beslist beter van geworden.' Hij trok haar tegen zich aan.

'Mmm.' Allie zoende hem in zijn nek en genoot van zijn schone, mannelijke geur. 'Ik hoop dat je je niet altijd zo zakendoet, meneer Ford,' zei ze plagend. 'Het lijkt me een goede manier om je werf de grond in te boren.'

'Maak je geen zorgen.' Hij zette de boot in zijn vrij en sloeg allebei zijn armen om haar heen. 'De lijst met klanten die een voorkeursbehandeling krijgen, is heel erg kort.'

Ze zoenden een tijdje, tot Allie ondanks het feit dat de hartstocht al het andere deed vervagen voelde dat ze moesten stoppen, nu het nog kon. Een beetje ademloos maakte ze zich van hem los.

'Wat is er?' vroeg Walker, die haar niet wilde laten gaan.

'We zitten midden op het water,' zei Allie met een gebaar naar het meer. Tot haar verrassing zag ze dat de boot inmiddels naar het midden van de baai was gedreven. 'Iedereen kan ons zien,' voegde ze eraan toe, en ze gaf hem een verontschuldigende zoen op zijn wang.

'Iedereen zou ons kunnen zien,' merkte Walker op, terwijl hij speelde met de hals van haar zomerjurk, 'als er iemand zou zijn.' Dat was waar, dacht Allie. Op een paar futen na die bij de boot zwommen lag de baai er verlaten bij.

Walker stak zijn hand uit en zette de motor uit. Toen drukte hij op een knop op het dashboard. Er was een suizend geluid te horen, gevolgd door een zachte bons.

'Wat doe je?' vroeg Allie, hoewel ze het wel wist. Haar hart ging sneller slaan, als dat tenminste mogelijk was.

'Ik heb het anker neergelaten.' Walker pakte de deken die op een van de banken lag, naast een grote koelbox.

'Waarom?' vroeg Allie bijna fluisterend.

'Omdat we hier voorlopig blijven.' Hij spreidde de deken uit op de bodem van de boot.

'Ja, dat snap ik,' zei ze. 'Maar waarom?'

Hij draaide zich naar haar om en nam haar gezicht in zijn beide handen. 'Omdat ik geen seconde meer kan wachten om met je te vrijen.' En hij kuste haar. Een trage, zinderende kus waarmee hij in één moeite door haar jurk leek uit te trekken.

'Walker,' zei ze eindelijk, en ze kreeg zichzelf voldoende in de hand om zich van hem los te maken. 'Ben je gek? We kunnen niet midden op de dag op het meer gaan liggen vrijen.'

Maar hij leek onverstoorbaar. 'Geef me één reden waarom niet.' Hij ging op de deken zitten en trok haar zachtjes naast zich.

'Ik kan je wel honderd redenen geven,' mompelde ze terwijl hij haar hals kuste op die gekmakende manier van hem en haar achteroverduwde, zodat ze naast hem lag. 'Ten eerste bevinden we ons in het openbaar. En ten tweede, het feit dat er nu niemand is, betekent niet dat er over vijf minuten ook niemand zal zijn. En dan nog iets...' Ze zweeg abrupt toen hij haar hals weer kuste. En wist dat ze geen zin meer zou kunnen formuleren.

Ze keek toe terwijl Walker op zijn knieën voor haar ging zitten en langzaam zijn handen onder haar jurk liet glijden.

'Ten eerste,' zei hij om het gesprek te vervolgen, 'is dit een doordeweekse dag. Dan zijn er niet veel mensen op het meer. En als er een boot de baai in komt, horen we de motor.'

'En kano's dan?' wierp ze tegen. Maar ze drong niet erg aan. Hij streelde zachtjes de binnenkant van haar benen en ze had moeite niet te kronkelen van verwachting.

'Kano's blijven meestal dichter bij de kant,' fluisterde hij terwijl hij een vinger omhoog liet glijden en onder de rand van haar slipje door haalde. Haar adem stokte en gefascineerd keek ze toe hoe hij zijn andere hand omhoogbracht en met martelende traagheid zachtjes haar slipje naar beneden trok.

'Dit is krankzinnig,' zei ze zachtjes toen de boot schommelde door een onverwachte windvlaag. Ze keek op naar Walker, naar zijn zwarte silhouet tegen de felle zon achter hem.

'Het is wel een beetje krankzinnig,' beaamde hij mild. 'Maar niet krankzinniger dan andere dingen die ik gedaan heb sinds ik je heb ontmoet.'

Allie dwong zichzelf te ademen terwijl hij haar slipje tot op haar enkels liet glijden, over haar voeten trok en opzij gooide.

'Ik moet trouwens zeggen,' zei hij terwijl hij weer de binnenkant van haar benen streelde, zodat Allie zo heftig naar

251

hem verlangde dat ze bang was dat ze zou schreeuwen, 'toen ik die jurk zag, dacht ik eerst dat hij een beetje onpraktisch was voor wat we van plan waren. Maar toen besefte ik iets. Je hebt vooruitgedacht toen je hem aantrok. Nu hoef ik maar één kledingstuk uit te trekken om met je te kunnen vrijen.'

Allies adem stokte bij die woorden, en na een inwendige strijd van nog geen seconde sloot ze haar ogen en gaf zich over.

Toen ze later die avond voor de spiegel in de badkamer stond, schrok ze van de verandering die ze had ondergaan. Haar haar zat hopeloos in de war, het puntje van haar neus was verbrand en haar lippen – ze boog dichter naar de spiegel toe en bekeek ze zorgvuldig – leken gezwollen. Was het mogelijk zo hard en zo lang te zoenen dat je lippen ervan opzwollen? Ze had het schuldige gevoel dat het inderdaad mogelijk was.

Nou, daar kon ze nu niets meer aan doen, dacht ze. Ze liet de handdoek vallen die ze om zich heen had geslagen en zette de douche aan. Ze had nog precies een halfuur voor Wyatt terugkwam van Jax en Jeremy, waar hij na het dagkamp naartoe was gegaan, en ze was vastbesloten er tegen die tijd ten minste een beetje presentabel uit te zien. Ze stapte onder de douche en trok een pijnlijk gezicht toen het warme water haar verbrande schouders raakte. Ze masseerde shampoo in haar haar en probeerde aan gewone dingen te denken. Alledaagse dingen. Zoals het feit dat ze postzegels moest kopen. Of dat de koelkast hoognodig schoongemaakt moest worden.

Ze probeerde in elk geval niet te denken aan de middag met Walker. Niet dat die niet geweldig was geweest. Nadat ze die eerste keer gevreeën hadden, hadden ze wat rondgedobberd en gepraat en nog eens gevreeën. En toen ze het warm hadden gekregen, waren ze naar een beschutte inham gegaan, waar ze in hun blootje hadden gezwommen vanaf een zandstrandje. Het zwemmen had er natuurlijk toe geleid dat ze weer gevreeën hadden. En dat had geleid tot nog wat ronddobberen en meer gepraat. Waarna de hele cyclus opnieuw was begonnen.

Ze zette de douche uit, stapte op de badmat en droogde zich af. Snel trok ze een spijkerbroek en een T-shirt aan, kamde haar natte haar en bond het tot een paardenstaart. Daarna begon ze gehaast aan de karweitjes die ze die morgen had laten liggen; ze waste de ontbijtboel af, maakte de bedden op en vulde de wasmachine. Uiteindelijk maakte ze een kop kamillethee met de gedachte dat ze daar rustiger van zou worden, en nam de beker mee naar de veranda, waar ze in de schemering op Jeremy en Wyatt ging zitten wachten.

Ze zat er nog niet lang toen ze het geknerp van banden hoorde op het grind en een pick-up de oprit op zag komen. Hij stopte voor het huisje en Allie zag tot haar verbazing dat niet Jeremy achter het stuur zat, maar Jax. Ze fronste toen haar hoogzwangere vriendin zich van haar stoel liet glijden en naar de andere kant van de pick-up liep.

'Jax,' protesteerde Allie terwijl ze de trap af liep, 'je zei dat Jeremy Wyatt thuis zou brengen. Anders had ik het nooit goedgevonden.'

Jax hield een vinger tegen haar lippen en deed het achterportier van de pick-up open. Wyatt zat in een autostoeltje en was diep in slaap.

'Het spijt me,' zei Jax zachtjes. 'Ik heb geprobeerd hem wakker te houden tijdens de rit. De hele dag Jades beste vriend spelen is hem te veel geworden.'

Allie lachte in weerwil van zichzelf. 'Dat zie ik,' zei ze.

'Hij is ook behoorlijk smerig geworden,' voegde Jax er verontschuldigend aan toe terwijl ze aanstalten maakte Wyatt uit het autostoeltje te tillen. 'Ik heb hem zijn handen en gezicht laten wassen voordat we weggingen, maar we hebben voor het eten vlaggenroof gespeeld en…'

'Jax, ben je gek?' viel Allie haar in de rede. 'Jij draagt Wyatt het huis niet in. Hij is nu veel te zwaar voor je.'

Jax haalde onbekommerd haar schouders op, maar liet toe dat Allie hem uit het autostoeltje tilde en naar binnen droeg. Ze liep meteen met hem naar zijn slaapkamer, trok het beddengoed naar achteren en legde hem neer. Vervolgens trok ze zijn schoenen en sokken uit en probeerde niet te denken aan het dunne laagje vuil dat hem bedekte. Het kan geen kwaad, dacht ze. Morgenochtend gaat hij rechtstreeks het bad in en de lakens kunnen meteen in de wasmachine.

Ze trok het dekbed over hem heen, gaf hem een zoen op zijn wang en deed het lampje op zijn nachtkastje uit. Toen ze de woonkamer weer in kwam, zat Jax op de bank, tenger ondanks haar enorme buik.

'Jax,' zei ze streng, 'je had hem niet thuis mogen brengen.'

Jax stak een hand op om haar het zwijgen op te leggen. 'Allie, het geeft niet. Ik wilde Wyatt zelf thuisbrengen. Ik moest nadenken en om de een of andere reden lukt dat achter het stuur altijd beter.'

Allie keek eens goed naar Jax en besefte dat ze er moe uitzag. Moe en nog iets anders. Bezorgd, besloot Allie.

'Jax, is alles goed met je?' vroeg ze terwijl ze naast haar ging zitten.

'Met mij? Natuurlijk,' zei Jax met een snelle glimlach. 'Ik ben alleen op het punt van mijn zwangerschap waarop ik me een gestrande walvis begin te voelen.'

Allie glimlachte halfslachtig. Maar ze was niet gerustgesteld. Normaal gesproken blaakte Jax van gezondheid als ze zwanger was. Alsof zwanger zijn haar goeddeed. En dat was natuurlijk ook zo. Vanavond zag ze er een beetje gespannen uit. Met iets van vermoeidheid rond haar ogen. En zorgelijke rimpels in haar voorhoofd.

'Ik herinner de me laatste weken van mijn zwangerschap nog.' Allie kneep in de smalle hand van Jax. 'Die waren niet leuk. Maar Jax, beloof me dat je niet meer in je eentje gaat rijden in het donker, goed? Ik bedoel, hoe ver ben je

nu, achtenhalve maand? Je kunt elk moment weeën krijgen.'
Weer wuifde Jax haar bezorgdheid weg. 'Een bevalling
duurt altijd heel lang bij mij, Allie. Eng lang. Zelfs bij Jade,
mijn derde, had ik al een paar dagen weeën voordat ze werd
geboren. Geloof me, als ik ga bevallen, heb ik tijd zat om te
zorgen dat ik in het ziekenhuis kom.'

Allie knikte, maar was niet echt gerustgesteld. Ze was geen
deskundige als het om bevallingen ging, maar ze wist dat elke
bevalling uniek was. Kon Jax echt voorspellen hoe het deze
keer zou gaan?

'Ga je me nog vertellen hoe de picknick vandaag was?'
vroeg Jax.

'De picknick?' herhaalde Allie om tijd te winnen. Ze wist
nog steeds niet goed wat ze ervan moest denken.

'Jij en Walker zijn vandaag toch gaan picknicken?' vroeg Jax
geamuseerd.

'Ja, dat klopt.' Allie bloosde fel. Ze zag hun tweetjes voor
zich, eerder op de dag. Ze hadden net gezwommen en
lagen naakt op een deken die ze over een bed van droge
dennennaalden hadden uitgespreid, op een open plek bij
de zanderige baai waar ze de boot voor anker hadden gelegd. Ze voelde nog de warme vlekjes zonlicht op haar
huid en rook de schone, droge geur van de dennennaalden.
En ze hoorde het zachte, maar dringende gefluister van hun
liefdesspel.

'En…' spoorde Jax haar aan. 'Hoe was het? De picknick, bedoel ik.'

'Heel leuk.' Allie had plotseling grote belangstelling voor
haar vingernagels.

Jax lachte. 'Je bent een verschrikkelijk slechte leugenaar,
Allie Beckett,' zei ze.

'Dat weet ik.' Allie bloosde nog heviger en keek heel even
op. 'Ik ben een verschrikkelijk slechte leugenaar. De picknick
was fantastisch.'

'En dan heb je het zeker niet over Carolines aardappelsalade?' vroeg Jax met ondeugend glinsterende ogen.

Allie schudde haar hoofd en voelde zich weer schuldig. Ze wist dat Caroline erop gestaan had de picknick te verzorgen die Walker had meegebracht, maar ze hadden het eten praktisch niet aangeraakt. Geen van beiden had eraan gedacht.

'Maar even serieus, Allie,' zei Jax zacht, 'even zonder te plagen. Je ziet er… anders uit.'

'Je bedoelt alsof ik een gezichtsbehandeling heb gehad?' vroeg Allie geamuseerd.

'Nee.' Jax schudde haar hoofd. 'Niet precies. Met anders bedoel ik… gelukkig.'

Allie, die weer naar haar vingernagels zat te kijken, keek op. Jax glimlachte haar toe en haar gezicht, dat er nog steeds moe uitzag, straalde ook geluk uit. Ze is blij omdat ik gelukkig ben, besefte Allie. En opeens voelde ze hoe de tranen in haar ogen schoten. Ze had zo'n geluk met een vriendin als Jax. Hoe had ze het al die jaren zonder haar gered?

'Allie,' vroeg Jax, 'ben je verliefd op Walker?'

'Verliefd?' herhaalde Allie verward. 'Dat weet ik niet. Volgens mij is het allemaal begeerte.'

'Nou, daar begint de liefde meestal,' zei Jax met een glimlach.

Daar dacht Allie over na. Was het waar? Het was zeker waar geweest voor haar en Gregg. Voordat ze van elkaar waren gaan houden, hadden ze niet van elkaar af kunnen blijven. En met Walker, wie weet? Misschien zou de sterke aantrekkingskracht tussen hen ook wel uitgroeien tot liefde. Misschien was dat voor haar al zo. Maar dat was idioot, toch?

Jax zuchtte, een vermoeide zucht, en die doorbrak Allies gedachtegang.

'O Jax, het spijt me,' zei Allie. 'Ik heb niet eens gevraagd of je iets wilt drinken. Water, misschien? Of kamillethee?'

Jax schudde haar hoofd. 'Nee, ik hoef niets. Ik moest maar

eens naar huis gaan. Anders maakt Jeremy zich zorgen.' Ze hees zich van de bank en Allie liep met haar mee naar de pick-up.

'Weet je zeker dat alles goed met je is?' vroeg Allie weer. Ze kon het gevoel niet van zich afzetten dat er iets mis was met Jax.

'Absoluut,' zei Jax. Ze wilde het portier van de pick-up opendoen, maar draaide zich nog even om naar Allie. 'Het is alleen... het is alleen dat ik iets moet doen wat ik niet wil doen.'

'Doe het dan niet,' zei Allie automatisch. 'Je hebt het volmaakte excuus om iets niet te doen als je er geen zin in hebt. Je staat op het punt een baby te krijgen. Vraag Jeremy het voor je te doen.'

'Dat gaat niet.' Jax schudde haar hoofd. 'Het is iets wat ik alleen moet doen.'

Allie fronste. Dit stond haar niet aan. 'Weet je zeker dat ik je niet kan helpen? Ik kan in elk geval luisteren als je erover wilt praten.'

Jax aarzelde. 'Het is wel verleidelijk,' gaf ze toe. 'Maar je hebt genoeg gedaan, Allie. Gewoon door er vanavond te zijn.'

'Laat je het weten als je van gedachten verandert?' vroeg Allie terwijl Jax instapte.

'Dat beloof ik.' Jax startte de motor.

Ze wilde wegrijden, maar boog zich nog even over het raampje. 'Nog wat anders, Allie. Je huid ziet er verbijsterend uit.'

Allie lachte en keek haar vriendin na. Maar ze ging nog niet het huisje in. In plaats daarvan ging ze op de trap zitten en terwijl de nacht viel, dacht ze aan Jax. Of ze niet meer had moeten aandringen toen ze haar hulp had aangeboden. Ze wist natuurlijk niet zeker of ze haar wel kon helpen. Iets aan Jax baarde haar zorgen. Zoveel zorgen dat het ongemakkelijke gevoel haar de rest van de nacht bijbleef.

257

De volgende morgen zagen Allie en Wyatt Jax bij de supermarkt en Allie kwam tot de conclusie dat ze zich geen zorgen had hoeven maken. Jax oogde prima. Ze leek weer zichzelf. En Allie weet hun gesprek van de vorige avond aan het feit dat Jax moe was geweest. Of dat het haar even te veel was geworden. Ze had gezegd dat ze iets moest doen wat ze niet wilde doen. Maar wie van ons hoeft nooit iets tegen zijn zin te doen? Dat was toch het leven? En het leven van Jax, bedacht ze, was zo'n beetje volmaakt. Voorzover Allie wist, tenminste.

25

'Mevrouw Jax?'

'Frankie?' antwoordde Jax verbaasd. En een beetje nijdig. Ze had niet verwacht dat er vanavond bekenden in de Mosquito Inn zouden zijn. Behalve Bobby dan. En die was al een kwartier te laat. Ze zat weggestopt in een besloten zitje naar de voordeur te kijken en probeerde niet op te vallen. Óf in elk geval zo min mogelijk op te vallen als mogelijk was voor een hoogzwangere vrouw op een donderdagavond om negen uur in een louche bar.

'Mevrouw Jax, wat doet u hier?' vroeg Frankie.

'Hetzelfde als jij,' zei Jax ontwijkend. Ze nam een slokje cola.

'Ik ben aan het biljarten.' Frankie fronste en wees naar de keu die hij in zijn rechterhand had.

'Nou, ik kom iets drinken met een oude vriend,' zei Jax. Een oude vriend die me chanteert. Een oude vriend die ik het liefst zou vermoorden.

'Dit is geen goede plek om iets te drinken met een vriend.' Frankie fronste nog steeds.

'Jij bent hier toch ook,' zei Jax een beetje verdedigend.

Frankie haalde zijn enorme schouders op. 'Ik kom hier af

en toe om te biljarten,' zei hij. 'Maar dit is geen plek voor een dame als u, mevrouw Jax. Vooral niet nu u… u weet wel…' Zijn stem stierf weg.

'Nu ik in verwachting ben?' vulde Jax aan, die ondanks alles moest lachen.

Hij knikte gegeneerd.

Frankie mocht er dan intimiderend uitzien, ze wist dat hij eigenlijk heel verlegen was.

'Maak je geen zorgen, Frankie.' Ze wierp een nerveuze blik op de deur. 'Ik ben weg voor je het weet.'

Maar Frankie wist van geen wijken. 'Waar is Jeremy?' vroeg hij.

Ze nam nog een slokje cola en probeerde kalm te blijven. Dit was een probleem dat ze niet had voorzien. 'Jeremy is naar zijn wekelijkse pokeravondje,' zei ze. 'En Caroline heeft heel lief aangeboden om een paar uurtjes op de meisjes te passen.' Zonder vragen te stellen, zoals jij doet, dacht ze geërgerd. Meteen voelde ze zich schuldig. Het was niet Frankies bedoeling zijn neus in haar zaken te steken. Hij wilde haar alleen maar beschermen.

Hij aarzelde. 'Goed, ik zal u met rust laten. Maar als uw vriend komt, moet u met hem ergens anders naartoe gaan. Op het moment is het hier nog vrij rustig.' Hij keek naar de gasten, die voor het merendeel kalm zaten te praten en te drinken. 'Maar later op de avond wordt het altijd een beetje… onvoorspelbaar.'

'Maak je om mij nou maar geen zorgen,' zei ze met één oog op de deur. 'Geloof het of niet, ik ben eerder in dit soort gelegenheden geweest. Ik red me wel, oké?' En dat was waar. Het was de reden waarom er zulke sterke onderbuikgevoelens naar boven kwamen, nu ze hier zat. De geur van verschaald bier, het getinkel van glazen, het tikken van de biljartballen. Ze had als kind veel te veel tijd doorgebracht op plekken als deze. In de tijd dat ze als kind twee alcoholistische ouders moest opvoeden.

'Ik zie je later nog wel, Frankie,' zei ze weloverwogen. Hij knikte aarzelend en ging weer naar de andere kant van de bar, waar de biljarttafels stonden. Godzijdank was Bobby laat, dacht ze bij de zoveelste blik op de deur. Nu hoefde ze hem en Frankie niet aan elkaar voor te stellen. Hoewel ze het ergens prachtig zou hebben gevonden om Bobby's gezicht te zien als hij iemand ontmoette die zo groot en zo intimiderend was als Frankie. Ze wist dat Bobby ondanks al zijn stoerdoenerij een lafaard was.

Ze pakte een blanco envelop uit haar tas en legde die voor zich op tafel. Hij zag er heel onschuldig uit, maar ze wist dat de inhoud haar op een dag haar huwelijk en misschien zelfs haar gezin zou kunnen kosten. Ze maakte de envelop open en haalde de cheque eruit. Een cheque voor tienduizend dollar.

Die morgen had ze het geld overgeboekt. Het kwam niet van haar lopende rekening of hun spaarrekening. Het kwam van een derde rekening, die ze had geopend nadat Joy was geboren, in een tijd dat ze amper rond konden komen. Ze had toen een droom gehad. Ze wilde genoeg geld sparen om Joy en eventuele andere kinderen te kunnen laten studeren.

Jax had natuurlijk niet gestudeerd. Jeremy wel, maar hij had er altijd bij moeten werken en had na zijn afstuderen een studieschuld gehad die ze pas onlangs hadden afbetaald. Ze hadden allebei gewild dat hun kinderen naar de staatsuniversiteit zouden kunnen zonder als serveerster te hoeven werken en zonder schulden te maken.

Dat klonk eenvoudig genoeg, op het eerste gezicht tenminste. Maar geld sparen voor de studie van hun dochters was moeilijker dan ze zich hadden voorgesteld. Ze kwamen er al snel achter dat zich in het leven voortdurend grote en kleine noodgevallen voordeden. Een nieuw dak voor de doe-het-zelfzaak. Een nieuwe koppeling voor Jeremy's pick-up. Een nieuwe septic tank voor hun huis. En zo kon ze nog wel even doorgaan.

261

Toch was het studiefonds langzaam gegroeid. Tot vorig voorjaar de tienduizend dollar was bereikt. Ze wisten allebei dat het niet genoeg was om Joys studie te betalen, laat staan die van haar jongere zusjes. Maar het was een begin. En ze waren vastbesloten het in de toekomst beter te doen. Jax wist tenslotte wat zuinigheid was. Ze deed er haar hele leven al aan.

En dat was de reden waarom het die morgen zo'n zware beslissing voor haar was geweest om het geld van de studierekening over te schrijven naar hun betaalrekening en een cheque uit te schrijven voor het hele bedrag. Ze vond het vreselijk dat hun zuurverdiende geld naar een nietsnut als Bobby zou gaan. Maar de gedachte dat Jeremy achter de waarheid zou komen, vond ze nog erger.

Het enige wat haar hoop gaf dat hij niet meteen zou merken dat het geld weg was, was het feit dat Jax met haar handigheid met cijfers verantwoordelijk was voor zowel hun persoonlijke financiën als die van de doe-het-zelfzaak. Ze betaalde de rekeningen en de belastingen en beheerde de verschillende bankrekeningen. Jeremy keek er zelden of nooit naar. Hij had wel toegang tot alle informatie en het was slechts een kwestie van tijd voor hij zou merken dat Jax de studierekening had leeggehaald.

Jax was van plan het geld voor die tijd terug te storten. Hoe ze dat ging doen, wist ze zelf ook niet. Ze had niet ergens nog tienduizend dollar liggen. En ze kende niemand anders die dat had. Maar als ze erg zuinig was met het huishoudgeld en zoveel mogelijk terugsluisde naar die rekening, kon ze het geld misschien bij elkaar brengen voor Jeremy erachter kwam. Het was geen erg realistisch plan, dat wist ze. Op dit moment was het het enige wat ze kon doen.

'Hé, schatje.' Bobby liet haar schrikken toen hij op het bankje tegenover haar kwam zitten. Ze was zo verdiept geweest in haar gedachten dat ze was vergeten de deur in de gaten te houden.

Ze bekeek hem behoedzaam en het verbaasde haar om te zien hoe de gevangenis hem had veranderd. En niet bepaald ten goede. Uiterlijk leek hij min of meer hetzelfde. Hij was wat magerder. Zijn haar was een beetje langer. Maar ze wist dat de echte veranderingen vanbinnen zaten. Ze zag het aan de manier waarop hij zich beschermend over het biertje boog dat hij mee naar de tafel had genomen. En aan zijn ogen, die voortdurend heen en weer flitsten, alsof hij overal gevaar zag.

'Hallo, Bobby,' zei ze neutraal. 'Je ziet er goed uit,' loog ze in de hoop het gesprek vriendelijk te houden.

'Jij ziet er dik uit,' gaf hij terug na een snelle inspectie.

'Ik ben in verwachting,' zei ze strak.

'Jezus.' Hij nam een flinke slok van zijn bier. 'De hoeveelste wordt dat wel niet?'

'De vierde.' Jax haatte hem met heel haar hart.

Hij reageerde niet. Het kon hem niet echt schelen hoeveel kinderen ze had, besefte Jax. In plaats daarvan keek hij nogmaals de ruimte door en Jax volgde zijn voorbeeld. Tot haar opluchting zag ze dat niemand aandacht aan hen leek te besteden. Ze keek weer naar Bobby en zag met enige weerzin dat hij zijn bier opdronk en het lege flesje met een klap op het tafeltje zette.

'Wat drink jij?' Hij stond op.

'Cola,' zei Jax afwezig. Ze duwde haar glas naar hem toe.

'Jack met cola?'

'Jack Daniels met cola?' vroeg Jax voor de duidelijkheid. 'In godsnaam, Bobby, ik ben zwanger.'

Hij haalde ongeïnteresseerd zijn schouders op. 'Je zegt het maar,' zei hij.

'Ik wil graag een cola, als je nog iets te drinken gaat halen,' zei ze met een boze blik.

'Prima,' zei hij. In plaats van naar de bar te gaan, bleef hij wat ongemakkelijk staan. 'Eh, ik moet wat geld hebben,' zei hij.

Jax zuchtte, pakte haar portemonnee en gaf hem een paar biljetten. Een paar minuten later was hij terug met de drankjes. 'Is dat voor mij?' vroeg hij met een blik op de envelop. Jax knikte en schoof de envelop naar hem toe. 'De cheque zit erin. Voor het bedrag dat we afgesproken hebben.' Ze dwong zichzelf rustig en onaangedaan te blijven. Dit is een zakelijke transactie, hield ze zich voor.

Bobby nam een grote slok uit zijn flesje en keek de bar nog eens rond. Toen pakte hij de envelop, trok de cheque eruit en floot lang en zacht.

Ze keek toe, vol verwondering dat het mogelijk was om iemand zo erg te haten.

'Daarmee kan ik hier wel wat beginnen.' Hij deed de cheque in zijn portefeuille.

Jax staarde hem wezenloos aan.

'Wat is er?' Bobby kneep zijn ogen tot spleetjes.

Jax vermande zich. Ze had hem waarschijnlijk verkeerd begrepen. 'Niets. Het klonk alleen alsof je van plan was hier te blijven. In Butternut.'

Hij dronk zijn flesje leeg en glimlachte kwaadaardig. 'Dat is ook zo. Is dat een probleem?'

'Ja, dat is een probleem,' zei ze met een paniekerige zenuwtrekking. 'Het is een probleem omdat we hadden afgesproken dat je uit Butternut zou vertrekken nadat ik je het geld had gegeven. Weet je nog?'

'Heb ik gezegd dat ik weg zou gaan?' Hij leunde over het tafeltje. 'Als ik dat heb gedaan, ben ik van gedachten veranderd. Nu ik wat geld heb, wil ik hier een tijdje blijven hangen. Een oogje houden op mijn dochter. Me ervan verzekeren dat ze behoorlijk wordt opgevoed.'

Jax voelde alle kleur uit haar gezicht trekken.

'Dat klopt,' zei hij knikkend. 'Ik wil mijn dochter ontmoeten.'

'Dat gaat niet.' Jax raakte steeds meer in paniek. 'Je kunt haar niet ontmoeten. Ze is er niet. We hebben haar de hele zomer weggestuurd. Ze komt pas… over een hele tijd terug,' besloot ze.

'Zal ik je eens wat zeggen, Jax, ik geloof je niet,' zei Bobby, duidelijk boos nu. 'Volgens mij lieg je. Volgens mij probeer je me weg te houden bij mijn dochter. Maar dat kun je niet doen, Jax.'

Ik kan het verdomme wel proberen, dacht Jax met stijgende woede. En die woede was beter dan paniek, besloot ze. Nu dacht ze tenminste helder.

'Je hebt beloofd dat je je niet zou bemoeien met mijn leven,' zei ze met opeengeklemde tanden.

'Beloften worden gemaakt om verbroken te worden,' zei hij schouderophalend. 'Trouwens, misschien raakt het geld een keer op. En je doet nu wel of je arm bent, maar ik denk dat er meer is waar dit vandaan komt.'

Voor al die woorden uit Bobby's mond waren, voelde Jax de baby bewegen. Het was zo'n plotselinge, pijnlijke beweging dat ze even dacht dat ze het zou uitschreeuwen. In plaats daarvan greep ze de rand van de tafel. En dat was maar goed ook, want die gaf haar houvast toen de kamer opeens naar één kant overhelde. Ze hoorde de geluiden in de bar – het geroezemoes van stemmen, de muziek uit de jukebox en het klepperen van de dichtvallende hordeur – vervagen tot een ver gefluister en over haar hele lichaam brak het koude zweet haar uit. Toen sloeg er een golf van misselijkheid over haar heen. Ze ging flauwvallen of overgeven, dacht ze. Het werd hoe dan ook een akelige situatie.

Ergens aan de rand van haar bewustzijn hoorde ze een stem. Een bekende stem.

'Mevrouw Jax, is alles goed met u? Wat is er aan de hand?' En toen zei diezelfde stem. 'Wat heb je verdomme met haar gedaan?'

Het was Frankie, besefte ze opgelucht toen zijn enorme gezicht in beeld kwam. Hij knielde naast het tafeltje en schudde zachtjes aan haar schouders. 'Jax? Wat is er? Moet ik een ambulance bellen?'

'Nee, geen ambulance,' zei Jax versuft. 'Het gaat wel, echt.'

'Zo ziet u er niet uit,' zei Frankie weifelend. 'Jij,' zei hij, kennelijk tegen Bobby. 'Haal een glas water en een paar servetten. Opschieten.'

Voor deze ene keer deed Bobby blijkbaar wat hem gezegd werd, want toen Frankie weer iets zei, was het alleen tegen haar gericht.

'Mevrouw Jax, u ziet er niet goed uit. Uw gezicht is helemaal grauw. Laat me alstublieft een ambulance bellen of u zelf naar het ziekenhuis brengen.'

'Nee. Doe dat niet, Frankie. Het komt wel goed. Echt.' Ze haalde diep, maar beverig adem. Ze voelde zich al een beetje beter. Ze geloofde niet meer dat ze flauw zou vallen of over zou geven. Maar de paniek? Die was er nog en bonsde in haar aderen. En zodra ze dacht aan wat Bobby had gezegd, kwam de ontzetting weer in volle hevigheid opzetten.

Bobby kwam terug van de bar en zette een glas ijswater en een stapeltje servetten op het tafeltje voor Jax. Hij ging weer tegenover haar zitten en keek wrokkig naar Frankie.

'Ik deed helemaal niets,' mompelde hij zachtjes.

Frankie negeerde hem. Hij doopte een paar servetjes in het ijswater en gaf ze aan Jax.

'Leg die op uw voorhoofd,' raadde hij aan. Ze deed het en door de koele nattigheid voelde ze zich weer wat beter.

'Dank je, Frankie,' zei ze zachtjes terwijl ze haar gezicht depte met de natte servetten.

Hij stond op en richtte zijn aandacht op Bobby. 'Ik denk dat het tijd is dat je vertrekt,' zei hij rustig. Jax hoorde de dreiging in zijn stem.

'We zijn nog niet klaar,' zei Bobby nukkig. 'Jax en ik moeten nog wat dingen bespreken.'

'O, je bent wel klaar,' zei Frankie. 'Je kunt weglopen of ik kan je wegdragen, maar je gaat hoe dan ook weg.'

'Bemoei je met je eigen zaken,' jankte Bobby.

'Dat doe ik. Mevrouw Jax is een vriendin van mij en het is duidelijk dat jij haar van streek maakt. Kom op, wegwezen.'

Jax keek naar Bobby en vroeg zich af of hij met Frankie op de vuist zou gaan. Ze hoopte het bijna. Ze twijfelde er niet aan wie zou winnen.

Bobby was vals, maar niet stom. Hij boog zich over de tafel. 'Ik zie je nog wel,' zei hij tegen Jax, en het leek wel of hij elk woord uitspuwde. Toen gleed hij van het bankje en liep de bar uit.

'Ik ben zo terug,' zei Frankie tegen Jax, en hij stommelde achter Bobby aan.

Toen ze weg waren, was Jax' eerste gedachte dat zij ook zou moeten vertrekken. Het enige probleem was dat ze haar benen nog niet vertrouwde. En haar tweede gedachte was dat ze een grote fout had begaan. Ze had haar huwelijk op het spel gezet en was tienduizend dollar kwijt, allemaal voor niets. Bobby ging zich niet aan de afspraak houden. Dat was hij nooit van plan geweest. Jax zat met hem opgescheept. Hij ging niet vertrekken. Waarom zou hij ook zolang er een mogelijkheid was om meer geld van haar los te krijgen?

Ze begon te huilen, eerst zachtjes, maar toen harder. Het kon haar niet schelen of iemand het zag of niet. Wat maakte het uit? Het leven zoals zij het kende was voorbij. Het zou nooit meer hetzelfde zijn.

Ze zat onbeheerst en vol ellende te snikken toen Frankie vijf minuten later terugkwam.

'Hij is weg,' zei hij dof. Hij wist zich amper op het bankje aan de andere kant van het tafeltje te wringen.

Ze knikte zonder op te kijken en veegde haar gezicht af met het natte servetje.

'Mevrouw Jax,' zei Frankie. 'Ik vind dat u moet weten dat ik hem niet alleen gezegd heb de bar te verlaten, maar ook dat hij uit Butternut moest vertrekken. Ik heb gezegd dat hij weg moest gaan en niet terug moest komen.'

Jax keek verrast naar Frankie op. 'Echt waar?'

Frankie knikte. 'Hij bedreigde u, nietwaar?'

'Ja,' zei ze. Wat had het nog voor zin om te liegen?

'Dat dacht ik al,' zei Frankie. 'Hoe dan ook, ik heb even met hem gepraat. Ik kan heel overtuigend zijn als ik dat wil.' Hij sprak met een zweem van een glimlach om zijn mond.

Jax zuchtte en snoot zonder plichtplegingen haar neus in een servetje. 'Dank je, Frankie,' zei ze. 'Omdat je geprobeerd hebt me te helpen, bedoel ik. Maar Bobby is helemaal niet van plan hier weg te gaan. Hij heeft... andere bedoelingen.' Bij de gedachte aan die bedoelingen ontsnapte haar weer een snik.

'Nee, mevrouw Jax. Luister.' Frankie boog zich naar haar toe. 'Hij gaat weg. En hij komt niet terug.'

Jax keek weer naar hem op en schudde triest haar hoofd.

'Frankie, ik weet niet wat Bobby tegen je gezegd heeft. Maar hij komt terug. Hij is nog niet klaar met mij of met mijn gezin.'

'O, hij is wel klaar,' zei Frankie vol zelfvertrouwen. 'Neem dat maar van mij aan.'

Jax zuchtte en opeens was ze zo moe dat ze zich ervan moest weerhouden haar hoofd op de tafel te leggen en te gaan slapen. Ze deed haar mond open om Frankie nog eens uit te leggen dat hij het mis had. Maar ze had de energie niet.

Frankie zag het scepticisme in haar gezicht. Hij boog zich over de tafel en zei met zachte, maar dringende stem: 'Mevrouw Jax, ik heb tegen Bobby gezegd dat hij vanavond nog moet vertrekken. Ik heb hem gezegd dat ik hem zou vermoorden als ik hem ooit nog in Butternut zag. Zo eenvoudig is het.'

'Frankie, waarom zou je dat zeggen?' vroeg Jax oprecht verbaasd. Ze wist dat er mensen waren die zich lieten intimideren door Frankies omvang. Zijzelf was nooit een van die mensen geweest. Ze had intuïtief geweten dat er geen zachtaardiger man bestond dan hij, wat zijn verleden ook geweest mocht zijn.

'Ik zei het omdat ik het meende.' Hij kneep vastberaden zijn ogen tot spleetjes.

'Frankie.' Ze schudde haar hoofd. 'Je zou hem toch niet echt vermoorden?'

'Ja, dat zou ik wel doen. Ik heb het eerder gedaan,' zei hij zachtjes. 'Een man vermoord, bedoel ik. En Bobby weet dat. We hebben in dezelfde gevangenis gezeten. Ik heb Bobby gezegd dat ik het zó weer zou doen als hij u niet met rust liet. En hij geloofde me. Neem dat maar van mij aan, mevrouw Jax. Ik zag het aan zijn gezicht.'

'Heb jij een man vermoord?' vroeg Jax, zonder te letten op wat hij nog meer had gezegd.

'Dat klopt,' zei Frankie.

'Waarom?' Het was de eerste vraag die bij haar opkwam.

'Het waarom is niet belangrijk,' zei hij met een afwijzend gebaar van zijn enorme hand.

'Voor mij wel,' zei Jax.

Hij fronste en dacht even na. 'Oké,' zei hij eindelijk. 'Ik zal u vertellen wat er gebeurd is. Maar het blijft onder ons, goed? Zelfs juffrouw Caroline weet dit niet.'

Ze knikte en hikte toen luid.

Hij glimlachte en duwde haar glas cola naar haar toe. Gehoorzaam nam ze een slokje.

'Ik ben opgegroeid in een gezin waar het... een beetje vreemd toeging, kan ik wel zeggen.' Hij zuchtte en zijn enorme schouders zakten een beetje naar voren. 'Mijn vader had ons in de steek gelaten. Mijn moeder deed haar best, maar eerlijk gezegd, mevrouw Jax, was haar best niet heel erg goed. Ze had altijd wel een vriendje in de buurt. En de meesten van hen, nou, dat waren geen mannen die een potje met mij wilden honkballen, als u begrijpt wat ik bedoel.'

Jax wist wat hij bedoelde.

'Hoe dan ook,' ging hij verder, 'een van de vriendjes van mijn moeder deelde graag klappen uit aan mijn zusje en mij.

Toen ik groter werd, was dat natuurlijk geen probleem meer. Maar ik denk dat het kwaad toen al geschied was. Toen mijn zus ging trouwen, veel te jong, koos ze een man die net was als de vriend van mijn moeder. Een echte heethoofd. Als die na een slechte dag op zijn werk of zoiets thuiskwam, blies hij stoom af door, nou, u weet wel...' Hij keek weg, worstelend met de herinnering.

Jax stak haar kleine hand uit en probeerde zonder veel succes zijn enorme hand te omvatten. 'Het is al goed, Frankie. Ik snap het al,' fluisterde ze.

'Hoe dan ook,' zei hij, 'ik werd er gek van, zoals hij haar behandelde. Er was niet veel op de wereld waarvan ik hield, maar ik hield van haar. Ze was een lief klein ding. Geloof het of niet, zelfs met mij als broer was ze niet veel groter dan u, mevrouw Jax. En ik... ik kon er niet tegen om haar zo te zien leven. Dus ging ik er op een avond naartoe om eens met haar man te praten. Hij had gedronken. En we kregen het met elkaar aan de stok. Ik was sterker dan hij, maar hij had een mes. Dat zag ik pas toen het te laat was. Hij ging me ermee te lijf, dus toen...' Zijn stem stierf weg.

'Maar Frankie, dat was toch zelfverdediging? Waarom ben je dan in de gevangenis beland?'

'Nou, de openbare aanklager zag het anders, denk ik.' Hij haalde zijn schouders op.

'O, Frankie,' zei Jax. De tranen stonden weer in haar ogen. 'Wat erg voor je. Het lijkt zo oneerlijk. Maar het verklaart nog steeds niet waarom je hebt gedreigd Bobby te vermoorden.'

Hij dacht even na en ze zag dat hij moeite had om zijn gedachten in woorden te vatten. Hij was niet zo'n prater, Frankie. Tot vanavond had hij ook nooit veel gezegd.

'Ik geloof dat ik Bobby zou vermoorden om u te beschermen,' zei hij na een lange stilte. 'U en Jeremy. En de meisjes, natuurlijk. U hebt me allemaal geholpen,' zei hij eenvoudig. 'Toen ik in Butternut kwam, rechtstreeks uit de gevangenis, toen hebben juffrouw Caroline en uw gezin me een kans gegeven, en dat ben ik nooit vergeten. Dat zal ik ook nooit vergeten.'

'Frankie, zoveel hebben we niet gedaan,' protesteerde Jax.

'U hebt heel veel gedaan,' zei Frankie. 'Toen juffrouw Caroline me die baan gaf, had ik geen onderdak. Niemand wilde verhuren aan een ex-gedetineerde, maar Jeremy heeft me geholpen met dat appartement boven de wasserette. Hij heeft zelfs garant voor me gestaan.'

Jax knikte bedachtzaam. Ze herinnerde zich dat Jeremy dat had gedaan, maar het had haar niet verbaasd. Zo was hij nu eenmaal.

'En toen ik erin was getrokken,' ging Frankie verder, 'bleek dat er een heleboel aan het appartement moest gebeuren, maar ik had nog niets gespaard. Toen heeft Jeremy me weer geholpen. Hij heeft me krediet gegeven in de doe-het-zelfzaak en ik kon alles kopen wat ik nodig had en zelf de mankementen verhelpen. Ik weet dat u er nooit geweest bent, mevrouw Jax, maar het ziet er nu heel aardig uit. Gezellig, zou u het denk ik noemen.'

Jax glimlachte om zijn woordkeuze. Ze wist dat Jeremy Frankie ook daarbij geholpen had. 'Maar, Frankie,' zei ze nu. 'Je hebt al het geld terugbetaald. Je bent ons niets verschuldigd. Niet meer.'

'Het is niet dat ik u iets verschuldigd ben,' zei hij zorgvuldig. 'Het gaat erom dat mensen zoals u goede mensen zijn, dat is het. En misschien hebt u in uw leven vooral goede mensen om u heen gezien. Maar mevrouw Jax, waar ik gezeten heb, zag ik voornamelijk slechte mensen. Of mensen die te beschadigd waren om nog goed te kunnen zijn. Daarom wil ik mensen als u en uw familie beschermen. U bent aardig. Lief. Onschuldig, zoiets. En ik wil dat dat zo blijft.'

Jax bleef haken aan het woord 'onschuldig'. Ze sloeg haar ogen neer. 'Ik weet niet of ik wel zo onschuldig ben,' zei ze zachtjes. 'Daar is de waarheid veel te ingewikkeld voor.'

Frankie was het niet met haar eens. 'Ik bedoel niet dat ik denk dat u volmaakt bent, mevrouw Jax. Iedereen maakt fouten. Maar zoals juffrouw Caroline altijd zegt, iedereen verdient een tweede kans. Of de meeste mensen, in elk geval.' Zijn blik werd donkerder en Jax wist dat hij aan Bobby dacht.

Ze zuchtte en nam nog een klein slokje cola. Ze huilde niet meer, deels omdat Frankie haar had afgeleid door haar te vertellen over zijn eigen leven. Nu moest ze onvermijdelijk weer aan haar eigen situatie denken.

'Frankie, denk je echt dat Bobby weg zal blijven?'

'Ik weet het zeker,' zei hij rustig.

'En als hij dat niet doet?'

'Laat dat maar aan mij over. Nu wil ik u naar uw auto brengen, mevrouw Jax. Het begint hier al de verkeerde kant uit te gaan.'

Jax keek om zich heen en werd zich bewust van enige commotie aan de bar. Ze was haar omgeving helemaal vergeten, maar nu zag ze hoeveel drukker het was geworden. En hoeveel luidruchtiger de mensen inmiddels waren.

'Kom op, ik neem u mee door de keuken,' zei Frankie. 'De eigenaar is een vriend van mij.'

Frankie maakte de weg voor haar vrij en Jax volgde hem gehoorzaam door de keuken naar de parkeerplaats. Hij liep mee naar haar pick-up.

'Dank je, Frankie.' Ze omhelsde hem. Dat was niet gemakkelijk. Haar armen kwamen bij lange na niet om zijn lichaam heen, maar ze deed haar best. En hij klopte onhandig met een van zijn enorme handen op haar rug.

'Frankie?' Opeens viel haar iets in. Ze deed een stap achteruit en keek naar hem op. 'Hoe is het met je zus afgelopen?'

'Dat weet ik niet,' zei hij, terwijl hij op haar neerkeek. 'Na wat er gebeurd is, heeft ze nooit meer met me willen praten. Ze zei dat ze van haar man hield. Het is toch wat, hè?' Hij probeerde te glimlachen, maar Jax zag dat het hem niet lukte.

Heel even deed Jax haar ogen dicht. Soms leek het haar dat er veel te veel pijn was op de wereld.

'Hé, het geeft niet,' zei Frankie toen hij haar gezicht zag. 'Ik ben niet zo slecht terechtgekomen. Ik heb mijn tijd uitgezeten en intussen heb ik leren koken. En mijn zus? Misschien is zij verstandig geworden. Wie weet? Misschien heeft ze zelfs een aardige vent ontmoet.'

'Ik hoop het.' Jax omhelsde hem nog een keer.

Terwijl ze dat deed, voelde ze een van de contracties die ze de laatste tijd had. Dit keer was hij sterker. Zo sterk dat ze even geen lucht kreeg. Het leek verrassend veel op een echte wee.

Ze zoog wat lucht naar binnen en Frankie keek bezorgd op haar neer.

'Het is de baby,' legde Jax uit, en ze ging met haar hand over haar buik. 'Ze laat voelen dat ze er is.'

Frankie knikte weifelend. 'U moet naar huis.' Hij deed het portier van de pick-up voor haar open. Ze stapte in en liet hem het portier weer dichtslaan. En toen keek Frankie haar lachend aan, de eerste keer die avond dat hij echt lachte.

'Ga nu maar naar uw prachtige dochters,' zei hij opgewekt. 'En geef ze allemaal een nachtzoen.'

'Dat doe ik,' zei Jax dankbaar, en ze startte de motor. En ze hield zich aan haar woord.

26

De volgende avond, nog geen vierentwintig uur nadat ze bij de Mosquito Inn was vertrokken, zat Jax weer in haar pick-up. Dit keer reed ze naar Butternut Lake.

Jax? Allie stond voor het keukenraam met een pas afgewassen bord in haar handen. Ze zette het bord weer in het druiprek, droogde haar handen aan een handdoek en haastte zich naar buiten, waar Jax net onhandig uit haar pick-up gleed.

'Jax,' zei ze verwijtend, en ze zou nog meer hebben gezegd als ze Jax' gezicht niet had gezien. Misschien werd ze tot zwijgen gebracht door de stand van haar schouders of haar opeengeklemde kaken. Wat het ook was, Jax leek vastbesloten. Geen vrouw die zomaar even langskwam. Ze zag eruit of ze heel vastomlijnde plannen had.

'Jax? Wat is er?' Allie slikte de preek die ze haar had willen geven in. De preek over hoe dom het was om in dit stadium van haar zwangerschap alleen buiten de bebouwde kom rond te rijden.

'Ik probeer je de hele dag al te bellen,' zei Jax, 'maar je was steeds in gesprek en...'

'O, de telefoon lag van de haak,' legde Allie uit. 'Ik heb het net pas ontdekt. Wyatt moet hem eraf hebben gestoten bij het spelen.'

'Nou, ik heb je mobiel ook geprobeerd,' zei Jax. 'Maar ik kreeg steeds de voicemail.' Allie fronste en vroeg zich af of ze weer was vergeten het ding op te laden. Daar moest ze echt weer een gewoonte van maken.

Jax onderbrak haar gedachten. 'Is Wyatt nog wakker?' vroeg ze.

'Nee.' Allie schudde haar hoofd. 'Hij moet om halfnegen echt in bed liggen. Anders word ik gek.' Ze zweeg even, wachtend tot Jax iets zou zeggen. Jax knikte alleen maar. Ze leek niet helemaal in orde. Erger nog. Ze zag eruit alsof ze pijn had.

'Jax, kan ik iets voor je halen? Een glas water, misschien?'

'Oké.'

'Kom binnen.' Allie begon nu echt ongerust te worden.

Jax liep achter haar aan de trap op, maar toen ze op de veranda waren, zei ze: 'Als je het niet erg vindt, wacht ik liever buiten, Allie.' Ze liet zich op de bovenste tree zakken en de manier waarop ze dat deed, langzaam en moeizaam, wakkerde de ongerustheid van Allie nog verder aan. Jax was zelfs nu ze hoogzwanger was altijd zo lichtvoetig. Zo levendig. Bij haar leek een zwangerschap zelfs tijdens de warme zomermaanden gemakkelijk. Maar vanavond niet, dacht Allie. Vanavond leek het of het ook voor Jax zwaar was.

'Ik ben zo terug.' Allie haastte zich naar binnen en schonk bij het aanrecht een glas water voor Jax in. Intussen probeerde ze zichzelf gerust te stellen. Natuurlijk was Jax moe. Natuurlijk zat ze niet lekker in haar vel. Ze was immers achtenhalve maand zwanger. Zelfs de gemakkelijkste zwangerschappen zijn zwaar in die laatste weken, bedacht Allie. En Jax was ook maar een mens, hoe gemakkelijk het huwelijk, de zwangerschap en het moederschap haar ook af leken te gaan.

'Kijk eens,' zei ze toen ze weer op de veranda was en Jax het glas water overhandigde.

Allie ging naast haar zitten en keek toe terwijl Jax aarzelend een slokje nam. Pas toen zag ze bij het licht op de veranda dat Jax onnatuurlijk bleek zag en dat haar gezicht glansde van het koude zweet, ook al was het een warme avond.

'Jax? Ga je me nog vertellen wat je hier komt doen?' vroeg ze terwijl in haar hoofd de alarmbellen afgingen.

Jax knikte. Wat ze toen zei, overviel Allie volledig.

'Wanneer heb je Walker voor het laatst gesproken?'

'Walker?' herhaalde Allie. 'Niet meer sinds onze picknick op woensdag. Vandaag is het vrijdag. Twee dagen geleden, dus. Hoezo?'

Jax gaf geen antwoord. Ze nam nog een slokje water.

'Hoezo, Jax? Vind je dat vreemd?' Allies stem klonk dunnetjes in de rustige avond. 'Dat hij me niet gebeld heeft, bedoel ik?'

Jax beantwoordde de vraag met een wedervraag. 'Heeft hij je op de dag van de picknick verteld dat hij bezoek kreeg?' Ze zette het glas water een beetje onvast op de bovenste tree, tussen hen in.

'Bezoek?' herhaalde Allie verrast. 'Nee. Dat geloof ik niet. Hoezo? Wat is er aan de hand?' vroeg ze. Het ongeduld dat de kop had opgestoken, werd getemperd door haar bezorgdheid om Jax. Ze zag er echt niet goed uit.

Jax haalde beverig adem en toen zei ze: 'Toen de meisjes vanmorgen naar het dagkamp waren, ben ik naar Pearl's gegaan. Caroline had het druk, dus zat ik met mijn kop thee aan het buffet toen er een vrouw binnenkwam die op de kruk naast mij ging zitten. Allie, ik zweer je, toen ik me naar haar omdraaide en besefte wie ze was, was ik zo verbaasd dat ik bijna mijn thee uitspuwde.'

'Wie was het dan?' vroeg Allie nieuwsgierig, maar tegelijkertijd verbaasd. Was Jax helemaal hiernaartoe gekomen om haar te vertellen over een of andere geheimzinnige vrouw?

Jax nam nerveus nog een slokje water. 'Het was Caitlin. Walkers ex-vrouw.'

Allie staarde haar alleen maar aan.

'Ik weet het. Ik snapte er ook niets van,' ging Jax snel verder. 'Niemand heeft haar ooit nog in het stadje gezien nadat zij en Walker uit elkaar waren gegaan. Eerst dacht ik dat ze misschien op doorreis was. Of dat ze een kop koffie kwam drinken met Walker. Je weet wel, exen die beleefd tegen elkaar willen blijven doen, zoiets. Maar toen ik een praatje met haar aanknoopte, zei ze dat ze Walker ging opzoeken. En toen ik vroeg hoe lang ze bleef, zei ze dat ze dat nog niet wist. Ze zei dat dat nog niet vaststond. Dat waren haar eigen woorden.' Jax keek Allie bezorgd aan.

'Dat is vreemd,' mompelde Allie. Ze wist niet wat vreemder was, het feit dat Walkers ex-vrouw hem ging opzoeken of het feit dat Walker haar niet had verteld dat zijn ex-vrouw op bezoek kwam.

'Het is inderdaad vreemd,' beaamde Jax. 'Maar het is waar, Allie. Ze is bij hem. Haar auto staat op zijn oprit.'

Allie fronste. Ze kon niet goed verwerken wat Jax haar vertelde. Toen kwam er iets bij haar op. 'Jax,' vroeg ze, 'hoe weet je dat haar auto bij hem op de oprit staat?'

Jax keek schuldig. En toen verlegen. 'Toen ik onderweg hiernaartoe langs zijn huis kwam, ben ik een klein stukje omgereden. Ik ben zijn oprit op gereden. Niet helemaal naar zijn huis. Alleen ver genoeg om haar auto te kunnen zien.'

'Heb je hem bespioneerd?' vroeg Allie ongelovig.

'Zo'n beetje,' zei Jax half fluisterend.

'Waarom?'

'Omdat ik het moest weten. Ik moest het weten omdat ik wilde dat je het van mij zou horen als zij daar was zonder dat jij het wist. Ik bedoel, ik wilde niet dat je hem zou bellen en haar aan de telefoon zou krijgen. Of dat je ernaartoe zou gaan en zij de deur zou opendoen.'

Toen Allie niets zei, ging ze verder. 'Je was die avond na de picknick zo gelukkig,' zei ze. 'Ik had je nog nooit zo gezien. Je leek zo... zo verliefd. Ik wilde niet dat je gekwetst zou worden. En als je gekwetst ging worden, wilde ik proberen de pijn zoveel mogelijk te beperken.'

Allie knikte afwezig. Ze kon het nog steeds niet helemaal bevatten. 'Jax,' zei ze eindelijk, 'laten we niet te snel conclusies trekken. Misschien is er wel een heel redelijke verklaring voor deze hele toestand.' Maar ze geloofde er al niet echt in terwijl de woorden uit haar mond kwamen. Als er een heel redelijke verklaring voor was, waarom had Walker die dan niet gegeven?

'Je hebt gelijk.' Jax knikte heftig. 'Ik weet zeker dat er niets aan de hand is.' Ze kneep geruststellend in Allies hand en het verbaasde Allie hoe koud en klam de hand van Jax op deze warme avond aanvoelde.

'Jax, wat is er met je?' vroeg Allie opeens toen ze een pijnlijke trek over Jax' gezicht zag gaan.

Jax wilde antwoord geven, maar stootte een gesmoord kreetje uit. Haar handen gingen beschermend naar haar buik. 'Het is de baby,' zei ze een beetje buiten adem.

'Is alles... is alles oké?' Allie had opeens een droge mond.

'O, prima, hoor.' Jax masseerde onhandig haar onderrug. 'Ze laat me alleen weten dat ze onderweg is, dat is alles.'

'Onderweg?' herhaalde Allie niet-begrijpend.

'De bevalling is begonnen, Allie,' zei Jax nuchter. Ze stopte even met over haar rug wrijven om haar glas leeg te drinken. 'De baby komt eraan. Al vrij snel, volgens mij.'

Allie staarde haar aan. Ze had haar wel verstaan. Ze geloofde haar alleen niet.

'Allie, er is niets aan de hand,' zei Jax toen ze haar gezicht zag. 'Ik heb dit eerder gedaan, weet je nog? Drie keer maar liefst.'

'Was dat een wee?' vroeg Allie.

'Dat was een wee,' beaamde Jax, die weer over haar rug wreef. 'Gisteravond was ik met Frankie in een bar en toen voelde ik iets waarvan ik nu denk dat het een heel vroege wee

278

geweest kan zijn. Ik heb het natuurlijk niet serieus genomen.'

Allie zat haar nog steeds aan te staren en zei het eerste wat bij haar opkwam. 'Ben jij gisteravond met Frankie naar een bar geweest?'

'Ik heb natuurlijk niets gedronken,' zei Jax snel. 'We hebben alleen wat gepraat. Het klinkt vreemd, maar...'

'Laat maar zitten,' zei Allie ongeduldig. 'Het maakt niet uit. Wat uitmaakt, is dat je net je eerste wee had, toch?'

'Eigenlijk was het niet mijn eerste wee,' zei Jax schaapachtig. 'Ik heb ze al een tijdje.'

'Een tijdje?' zei Allie. 'Hoe lang is "een tijdje"?'

'Al voordat ik besloot hiernaartoe te rijden. Op dat punt lagen de weeën nog vrij ver uit elkaar en... Nou, ik maakte me zorgen om jou.'

Allie wist niet wat ze hoorde. 'Jax, je wist dat de bevalling begonnen was en toch ben je hiernaartoe gereden omdat je je zorgen om mij maakte?' vroeg ze ongelovig.

Jax knikte. 'Ik weet het, het klinkt een beetje gek. Maar ik was er zeker van dat ik genoeg tijd zou hebben om naar je toe te gaan en terug te zijn voordat...' Ze maakte de zin niet af en haar gezicht vertrok weer van pijn. Toen het voorbij was, ging ze verder: 'Bij mijn andere zwangerschappen duurde de bevalling heel lang. Echt lang. Bij alle drie de meisjes waren de weeën al een paar dagen aan de gang voordat ik naar het ziekenhuis moest. Maar dit keer' – ze schudde haar hoofd – 'dit keer gaat alles een stuk sneller.'

'O, Jax.' Allie begon haar rug voor haar te masseren. 'Het feit dat je dan toch helemaal hiernaartoe bent gekomen, is misschien het liefste, maar ook het stomste wat iemand ooit voor me gedaan heeft.'

'Dank je, geloof ik.' Jax lachte kort toen de pijn weer weg was.

'Ik ga Jeremy bellen.' Allie kwam in actie. 'Hij kan hard rijden, toch? Harder dan ik, in elk geval. Ook al moet hij eerst hierheen rijden, hij heeft je sneller in het ziekenhuis dan ik.'

Jax schudde haar hoofd. 'Jeremy is naar St.-Paul. Hij is vanmorgen vertrokken. Zijn neef heeft gisteren een ongeluk gehad met zijn motor.'

'Heeft Jeremy je alleen gelaten, zo dicht bij je uitgerekende datum?' vroeg Allie verbijsterd.

'Hij zou alleen vannacht wegblijven,' zei Jax. 'We wisten allebei zeker dat hij tijd genoeg zou hebben om terug te zijn voor de bevalling begon.'

'Oké.' Allie dwong zichzelf kalm te blijven. 'Jeremy is er niet. Maar ik wel. Ik maak Wyatt wakker, zet hem op de achterbank van de auto en rijd je zelf naar het ziekenhuis.'

'Allie, er is niet genoeg tijd. Het spijt me. Het ziekenhuis is een halfuur rijden. En ik heb het gevoel dat ik geen halfuur meer heb.'

'Jax, ik dacht dat je zei dat bevallingen bij jou altijd lang duurden.'

'Vroeger, ja. Nu blijkbaar niet. Het gaat nu niet zoals de andere keren, Allie. Deze baby komt snel. Veel sneller dan ik voor mogelijk had gehouden. De weeën komen nu echt dicht op elkaar.'

'O Jax, je had nooit hierheen mogen rijden,' zei Allie ontzet.

'Ik weet het. Maar ik ben er nu,' antwoordde ze. 'En er zijn wel ergere plekken om een kind te krijgen.'

Allie knipperde niet-begrijpend met haar ogen.

'Allie, het spijt me,' zei Jax met opeengeklemde kaken. Ze had duidelijk pijn. 'Dit was niet het plan. Ik zou je nooit bewust in deze positie hebben gebracht. Ik was er zo zeker van dat ik meer tijd zou hebben.'

'Jax, je wilt toch niet zeggen dat je de baby hier gaat krijgen?' vroeg Allie toen Jax' woorden eindelijk door de mist drongen die in haar hoofd was neergedaald.

'Ik weet niet of ik wel een keus heb.' Jax schudde even haar hoofd. 'Allie, je moet het zo bekijken. Vroeger kregen alle vrouwen thuis hun baby, geholpen door andere moeders. Jij kunt mij helpen. Je hebt toch ook een kind gekregen?'

'In het ziekenhuis, Jax.' Allie klonk een beetje hysterisch, zelfs in haar eigen oren. 'Ik heb een baby gekregen in het ziekenhuis. Niet in een huisje in het bos.'

'Oké, maar je weet hoe het gaat,' zei Jax bemoedigend. 'Het is niet zo moeilijk.'

'Jax, het lijkt wel of je het over iets heel anders hebt dan ik.' Allie was stomverbaasd. 'Neem maar van mij aan dat een baby krijgen verreweg het zwaarste is wat ik ooit heb gedaan. En ik had niet eens een natuurlijke bevalling. Ik ben zo snel mogelijk naar het ziekenhuis gegaan en heb ze gesmeekt me te verdoven.'

Jax lachte, hoewel Allie niet begreep hoe ze op een moment als dit kon lachen.

'Oké,' gaf Jax toe. 'Een baby krijgen is niet zo heel gemakkelijk. Dat geef ik toe. Maar we hoeven dit niet alleen te doen, Allie. Bel het alarmnummer. Dan verbinden ze je door met de vrijwillige brandweer van Butternut. Die heeft een ambulance, dus ze kunnen snel hier zijn. En het zijn allemaal goed opgeleide ambulancebroeders, dus ze weten hoe ze een baby ter wereld moeten brengen. Het zijn prima jongens. Geloof mij maar. Ik heb met de helft van die lui op de middelbare school gezeten.'

'Ik ga meteen bellen.' Allie haastte zich naar haar telefoon in de keuken. Ze wist dat ze de paniek op afstand kon houden door iets concreets te doen. Ze pakte de telefoon, belde het alarmnummer en sprak met de meldkamer. Toen ze had opgehangen, ging ze terug naar Jax.

'Ze komen eraan.' De opluchting was duidelijk hoorbaar in haar stem. 'Denk je dat je kunt wachten tot ze er zijn?'

Jax knikte, maar haar gezicht stond strak van de pijn. Nog een wee.

'We moeten de tijd tussen de weeën opnemen,' zei Allie,

en ze keek op haar horloge. 'Jax, denk je niet dat je beter naar binnen kunt gaan?'

Jax schudde haar hoofd. 'Ik vind het fijn hier op de veranda,' zei ze. 'Hier kan ik de sterren zien.'

'De sterren?' Allie keek naar de nachtelijke hemel. Die was vanavond inktzwart met wel een miljoen speldenprikjes licht. Het verbaasde haar dat Jax dat had opgemerkt.

'Oké.' Allie ging naast haar zitten en begon haar onderrug weer te masseren. 'Dan blijven we hier. Is er iets anders dat ik kan doen terwijl we wachten tot de ambulance er is?' vroeg ze. Ze wierp een blik op haar horloge, zodat ze de tijd tussen de weeën kon opnemen. 'Wil je nog een glas water?'

Opeens verstrakte Jax' lichaam door de pijn. Allie keek op haar horloge. Drie minuten. Ze sloot haar ogen en deed een schietgebedje. Laat die ambulance alsjeblieft komen voor de baby wordt geboren. Ik weet dat ik best veel kan. Maar een baby op de wereld zetten hoort daar niet bij.

'Weet je wat je voor me kunt doen, Allie?' zei Jax toen de wee was weggeëbd. 'Je kunt Jeremy bellen op zijn mobiel. Ik zal je het nummer geven. Probeer hem niet te laten schrikken, oké? Hij moet vanavond nog een heel eind rijden en ik wil niet dat hij een ongeluk krijgt. En ik heb mijn buurvrouw, Sally Ann, bij de meisjes achtergelaten. Je moet mijn huis bellen en haar laten weten dat het een latertje wordt.'

Dat is wel heel zwak uitgedrukt, dacht Allie. Ze belde Jeremy en Sally Ann en deed bij allebei haar uiterste best een kalme indruk te wekken. Jeremy was echter verre van kalm toen Allie hem de situatie uitlegde. Hij was woedend op zichzelf omdat hij zo ver weg was gegaan en maakte zich enorme zorgen om Jax.

Dus stelde Allie hem gerust door hem Jax zelf te geven. Al was het maar heel even. Ze kon zien dat het Jax moeite kostte om normaal te praten.

Toen ze Jeremy gedag had gezegd, stond Jax op en liep op

en neer over de veranda. Af en toe pauzeerde ze even en leunde ze tegen de muur van het huisje, haar ogen dicht in een combinatie van pijn en concentratie. Allie bleef de tijd tussen de weeën opnemen en wachtte gespannen tot de ambulance zou komen. Uiteindelijk duurde dat maar twintig minuten. Voor Allie leek het wel een eeuwigheid.

Ze zag hem de oprit op komen en de drie brandweermannen/ambulancebroeders uitstappen.

'Hoi, Jax,' zei een van hen opgewekt. 'We horen dat je een baby krijgt.'

'Daar lijkt het op.' Jax liet zich tegen de muur van het huisje zakken.

'Hallo, ik ben Jed.' De man kwam de trap op en schudde Allie de hand. Hij was lang en gespierd en had heel brede schouders. Allie dacht eraan dat Jax had gezegd dat ze met de helft van de vrijwillige brandweer op de middelbare school had gezeten. Deze Jed zag eruit alsof hij verdediger was geweest in het footballteam.

'Hoe snel komen de weeën?' vroeg hij aan Allie, met een blik op Jax. Te oordelen naar het lichte gejammer dat haar ontsnapte, had ze op dat moment een bijzonder heftige wee.

'Twee minuten,' zei Allie. 'Misschien iets minder.'

'Oké.' Hij beoordeelde kalm de situatie. 'Ik geloof niet dat we tijd hebben om naar het ziekenhuis te gaan. Zelfs al rijden we zo hard we kunnen. Ik denk dat deze baby hier geboren wordt.'

Allie knikte zwakjes. 'Daar was ik al bang voor.'

'Het is niet iets om bang voor te zijn,' zei hij kordaat. 'We hebben al zoveel baby's gehaald. Onlangs nog. Maar we moeten wel een goede ruimte hebben. Een slaapkamer, misschien?'

'Natuurlijk,' zei Allie, gerustgesteld door zijn zelfvertrouwen. 'Mijn zoontje ligt in zijn eigen kamer te slapen. Maar jullie kunnen mijn kamer gebruiken. Ik zal jullie laten zien waar die is.'

'Mooi. En als je wat extra lakens en handdoeken hebt, is dit een goed moment om ze voor ons klaar te leggen.'

'Ga ik doen,' zei Allie.

Ze liet Jed haar slaapkamer zien en bracht hem toen een stapel lakens en handdoeken en een katoenen nachthemd voor Jax dat iets weghad van een ziekenhuishemd. Jax leek niet veel zin te hebben om naar binnen te gaan, maar Jed haalde haar vriendelijk over om naar Allies slaapkamer te komen. Hij moest haar onderzoeken, legde hij uit, zodat ze wisten hoe de bevalling vorderde.

Terwijl hij dat deed, ging Allie met bonzend hart bij Wyatt kijken. Stel dat de bevalling niet normaal verliep, dacht ze. Stel dat de baby niet in orde was? Maar daar kon ze nu niet aan denken. Dus trok ze Wyatts beddengoed recht en verbaasde zich er voor de zoveelste keer over dat hij in staat was overal doorheen te slapen.

Toen ze zijn kamer uit kwam, zocht ze wanhopig naar iets wat ze kon doen. Iets wat Jax zou helpen. Iets waarvoor ze niet noodzakelijk bij haar in de kamer hoefde te zijn. Jax was zonder haar beslist beter af. Ze was zo nerveus dat Jax haar door de bevalling heen zou moeten helpen in plaats van andersom.

Eindelijk kreeg ze een idee. IJs. Daar had ze zelf op gesabbeld toen ze van Wyatt moest bevallen. Ze ging naar de keuken en maakte alle ijsblokjesvormen leeg in een grote plastic zak. Die legde ze op het aanrecht en toen brak ze de blokjes met een vleeshamer in kleine stukjes.

Ze had minstens een pond ijsblokjes klein geslagen toen Jed de keuken in kwam.

'Wat doe je?' vroeg hij.

'Ik maak stukjes ijs voor Jax,' legde Allie uit terwijl ze op de zak met ijs bleef slaan.

'Ze vraagt niet om ijs,' zei Jed. 'Maar wel om jou.'

'Om mij?' Allie stopte halverwege een zwaai met de hamer.

Hij knikte. 'Ze doet het fantastisch, trouwens. Haar vrucht-

284

water is net gebroken en ze heeft al negen centimeter ont-sluiting. Ze is bijna klaar om te gaan persen en ze wil graag dat jij erbij bent.'

Allie schudde hulpeloos haar hoofd. 'Het spijt me. Ik weet dat het laf is. Maar ik kan niet naar binnen. Ik kan het gewoon niet.' Haar stem sloeg over en om te voorkomen dat ze ging huilen begon ze weer op de ijsblokjes te slaan.

'Hé, wat is er met je?' vroeg Jed tussen twee klappen in.

'Wat er met me is?' herhaalde Allie. Ze legde de vleeshamer neer. 'Wat er is? Jax ligt hiernaast een baby te krijgen, in gods-naam.'

'Dat klopt,' zei hij rustig. 'En het komt allemaal goed. Dus waarom ben jij hier en niet daarbinnen?'

Ze bleef slaan, een beetje buiten adem door de inspanning. 'Omdat ik doodsbang ben,' zei ze.

'Waarvoor?'

'Voor...' Ze zweeg. Het was moeilijk om die naamloze angst onder woorden te brengen. Dan werd hij te echt. Dan werd hij misschien wel realiteit. 'Ik ben doodsbang dat er iets met Jax gebeurt. Of met de baby. Of met allebei.' Haar stem brak. 'En dat kan ik niet verdragen. Ik heb al eens iemand ver-loren van wie ik hield. Ik kan dat niet nog eens aan. Ik kan het gewoon niet.'

'Hé, we raken hier niemand kwijt,' zei Jed, en hij keek haar recht aan met zijn vriendelijke bruine ogen. 'Jax is zo sterk als een os. Een kleine os, misschien. Maar toch een os. En met de baby gaat het prima. We hebben de baby aangesloten op een monitor en...'

'Hebben jullie een monitor?' vroeg Allie verbaasd.

'Jazeker. We zijn geen stelletje amateurs,' zei hij goedmoedig. 'Haar hartslag is trouwens heel sterk. Jax is een taaie, maar ze heeft veel pijn. Een ruggenprik behoort helaas niet tot onze mogelijkheden. Dus vergeet dat ijs nou maar even en ga naar binnen.' Hij lachte haar bemoedigend toe.

Allie aarzelde en toen vond ze diep in haar hart iets waarvan ze niet had geweten dat het er nog was. 'Oké, we gaan,' zei ze plotseling, en ze legde de vleeshamer weg. Jed glimlachte en ging haar voor naar de slaapkamer. Daar liep ze langs de andere ziekenbroeders naar Jax, die op de rand van Allies bed met haar ogen half dicht zat te wiegen.

'Jax?' Allie pakte haar hand.

'Daar ben je.' Jax deed haar ogen open. Ze ademde langzaam uit en de opluchting was duidelijk zichtbaar op haar gezicht.

'Ik ben bij je.' Allie kneep in haar hand.

27

'Ze is zo mooi,' fluisterde Allie terwijl ze met een prop tissuepapier een traan uit haar ooghoek veegde. Ze kon zich de laatste keer niet herinneren dat ze zo gehuild had. Nou ja, ze kon het zich wel herinneren. Maar de omstandigheden waren tegenovergesteld. Dit waren geen tranen van verdriet. Het waren tranen van vreugde. Vreugde en opluchting.

'Ze is mooi, hè?' beaamde Jax, stralend van trots. Jax lag in de kussens op Allies bed, in een ander nachthemd dat Allie haar had helpen aantrekken nadat Jed haar eindelijk had weten te bewegen de baby lang genoeg los te laten om haar te kunnen onderzoeken.

Nu lag de baby weer in Jax' armen, alleen gewikkeld in een verbleekte blauwe badhanddoek. Haar naam was Jenna, had Jax verkondigd, en ze was nog geen uur oud. Zelfs nu al leek ze Allie een bijzonder alerte baby. En bijzonder mooi ook.

'Dit is het eerste pasgeboren kind dat er niet uitziet als een overrijpe tomaat,' bekende Allie aan Jax. 'Je weet wel, vuurrood en helemaal gerimpeld.'

Jax lachte en trok Jenna nog dichter tegen zich aan. 'Nou ja, ik ben natuurlijk een beetje bevooroordeeld. In mijn ogen is ze volmaakt. En zal ik je nog iets anders vertellen, Allie? Volgens mij is ze de eerste van mijn dochters die meer op Jeremy lijkt dan op mij. Wat vind jij?'

'Ze lijkt inderdaad op hem,' beaamde Allie nadat ze zich dichter naar haar toe had gebogen en Jenna's lichtbruine ogen en zijdezachte bruine haar had bekeken. 'Het is niet meer dan eerlijk dat een van je kinderen op Jeremy lijkt, Jax. De andere drie zijn net doorslagen van jou.'

'O, ik ben blij dat ze op hem lijkt,' zei Jax heftig. 'Ik vind het fantastisch.'

Allie ging wat achteruit, verrast door de emotie in haar stem. Toen viel haar in hoe uitgeput Jax moest zijn. Zij was ook moe, en zij had Jax alleen maar begeleid bij de bevalling.

Bij nader inzien moest Allie toegeven dat Jax er helemaal niet moe uitzag. Eigenlijk straalde ze. Ze lag er stralend en ontspannen bij. Net iets voor Jax om een natuurlijke geboorte door te maken en eruit te zien alsof ze een dagje naar een kuuroord was geweest.

Er werd licht op de deur van Allies kamer geklopt en Jed stak zijn hoofd naar binnen. 'Hoe gaat het met iedereen?' vroeg hij.

'Prima,' zei Jax met een glimlach. 'Is het tijd om te gaan?'

Hij knikte. 'De brancard staat klaar. En ik heb het ziekenhuis aan de lijn gehad. Ze verwachten ons.' Het plan was om Jax en Jenna voor onderzoek naar het ziekenhuis te brengen, waar Jeremy ook naartoe zou komen.

'Kunnen we die brancard niet achterwege laten?' vroeg Jax hoopvol. 'Ik kan best lopen.'

'Sorry, Jax, regels zijn regels,' zei Jed, en toen was hij weer verdwenen.

Jax rolde met haar ogen, maar richtte haar aandacht toen weer op Jenna. Ze trok de handdoek dichter om de baby heen. Jax' gezicht straalde zo'n pure liefde uit toen ze op haar dochter neerkeek dat Allie nog meer tranen voelde opwellen.

Ze zuchtte gelaten en plukte nog een paar tissues uit de doos op het nachtkastje.

Een paar minuten later stonden Jed en de andere twee ambulancebroeders met de brancard in de deuropening.

'We moeten gaan, Jax,' zei Jed. 'En Allie? We zullen proberen je zoon niet wakker te maken.'

Allie lachte door haar tranen heen. 'Echt, als hij door de bevalling niet wakker is geworden, wordt hij nergens wakker van.'

'Niet te geloven,' zei Jed hoofdschuddend.

'Inderdaad,' beaamde Allie. 'Maar ik denk dat hij heel teleurgesteld zal zijn als hij straks wakker wordt en merkt dat hij alle opwinding heeft gemist.'

Daar had Allie gelijk in.

Ze wachtte tot ze allebei aan de ontbijttafel zaten voor ze het hem vertelde. Ze wilde dat hij minstens een halve kom cornflakes in zijn maag had voor ze hem op de hoogte bracht. Wyatt kon het uiteraard niet geloven.

'Is Jax' baby vannacht hier geboren?' herhaalde hij. 'In ons huisje?'

'In ons huisje,' zei Allie met een vermoeide glimlach. Ze had helemaal niet geslapen. Het had geen zin gehad het te proberen nadat Jax was weggebracht, wist ze. Ze had nog steeds de ongelooflijke emotie en opwinding gevoeld van Jenna's geboorte. Dus had ze op de bank in de woonkamer doelloos door een boek zitten bladeren. Toen het licht werd, was ze met een kop koffie op de veranda gaan zitten om naar de zonsopgang te kijken.

'Waarom heb je me niet wakker gemaakt?' vroeg Wyatt teleurgesteld. 'Ik had kunnen helpen.'

Allie onderdrukte een glimlach. 'De brandweermannen hadden alles onder controle,' verzekerde ze hem.

'Brandweermannen?' herhaalde hij met grote ogen.

Allie zuchtte inwendig. Nu zou Wyatt het haar helemaal

niet meer vergeven. De geboorte van een baby missen was erg. Maar echte brandweermannen in zijn huis missen was een ramp van de eerste orde.

'Nou ja, het was de vrijwillige brandweer,' zei ze snel. 'Butternut is niet groot genoeg om een beroepsbrandweer te hebben. Dus wordt het gedaan door mensen die overdag een andere baan hebben, maar die in geval van nood als brandweer kunnen optreden.'

'Hadden ze een brandweerwagen?' vroeg hij terwijl hij nog een boordevolle lepel cornflakes in zijn mond schoof.

'Nee, geen brandweerwagen. Gisteravond tenminste niet.' Allie was opgelucht dat ze die vraag tenminste eerlijk kon beantwoorden. Ze vond het niet nodig om te zeggen dat ze in plaats daarvan met een ambulance waren gekomen. Een ambulance was voor Wyatt maar iets minder mooi dan een brandweerwagen.

'Eigenlijk heb ik je vannacht niet wakker gemaakt omdat ik wilde dat je vandaag goed uitgerust was,' zei ze. 'Je krijgt later op de ochtend bijzonder bezoek.'

'Van wie?' Hij sloeg zijn sinaasappelsap achterover.

'Van Caroline,' zei Allie. 'Ze belde vanmorgen en vroeg of ze met je kon komen spelen terwijl ik een dutje doe.'

Wyatts gezicht lichtte op. Toen bedacht hij iets. 'Komt Frankie ook?'

'Nee, Frankie komt niet,' zei Allie. 'Iemand moet in Pearl's blijven om al die hongerige klanten eten te geven,' legde ze uit.

Wyatt knikte bedachtzaam. Dat leek hem wel logisch. Hij ging verder met zijn cornflakes, maar net toen hij zijn mond vol had, bedacht hij weer iets.

'Wist je dat Frankie met zijn voorhoofd een blikje kan platdrukken?' vroeg hij aan Allie.

'Nee, schat.' Een van Allies mondhoeken ging omhoog in een bijna onzichtbare glimlach. 'Ik geloof het graag. Maar je mag niet praten met je mond vol,' voegde ze er vriendelijk aan toe.

Toen Caroline arriveerde, was Wyatt bijna duizelig van opwinding.

'Caroline!' riep hij en hij sprong in haar armen zodra ze haar auto uit was. 'De baby van Jax is vannacht hier geboren. In de slaapkamer van mijn moeder. En ik ben er niet eens wakker van geworden!'

Caroline lachte en omhelsde hem. 'Dat weet ik,' zei ze. 'Ik heb er alles over gehoord. Iedereen in Pearl's had het er vanmorgen over.'

'Er waren echte brandweermannen bij,' legde Wyatt uit terwijl hij met haar de trap naar de veranda op liep, waar Allie stond te wachten. 'Nou ja, het waren halve brandweermannen,' zei hij er eerlijk bij. 'Ze hadden geen brandweerwagen.'

'Zelfs geen halve?' vroeg Caroline, die geamuseerd naar Allie keek.

Wyatt negeerde de vraag. 'Ik ga mijn zwembroek aantrekken,' verkondigde hij ademloos, en hij verdween in het huisje.

'Zwembroek? Gaan we zwemmen?' Caroline ging naast Allie op de bovenste tree zitten.

Allie schudde haar hoofd. 'Nee, hoor. Wyatt heeft veel grotere plannen met je. Jullie gaan kikkervisjes vangen.'

Caroline trok haar wenkbrauwen op. 'Kikkervisjes?'

'Kikkervisjes vangen is zijn nieuwe roeping in het leven. Dat en wormen opgraven. Samen zijn ze praktisch een voltijds baan. Maar je hoeft hem niet te helpen als je niet wilt,' voegde ze er snel aan toe. 'Hij is waarschijnlijk net zo gelukkig als jij toekijkt hoe hij kikkervisjes vangt.'

'Ben je gek? Ik zou het voor geen geld willen missen.' Caroline deed haar sandalen uit en rolde haar spijkerbroek op.

Toen ze weer naar Allie keek, stond haar gezicht opeens ernstig. En zelfs een beetje boos, dacht Allie.

'Zou je me iets willen vertellen?' vroeg ze strak.

'Natuurlijk,' zei Allie, verbaasd over Carolines plotselinge stemmingswisseling.

'Wat haalde Jax in haar hoofd om gisteravond in haar eentje hierheen te rijden terwijl de baby op het punt stond te komen?'

'Ze dacht er helemaal niet bij na,' zei Allie, die zich schuldig voelde. 'Tenminste, niet aan zichzelf. Ze dacht aan mij. Of ik al gehoord had dat...' Haar stem stierf weg.

Caroline zuchtte. 'Echt iets voor Jax,' zei ze met een mengeling van genegenheid en ergernis.

'Ik weet het,' beaamde Allie ongelukkig. 'En ik voel me er verschrikkelijk schuldig over, Caroline. Echt. Stel dat er vannacht iets fout was gegaan? Ik had het mezelf nooit vergeven.'

'Allie,' zei Caroline, 'zelfs als je had geweten dat Jax van plan was hiernaartoe te komen, dan had je haar nog niet kunnen tegenhouden. Ze is zo koppig als een ezel. Altijd al geweest. En dat zal ze altijd wel blijven ook. Bovendien is er niets misgegaan.' Caroline sloeg een arm om Allies schouder. 'Alles is goed gelopen, dankzij jou. Toen je eenmaal besefte dat Jax aan het bevallen was, heb je de leiding genomen.'

'Ha!' snoof Allie. 'Ik was een verschrikkelijke lafaard. Ik zou me de hele nacht in de keuken verscholen hebben als de ambulancebroeders me niet streng hadden aangepakt en hadden verteld hoe erg Jax me nodig had.'

'Nou, misschien moest je wat aangespoord worden.' Caroline glimlachte. 'Wie niet, onder dergelijke omstandigheden? Het belangrijkste is dat je er was toen het erop aankwam. Dat is het enige wat telt.'

'Misschien,' zei Allie. Maar ze was blij met Carolines loyaliteit. Wat ze ook deed, Allie wist dat Caroline en Jax altijd het beste in haar zouden zien.

'Hoor eens, ik neem het nu wel over,' zei Caroline. 'En jij gaat even slapen, hoop ik. Heel lang slapen.'

'Ik zal het proberen,' beloofde Allie, en ze maakte aanstalten om op te staan. Maar Caroline greep haar hand.

'Allie? Nog één ding. Je moet niet alles geloven wat je hoort. Over Walker, bedoel ik. Ik weet zeker dat er een reden voor is dat Caitlin hier is. Een goede reden. Ik vertrouw Walker. Echt. Je schenkt een man tenslotte niet drie jaar koffie zonder iets over hem te weten te komen.'

'Ik heb er nog niet echt over nagedacht,' zei Allie eerlijk. En verrassend genoeg was dat nog waar ook. Zodra ze gisteravond doorhad dat Jax aan het bevallen was, had ze elke gedachte aan Walker Ford en zijn ex-vrouw uit haar hoofd gezet. Het enige belangrijke, had ze zichzelf voorgehouden, was dat alles goed ging met Jax en de baby. Al het andere kon wachten.

Toen iedereen die morgen was vertrokken, had ze ook niet aan hen willen denken. Het leek verkeerd om zich bezig te houden met haar eigen problemen. Ze vielen in het niet bij de geboorte van een kind.

Nu zou het natuurlijk moeilijker zijn. Jax en de baby waren in goede handen en Caroline paste op Wyatt, zodat het enige inspanning zou vergen om niet aan Walker te denken. En dan had ze het nog niet eens over zijn gast.

Caroline wilde nog iets zeggen, maar op dat moment kwam Wyatt de veranda op stormen in zijn favoriete rode zwembroek.

'Ben je klaar, Caroline?' Hij stond te springen.

'Altijd,' zei Caroline met een knipoog naar Allie.

Wyatt nam Caroline bij de hand en trok er ongeduldig aan toen ze achter hem aan de trap af liep. 'Je hoeft niet bang te zijn, Caroline,' zei hij ernstig. 'Ik leer je wel hoe je kikkervisjes moet vangen. Het is heel gemakkelijk. Je mag zelfs een eigen emmer hebben, als je wilt. Dan kun je ze mee naar huis nemen.'

'Dat zou leuk zijn.' Caroline zwaaide met Wyatts arm.

Allie glimlachte een beetje vermoeid terwijl ze het huisje in liep.

Even later hoorde ze Caroline roepen door de hordeur. 'Allie,' zei ze, 'ik geloof dat je dat dutje even moet uitstellen. Je hebt bezoek.'

Toen Allie de veranda weer op liep, kwam net Walkers pick-up aanrijden. In een oogwenk was haar vermoeidheid vergeten. Maar die werd bijna meteen vervangen door een misselijkmakende angst. Opeens wist ze zeker wat Walker kwam doen. Maar ze dwong zichzelf de trap af te lopen en hem tegemoet te gaan.

Caroline probeerde Wyatt mee naar het meer te krijgen, maar toen hij eenmaal besefte dat het Walker was, rende hij naar hem toe.

'Walker! Jij bent er ook.' Hij lachte stralend naar hem en toen naar Caroline, die naast hem was komen staan en hem bij de hand had genomen. Hij keek alsof hij niet kon geloven hoeveel geluk hij had.

'Hé, maatje.' Walker leek oprecht blij om Wyatt te zien.

Allie wierp hem een waarschuwende blik toe. Als hij was gekomen om het uit te maken – en ze was er zeker van dat hij dat kwam doen – dan wilde ze niet dat hij Wyatt beloften deed waaraan hij zich niet kon houden.

'Ga je mee kikkervisjes vangen?' vroeg Wyatt.

Walker, die de blik van Allie had gezien, hield zich op de vlakte. 'Misschien een andere keer,' zei hij. 'Vandaag kom ik met je moeder praten, oké?'

'Oké,' zei Wyatt. 'Maar mijn moeder is heel moe,' waarschuwde hij. 'Ze heeft Jax vannacht geholpen een baby te krijgen. Caroline zei dat ze naar bed moest.'

'Hallo, Walker,' zei Caroline nu. En ondanks het feit dat ze Walker nog maar een paar minuten eerder verdedigd had, had Allie nog nooit zo'n koele klank in haar stem gehoord. Ze zag dat het Walker ook opviel.

'Hallo, Caroline,' zei hij een beetje ongemakkelijk.

En toen zei hij tegen Wyatt: 'Gaan jullie nou maar kikkervisjes vangen. Ze blijven niet de hele dag op je wachten, hoor. En maak je geen zorgen over je moeder. Ik weet dat ze moe is. Ik hou haar niet lang op.'

Wyatt knikte blij en liet zich door Caroline meetronen.

'Hoi,' zei Walker tegen Allie. Er lag een ernstige blik in zijn blauwe ogen. 'Is het goed als ik even met je praat? Ik heb gisteren de hele dag geprobeerd je te pakken te krijgen, maar het lukte niet. Je was steeds in gesprek. En je mobiel…'

'Ik weet het.' Allie zuchtte inwendig. Ze was vergeten haar mobiele telefoon op te laden. Wat een dag om onbereikbaar te zijn, dacht ze. Eerst Jax, toen Walker…

'Hoe dan ook, te oordelen naar wat ik vanmorgen in de stad heb gehoord, heb je je handen hier vol gehad,' zei hij. 'En als je liever hebt dat ik later terugkom, nadat je de kans hebt gehad wat te slapen, vind ik het ook prima.'

Allie schudde haar hoofd. 'Nee, laten we het maar meteen afhandelen,' zei ze, en ze liep terug naar het huisje. Ze meende het. Wat Walker ook kwam zeggen, ze wist dat het later niet gemakkelijker zou worden om te horen.

'Wil je ijsthee?' vroeg ze terwijl ze de hordeur openduwde.

'Graag,' zei hij. Hij liep achter haar aan naar de keuken en ging aan tafel zitten. Ze schonk ijsthee in uit de kan in de koelkast en nam tegenover hem plaats. Het was moeilijk niet te denken aan een andere avond in deze keuken. Een avond waarop hij haar gepassioneerd gekust had, niet meer dan een metertje van waar ze nu slecht op hun gemak tegenover elkaar zaten.

Hij deed suiker in zijn ijsthee. Zij speelde met een schijfje citroen in haar glas. Hij zei niets.

Uiteindelijk werd ze ongeduldig. 'Hoor eens, Walker, we weten allebei wat je komt doen.'

'O, ja?' vroeg hij verrast.

'Ja. En omdat je het blijkbaar niet over je lippen kunt krijgen, zal ik het gemakkelijk voor je maken. Je bent gekomen omdat je… omdat je me niet meer wilt zien.' Daar, ze had het gezegd, hoeveel pijn die woorden ook deden.

'Wat? Nee,' zei Walker verbijsterd. 'Waarom zou ik je niet meer willen zien?'

'Omdat je ex-vrouw terug is.'

Hij fronste. 'Voorgoed, bedoel je?'

Ze haalde licht haar schouders op.

'Allie,' zei hij, 'je hebt het helemaal mis. Dat kom ik niet zeggen. Ten eerste zijn mijn ex-vrouw en ik al twee jaar uit elkaar. En we zijn al een jaar gescheiden. We komen niet meer bij elkaar. Daarvoor is ze niet gekomen.' Hij schudde zijn hoofd en leek nu minder verbaasd dan teleurgesteld. 'Weet je, Allie,' voegde hij eraan toe, 'ik wou dat je de telefoon had gepakt en me gevraagd had wat ze kwam doen in plaats van naar de geruchtenmolen van Butternut te luisteren.'

Allie werd rood van woede. 'En ik wou dat je me had verteld dat ze kwam. Dan had ik mijn informatie niet van de geruchtenmolen hoeven krijgen.'

'Oké, daar heb je gelijk in,' zei Walker rustig. 'En ik zou je ook hebben verteld dat ze kwam als ik het van tevoren had geweten.'

'Je bedoelt dat ze gewoon langskwam?'

'Inderdaad,' zei hij. 'En geloof me, ik was net zo verbaasd als jij.' Hij voegde er snel aan toe: 'Ze logeert trouwens niet bij me. Ze heeft een kamer in het White Pines-hotel. Ze is er gisteravond na het eten naartoe gereden.'

Nadat Jax haar auto op jouw oprit zag staan, dacht Allie, en ze volgde met haar vingertop een patroon in het tafelkleed.

'Hoor eens,' zei hij na een korte stilte. 'Mijn ex-vrouw – ze heet Caitlin, trouwens – is niet gekomen omdat we weer bij elkaar willen zijn. Ze kwam wat dingen afhandelen.'

'Wat voor dingen?' vroeg Allie.

Hij zuchtte. 'Het zit ingewikkeld in elkaar. Het blijkt dat we nog niet helemaal met elkaar klaar zijn.'

'Dus je geeft nog om haar?' vroeg Allie. Het verbaasde haar hoe moeilijk het was om dat te zeggen.

'Ja, maar niet op de manier die jij bedoelt. Ik ben erachter gekomen, Allie, dat ik niets met jou kan beginnen als ik het met haar niet eerst netjes heb afgehandeld.'

'Ik dacht dat dat het punt was van een scheiding, Walker. Dat je iets met iemand beëindigt.'

'Nou, een scheiding is niet altijd het einde. Niet voor ons, in elk geval.'

Allie werd weer ongeduldig. Hij moest nu maar eens ter zake komen. 'Walker, wat kom je nu eigenlijk doen?'

'Ik kom meer tijd vragen,' zei hij rustig. 'Ik kom vragen of we… even afstand kunnen houden tot ik hier klaar mee ben. Het is niet zo lang geleden dat jij ook tijd nodig had, Allie,' voegde hij er zachtjes aan toe.

Allie haalde diep adem en sloot haar ogen. Zij had meer tijd nodig gehad. Maar dit was anders, toch? En opeens wist ze wat ze moest doen. Wat ze moest zeggen. 'Nee.' Ze deed haar ogen open.

'Wat nee?'

'Nee, Walker. Het spijt me. Ik kan je niet meer tijd geven. Je krijgt niet meer tijd omdat het voorbij is tussen ons.'

Hij keek verbijsterd. 'Allie, dat wil ik niet,' zei hij.

'Misschien gaat het er niet alleen om wat jij wilt, Walker.' Ze bestudeerde het tafelkleed met hernieuwde interesse en probeerde het warme, prikkende gevoel van tranen in haar ogen te negeren. 'Misschien gaat het ook wel om wat ik wil. En ik wil dat het voorbij is. Nu. Ik wist vanaf de morgen dat we elkaar bij Pearl's ontmoetten dat het een vergissing was om iets met elkaar te beginnen. Ik had naar mijn gevoelens moeten luisteren, Walker. Ik had me niet moeten laten meeslepen. Want ik had gelijk. Het was een vergissing.'

'Dat vind ik niet. En ik geloof ook niet dat jij dat vindt.'

'Je hebt het mis,' zei Allie, maar haar stem trilde even.

'Dus de nacht die we samen hebben doorgebracht, was een vergissing? En de dag op de boot? Die was ook een vergissing?' Zijn blauwe ogen waren donker van woede.

'Ja.' Ze hief koppig haar kin. 'Op dat moment leek het misschien geen vergissing. Maar achteraf denk ik dat het dat wel was.'

Er klonk gelach in de buurt van het meer en Allie stond op en liep naar het keukenraam. Als ze zich uitrekte, kon ze tussen de bomen door net Caroline en Wyatt zien, die aan de rand van het meer in het water rond plasten.

Walker stond op en kwam bij haar staan. Hij keek ook even en vroeg toen zachtjes: 'Allie, wat is dit opeens?'

Allie keek naar hem en toen weer naar buiten. Toen ze reageerde, was haar stem gelukkig kalm en verried niets van de emotionele beroering die ze vanbinnen voelde. 'Walker, ik kan niet verwachten dat jij dit begrijpt. Jij bent geen vader. Maar dat jongetje daar, dat is mijn hele wereld. En ik ben zijn hele wereld. Op een paar andere mensen na – Caroline, Frankie en Jade, de dochter van Jax – ben ik alles wat hij hier heeft. Hij heeft al één ouder verloren. Dus ik moet er voor hem zijn. Elke dag. De hele dag. Dat kost een heleboel energie. Zowel lichamelijk als emotioneel. Maar ik moet die energie opbrengen. Ik moet aanwezig zijn in zijn leven. Helemaal aanwezig zijn. Ik kan niet wachten tot jij en je exvrouw de zaken hebben afgerond. Of hopen dat jij en ik op een dag zelf een relatie kunnen hebben. Ik kan mijn leven niet in de wacht zetten, Walker. Wyatt verdient beter. En zal ik je eens wat vertellen? Ik verdien ook beter. En nu moet je gaan,' zei ze, terwijl ze zich naar hem omdraaide. 'Ik moet echt slapen.'

Walker staarde haar zwijgend aan, met een mengeling van frustratie en verdriet in zijn ogen. Toen schudde hij zijn hoofd en wilde iets zeggen, maar hij veranderde van gedachten. Hij liep de keuken en het huisje uit en reed weg.

Allie draaide zich om en keek door het andere keukenraam terwijl zijn pick-up over de oprit verdween. Toen wendde ze zich weer naar het raam voor haar en zocht Wyatts rode zwembroek tussen de bomen door. Er gleed een enkele, hete traan over haar wang. Dat was de enige die ze zichzelf toestond. Ze had voor vandaag al genoeg gehuild.

Toen ze later die avond calaminelotion op Wyatts vele muggenbeten smeerde, zocht ze naar een manier om met hem over Walker Ford te beginnen. Wyatt moest weten dat er geen vistochtjes meer zouden zijn op zondagmorgen. Ze wilde het voorzichtig brengen, in taal die hij kon begrijpen. Dat betekende dat ze niets kon zeggen over haar relatie met Walker. Of liever, haar voormalige relatie met Walker.

'Je bent er een vergeten.' Met die woorden onderbrak Wyatt haar gedachten. Hij wees naar een muggenbult op zijn elleboog en Allie depte hem met een wattenbolletje met calaminelotion.

Wyatt glimlachte dankbaar. Allie vond dat hij er bijzonder lief uitzag. Hij zat op de rand van het bad, schoon en lekker ruikend na zijn bad, en hij droeg zijn favoriete pyjama, hemelsblauw met een patroon van witte donswolkjes erop.

'Zijn ze dat allemaal?' Ze bekeek zijn armen.

Wyatt knikte.

'Weet je, Wyatt,' zei ze terwijl ze het dekseltje op de calaminelotion deed, 'dit is hetzelfde spul dat mijn moeder er bij mij opsmeerde en haar moeder bij haar.'

'Ook hetzelfde flesje?' vroeg Wyatt gefascineerd.

Ze grinnikte. 'Nee, niet hetzelfde flesje. Maar het ziet er nog steeds precies hetzelfde uit. En het werkt ook nog even goed.'

'Maar het is roze,' protesteerde hij. Hij bestudeerde de vlekken op zijn armen en benen.

Allie probeerde een glimlach te onderdrukken. 'Nee, ik zou

het geen roze noemen. Het heeft meer een perzikkleur.' Ze gooide het watje in de prullenmand en zette de lotion weer in het medicijnkastje.

'Oké, grote kerel,' zei ze. 'Tijd om naar bed te gaan.'

'Maar ik heb mijn treinrails nog niet af,' zei Wyatt met een smekende blik.

Allie zuchtte. 'Vijf minuten,' zei ze streng, en ze liep achter hem aan naar de woonkamer, waar hij een nieuwe zijtak aan zijn spoorweg ging leggen.

Ze ging op de bank zitten toekijken. Toen de vijf minuten al ruim om waren, onderbrak ze hem voorzichtig.

'Wyatt, schat?'

'Ja,' zei hij zonder op te kijken. Hij lag op zijn buik bij de rails en fronste geconcentreerd terwijl hij een brug bouwde.

'Wyatt, ik heb vandaag met Walker Ford gesproken. Hij zei dat hij het erg druk gaat krijgen op de werf en dat hij niet meer op zondag met je kan gaan vissen.'

Wyatt stopte met de brug en keek naar haar op.

'Zelfs niet af en toe?' vroeg hij met een nog steeds hoopvol gezicht.

'Zelfs niet af en toe,' herhaalde Allie met een brok in haar keel. 'Maar weet je, Wyatt, we hebben nu een eigen boot. Ik kan met je gaan vissen wanneer je maar wilt. Of we kunnen vissen aan het eind van onze steiger. Ik ben er misschien niet zo goed in als Walker, maar de basisdingen ken ik wel. Samen is het ook leuk.'

'Misschien wel.' Wyatt ging weer verder met zijn treinrails. Er kwamen geen tranen, besefte Allie opgelucht. Alleen een blijvende teleurstelling. Wat bijna net zo erg was als tranen.

De vijf minuten die Wyatt van Allie had gekregen om te spelen werden er tien. En toen vijftien. Ze wist dat hij naar bed moest, maar er zat haar iets dwars. Iets wat de hele dag al in haar achterhoofd meespeelde.

'Wyatt,' zei ze voorzichtig, 'mis jij Eden Prairie nog?'

Hij haalde zijn schouders op. Inmiddels liet hij de eerste trein over zijn spoor rijden, en Allie merkte dat hij niet echt luisterde.

Ze probeerde het nog eens. 'Ik bedoel, mis je onze oude buurt? En onze oude vrienden? Teddy bijvoorbeeld?'

Wyatt slaakte een zucht, zo geïrriteerd dat het bijna komisch was. Als een oude man die gestoord wordt bij het lezen van zijn krant.

'Soms mis ik ze wel.' Hij keek even op van de trein.

'Ik dacht namelijk...' Ik dacht dat het misschien toch een vergissing was om hierheen te verhuizen. Dat was niet wat ze tegen Wyatt zei. Tegen hem zei ze: 'Ik dacht namelijk dat we ook weer naar Eden Prairie kunnen verhuizen. We kunnen natuurlijk niet ons oude huis terugkrijgen. Dat hebben we al verkocht. Maar we zouden een appartement kunnen huren. Ik kan een baan zoeken. En jij zou naar de kleuterschool kunnen.'

Wyatt liet de trein stoppen en keek op. Nu had ze zijn volle aandacht.

'We kunnen het huisje wel houden, hoor,' zei ze snel. 'Dan kunnen we hier in de zomer een paar weken komen om onze vrienden op te zoeken. We zouden er alleen niet meer de hele tijd wonen.'

'Maar ik vind het leuk om hier de hele tijd te wonen.' Er verscheen een frons op Wyatts gladde voorhoofdje.

'Waarom?' vroeg Allie. Als het ook maar iets te maken had met Walker Ford, was dat een reden te meer om weg te gaan. Walker telde niet meer mee. Niet voor haar en ook niet voor Wyatt.

Aanvankelijk zei Wyatt niets. Hij keek alleen de woonkamer door. En Allie volgde zijn blik. Ze probeerde te zien wat hij zag. De kamer zag er heel anders uit dan op hun eerste avond, bijna drie maanden geleden. Samen met Johnny Miller, hun klusjesman, hadden ze elke vierkante centimeter van het huisje, vanbinnen en vanbuiten, schoongemaakt, geschilderd, gepoetst en geschrobd. Het was zwaar werk geweest. Maar het had geloond. Deze kamer had bijvoorbeeld een zachte, warme gloed gekregen en leek niet alleen bewoond, maar ook goed verzorgd. Misschien zelfs gekoesterd, besefte ze vol verbazing.

'Wyatt,' hield ze aan, 'waarom wil je hier blijven?'

Hij keek bedachtzaam. 'Omdat dit ons huis is,' zei hij eindelijk. Kordaat. En toen ging hij weer met zijn trein spelen.

28

'Dus je blijft?' herhaalde Jax om zich ervan te verzekeren dat Allie dat echt gezegd had.

'We blijven,' zei Allie met een spijtig glimlachje.

'Allie, dat is het beste nieuws dat ik in lange tijd gehoord heb.' Jax was bijna duizelig van opluchting. Allie en Wyatt woonden pas drie maanden in Butternut, maar het was nu al onmogelijk om zich een leven zonder hen voor te stellen.

'Daar wil ik op drinken,' zei Jax impulsief. 'Op het feit dat Allie en Wyatt in Butternut blijven.'

'Daar drink ik ook op,' zei Caroline, en ze tikten hun blikjes fris tegen elkaar.

Het was avond en ze zaten aan Jax' keukentafel met de pizza die Allie en Caroline voor het avondeten hadden meegebracht. Joy, Josie, Jade en Wyatt waren al klaar met eten en zaten in de woonkamer een film te kijken. Jenna, nu twee weken oud, sliep boven in haar wiegje en op de tafel stond een babyfoon met een knipperend lampje.

'Jax,' zei Caroline met gespeelde afkeuring, 'je dacht toch niet echt dat Allie om een man weg zou gaan, hè? Ik wil maar zeggen, als er elke keer dat een relatie op niets uitliep een vrouw uit Butternut zou vertrekken, zou er in dit stadje geen vrouw meer te vinden zijn.'

'Nee, natuurlijk dacht ik dat niet,' zei Jax snel. 'Ik was alleen bang dat ze na een hele zomer in Butternut zou besluiten dat het hier te saai voor haar is, dat is alles.'

'Saai?' herhaalde Allie met grote, ongelovige ogen. 'Wanneer was het dan saai, Jax? Toen Wyatt en ik tijdens de tornado uit ons huisje moesten vluchten? Of tijdens jouw ongeplande bevalling in mijn huis?'

Jax lachte. Die meid had een punt.

'Nee, echt.' Allies hazelnootbruine ogen stonden opeens ernstig. 'Toen Wyatt zei dat dit ons thuis was, besefte ik dat hij gelijk had. We horen hier. We kunnen wel op honderd verschillende plekken gaan wonen zonder er een te vinden waar we zo thuis zijn als in Butternut of in dat vervallen oude huisje. Wat tussen mij en Walker is gebeurd, doet daar niets aan af, voor mij niet en voor Wyatt niet. Bovendien begint het op het werk echt interessant te worden. Sara neemt me soms mee naar de studio's van onze kunstenaars en ze wil dat ik het contact met sommige kunstenaars onderhoud.'

'Allie, dat is prachtig,' zei Caroline stralend.

'Er is wel één nadeel aan ons besluit om te blijven,' zei Allie, die een stuk van een van de chocoladekoekjes brak die ze voor Jax had gebakken. 'Toen ik tegen Walker zei dat ik hem niet meer wilde zien, besefte ik niet dat het in een stadje dat zo klein is als Butternut onmogelijk zou zijn hem te ontlopen.'

'Kom je hem vaak tegen?' vroeg Caroline. Ze maakte nog een blikje fris open.

Allie zuchtte. 'Voortdurend. Bij het benzinestation, bij de supermarkt, bij de bank.' Ze tikte de plaatsen op haar vingers af. 'De vraag is eerder waar ik hem niet gezien heb.'

'Het geeft niet,' zei Caroline. 'Je went er wel aan.' Maar ze leek niet helemaal overtuigd.

'Misschien wel,' gaf Allie toe. 'In de tussentijd is het verdomde lastig. Ik probeer hem te negeren, maar het vreemde is dat hij me altijd zo aanstaart. Alsof hij mijn aandacht probeert te trekken. En laatst in de supermarkt kwam hij op me af. Natuurlijk maakte ik dat ik wegkwam. Het was bijna alsof hij iets tegen me wilde zeggen.'

'Misschien wilde hij dat ook,' kwam Jax tussenbeide.

Allie haalde haar schouders op. 'Ik denk dat hij alles wel gezegd heeft, jullie niet?'

'Wat hij gezegd heeft, Allie, was dat hij tijd nodig had,' merkte Caroline op. 'Hij heeft nooit gezegd dat hij niet om je gaf.'

Allie fronste en zat nog steeds met het koekje te spelen. 'Nee, hij heeft niet gezegd dat hij niet om me gaf. En ik geloof ook wel dat hij dat doet, op zijn manier. Maar hij is nog niet klaar voor een serieuze relatie. En zal ik jullie eens wat vertellen?' vroeg ze, en ze keek hen om de beurt aan. 'Ik weet niet of ik daar wel klaar voor ben.'

'Voel je je schuldig?' vroeg Caroline.

'Ja. Ja en nee,' zei Allie. 'Zolang we samen waren, ging ik er zo in op dat ik... dat ik niet zoveel aan Gregg dacht als ik had moeten doen.'

'Ik wist niet dat daar richtlijnen voor waren,' zei Caroline voorzichtig.

'Die zijn er ook niet. Soms wou ik dat ze er wel waren. Ik wil maar zeggen, hoe kun je van iemand gaan houden terwijl je nog steeds terugdenkt aan een ander, van wie je ook nog steeds houdt?' vroeg Allie. Op dat moment kwam de babyfoon krakend tot leven. Ze luisterden. Er klonk een zwak geritsel, wat gepiep en toen werd het weer stil.

'We komen goed weg,' zei Caroline. Ze stond op en begon de tafel af te ruimen. Allie hielp haar.

'Zo lang heeft ze nog nooit geslapen,' zei Jax met een blik op haar horloge. 'Zes uur.'

'Zes uur is ontzettend lang voor een baby van twee weken,' zei Allie bemoedigend terwijl ze de vuile borden opstapelde. 'Ik denk dat ze een goede slaper wordt.'

'Misschien,' zei Jax fronsend. Maar ze dacht er niet aan hoe lang baby's slapen. Ze vroeg zich af waarom Jeremy nog niet thuis was. Hij had gebeld en tegen Jade gezegd dat ze moest doorgeven dat hij laat zou zijn. Het was niets voor hem om haar niet aan de telefoon te vragen. En het was ook niets voor hem om tot zo laat weg te blijven. Vooral niet met een pasgeboren baby in huis.

Alsof ze Jax' gedachten las, vroeg Caroline: 'Waar is Jeremy, schat?'

'O, hij moest laat doorwerken,' zei ze vaag. 'Hij zal zo wel komen.' Ze wilde de overgebleven pizza wegzetten.

'Als je het maar laat,' vermaande Caroline, en ze nam haar de pizzadoos af. 'Wij doen vanavond al het werk. Zelfs nu je het ons moeilijk maakt door te weigeren een vaatwasser te kopen.'

'Ik vind het leuk om af te wassen,' zei Jax. Ze probeerde niet hen te helpen terwijl zij de afwas voor haar deden. Ze was het niet gewend om verzorgd te worden. Vanavond maakte ze zich echter te druk over Jeremy's afwezigheid om te protesteren. Ze was te bezorgd over wat het kon betekenen. En te bang om er te veel bij stil te staan.

'Is er iets, Jax?' vroeg Allie terwijl ze een bord afdroogde.

'Nee,' zei Jax snel. Ze schudde haar hoofd. 'Er is niets aan de hand.'

Allie geloofde haar niet. Ze zette het droge bord in de kast, hing de theedoek op en kwam bij haar aan tafel zitten.

'Wat ik me nou afvraag,' vroeg ze aan Jax. 'Wordt het gemakkelijker om een nieuwe baby in huis te hebben? Of voelt het elke keer of je het voor het eerst doet?'

'Een beetje van allebei,' gaf Jax toe. En toen begon ze tot haar eigen verbazing te huilen.

'O, Jax.' Allie omhelsde haar. Caroline hield op met het aanrecht afvegen en kwam haar ook troosten.

'Er is niets aan de hand, echt,' protesteerde Jax. 'Ik ben gewoon een beetje emotioneel.'

'Natuurlijk,' zei Allie geruststellend. 'Hoe kan het ook anders? Het is een beetje overweldigend, toch? Vooral het gebrek aan slaap.' Ze huiverde even en dacht kennelijk aan Wyatts babytijd.

'En dan die hormonen,' deed Caroline een duit in het zakje. 'Toen ik met Daisy uit het ziekenhuis kwam, huilde ik al als iemand boe tegen me riep.'

Jax probeerde te glimlachen en veegde de tranen weg met het zakdoekje dat Caroline haar had gegeven. Maar ze wist dat het niet aan slaapgebrek lag. Of aan hormonen. Het was angst. Pure angst. Angst dat Jeremy's afwezigheid betekende dat hij erachter was gekomen dat het geld van hun studierekening was verdwenen.

'Ik verdien jullie niet,' zei Jax dankbaar, en ze omhelsde hen.

'Natuurlijk wel,' zei Allie. Op dat moment verscheen Wyatt in de keukendeur.

'Mam, de film is afgelopen.' Hij wreef slaperig in zijn ogen.

'Nu al?' vroeg Allie. 'We hebben hem toch net pas in de dvd-speler gedaan?'

Hij schudde zijn hoofd. 'Nee, hij is echt afgelopen. Wil je weten wat er gebeurd is? Ik kan de hele film navertellen.'

'O, dat zal best,' zei Allie. 'Dat bewaren we voor als we naar huis rijden, goed?'

Ze glimlachte verontschuldigend tegen Jax. 'Gaat het een beetje?' vroeg ze. 'We hoeven niet meteen weg. We kunnen wel wachten tot Jeremy terug is.' Caroline knikte instemmend.

'Nee, geen sprake van,' zei Jax. 'Jullie moeten morgen allebei werken, denk eraan. En ik voel me veel beter, nu ik eens lekker gehuild heb.'

Even was het een drukte van belang terwijl Jax Allie, Wyatt

en Caroline gedag zei en de meisjes naar bed bracht. Als door een wonder gingen ze alle drie zonder zeuren en zonder ruzie slapen.

Daarna ging Jax bij Jenna kijken. Die sliep nog steeds en haalde regelmatig adem. Jax trok haar katoenen dekentje omhoog, verliet de kamer en deed zachtjes de deur achter zich dicht.

Toen ging ze beneden in de woonkamer zitten wachten. En wachten. En wachten. Het werd halftien. Tien uur. Halfelf. Waar blijft hij toch, vroeg ze zich met groeiende paniek af. En waarom heeft hij niet gebeld?

Iets voor elven, toen het licht was gaan regenen, hoorde ze eindelijk een auto voor het huis stoppen. Iemand stapte uit en de auto reed weg. Ze luisterde naar de voetstappen op het grind. Toen stond ze op van de bank en keek door het raam in de woonkamer naar buiten.

Het was Jeremy. Maar hij leek… anders. Onvast op zijn benen. Was hij ziek, vroeg ze zich af, en ze haastte zich om de voordeur voor hem open te doen.

'Jeremy? Is alles goed met je?' vroeg ze.

Hij bleef voor de deur staan en helde een beetje over. 'Prima,' zei hij met een dikke tong terwijl hij langs haar heen het huis in liep. In een reflex deinsde ze achteruit toen ze whisky rook.

'Jeremy, ben je dronken?' Ze vertrouwde haar eigen zintuigen niet. Toen ze de deur achter hem dicht had gedaan, volgde ze hem naar de woonkamer, waar hij zich onhandig in een van de leunstoelen liet zakken. Zij ging op de bank zitten, op een zorgvuldige afstand. Ze had het gevoel dat ze deze Jeremy niet kende. Dat hij een vreemde voor haar was.

Misschien was dat omdat ze Jeremy in al die jaren dat ze samen waren nog nooit dronken had gezien. In tegenstelling tot Jax, die geheelonthouder was, dronk hij wel eens iets. Een glas champagne bij hun bruiloft. Een biertje als hij ging pokeren. Maar hij dronk nooit te veel. Hij had Jax een keer ver-

teld dat hij al vroeg had besloten dat dronken zijn niet op-
woog tegen de kater van de volgende morgen. Maar zij had
een andere theorie over de reden waarom hij nooit zover ging.
Het was uit respect voor Jax. En voor alles wat alcohol kapot
had gemaakt in haar leven.

'Wat is er aan de hand, Jax?' vroeg Jeremy terwijl hij haar
wat wazig aankeek.

'Niets,' zei Jax strak, maar ze meed zijn blik. 'Het is alleen
niets voor jou om dronken te zijn,' voegde ze er ten slotte aan
toe.

Er viel een lange stilte. 'Is dat niets voor mij?' vroeg hij met
ongewoon sarcasme. 'Nou, weet je wat niets voor jou is, Jax?
Liegen, dat is niets voor jou.'

Jax keek met een ruk op, te verbaasd om iets te zeggen.

'O, doe nou maar niet alsof je niet weet waar ik het over
heb.'

'Dat weet ik ook niet,' zei Jax toen ze eindelijk weer een
woord kon uitbrengen. En dat was waar. Tot op zekere hoogte.
Er waren zoveel leugens geweest – geen leugens die ze hem
had verteld, maar eerder waarheden die ze hem niet had verteld – dat ze niet wist op welke hij doelde.

'Dacht je echt dat ik niet zou merken dat het geld weg was,
Jax?' vroeg Jeremy nu. 'Tienduizend dollar is wel veel geld om
over het hoofd te zien, vind je niet?'

Opeens had ze geen lucht meer. Maar toen ze weer wat in
haar longen kon zuigen, fluisterde ze: 'Ik wist dat je er uiteindelijk achter zou komen. Als ik het niet snel kon aanvullen.'

'Aanvullen?' herhaalde hij spottend. Jax kromp ineen. Hij
had nog nooit op zo'n toon tegen haar gesproken. Voorzover
zij wist, had hij nog nooit op die toon tegen wie dan ook
gesproken.

'En hoe ging jij dat precies aanvullen?' ging hij verder. 'Ken
jij mensen die je tienduizend dollar kunnen lenen?'

'Nee,' stootte ze beverig uit. 'Ik ken niemand die me zoveel geld zou kunnen lenen. Maar ik had een plan...' Haar stem stierf weg. Het was een waardeloos plan en dat wist ze.

'Een plan?' spotte Jeremy weer. 'Je bedoelt een bank beroven of zo? Of was het een drankwinkel, Jax?'

Jax' hoofd schoot weer omhoog. Dus hij wist het. Hij had twee en twee bij elkaar opgeteld. Maar hoe?

Jeremy zag het begrip dagen op haar gezicht en schudde toen zijn hoofd. Zijn woede leek verdwenen. In plaats daarvan was verdriet gekomen. En dat verdriet was erger dan woede, besloot Jax. 'Als je dat geld weg wilde gooien, Jax, waarom deed je dat dan niet gewoon?' zei hij nu. 'Dat had ik je kunnen vergeven. Maar het aan Bobby Lewis geven? Jax, waarom in godsnaam?'

Jax dacht snel na. Wat wist Jeremy? En wat wist hij niet?

Bij het zien van de uitdrukking op haar gezicht lachte Jeremy. Een bittere lach. 'Jax, als ik niet zo boos op je was, zou ik. bijna medelijden met je krijgen,' zei hij. 'Je wordt er gek van, is het niet? Om te proberen me één stap voor te blijven. Om te bedenken wat er mis is gegaan met je plannetjes.'

Jax slikte moeizaam, maar zei niets. Ze kon het niet. Ze was te bang om iets te zeggen.

'Nou, ik zal je vertellen waar het mis is gegaan,' zei Jeremy met bijna angstaanjagende kalmte. 'Het ging al helemaal in het begin mis, Jax. Je bent namelijk vergeten hoe moeilijk het is om iets geheim te houden in Butternut. Grote dingen. Kleine dingen. Uiteindelijk komt alles hier uit.'

Jax probeerde nog steeds normaal te ademen. Of eigenlijk om überhaupt lucht binnen te krijgen.

'En weet je wat, Jax?' ging hij verder. 'Toen ik achter je geheimen kwam, en achter je leugens, was ik bereid je te vergeven. Tot op de dag van vandaag verdedigde ik je voor mezelf. En toen moest ik een storting doen bij de bank. Ik weet dat jij dat normaal doet, maar jij was de hele nacht met de baby in de weer geweest, dus ik vond dat ik het beter even zelf kon doen. Stel je mijn verbazing voor toen ik John Quarterman zag en hij me vertelde over het geld dat je had opgenomen. Ik geloofde hem eerst niet. Ik moest met mijn eigen ogen het afschrift zien.'

'Maar hoe…' mompelde Jax, die nog steeds niet begreep hoe hij de twee dingen met elkaar in verband had gebracht.

'Ik wist dat Bobby op vrije voeten was, Jax,' zei Jeremy, die haar vraag begreep. 'Ik wist dat hij een paar weken geleden hier is geweest. Dus het was niet moeilijk om een en een bij elkaar op te tellen.'

Hij boog voorover, legde zijn ellebogen op zijn knieën en sloeg zijn handen voor zijn gezicht. Hij leek wel gebroken. Verslagen. Jax' hart ging naar hem uit.

Er kwam een enorm verdriet in haar omhoog. Het spijt me, dacht ze. Het spijt me zo. Maar ze vertrouwde haar stem niet en bleef zwijgen.

'Waarom heb je het gedaan, Jax?' vroeg hij zachtjes, zonder naar haar op te kijken. 'Waarom heb je hem het geld gegeven?'

Nog steeds zei ze niets.

Nu keek hij op, zuchtte en wendde zijn blik weer af. 'Ik weet waarom je het gedaan hebt,' zei hij eindelijk. 'Hij chanteerde je. Maar waarom liet je je chanteren? Waarom kwam je niet naar mij, Jax? Waarom vertelde je het niet?'

Ze probeerde de brok in haar keel weg te slikken. Haar ogen brandden van de tranen. 'Ik wilde je beschermen,' zei ze zachtjes.

'Waartegen?' Hij liet zich weer in zijn stoel zakken.

'Tegen de waarheid,' zei ze eenvoudig. En het voelde goed om eens eerlijk te zijn. Wat de gevolgen ook konden zijn.

'Jax,' zei Jeremy. 'Ik weet de waarheid. Ik heb de waarheid altijd geweten.'

Jax keek hem vragend aan. Hadden ze het over hetzelfde, vroeg ze zich af. Maar ze begreep niet hoe dat kon.

Jeremy knikte. 'Ja Jax, die waarheid.' Hij keek haar recht aan

311

en zijn ietwat bloeddoorlopen ogen werden opeens scherp. 'Ik weet dat Bobby Joys vader is. Ik wist het op de dag dat ze geboren werd. Ik wist het op de dag dat je me vertelde dat je zwanger was.'

Jax staarde hem niet-begrijpend aan. Haar hersenen probeerden tevergeefs te verwerken wat hij had gezegd.

'O, in godsnaam, Jax,' zei hij ongeduldig. 'Die eerste dag, bij de picknick op 4 juli, hoorde ik dat je iets gehad had met Bobby Lewis. Dat had voor mij waarschijnlijk het sein moeten zijn om je links te laten liggen. Denk je ook niet?'

Jax' gezicht vertrok. Het was de eerste keer dat Jeremy iets wreeds tegen haar zei.

'Zal ik je eens iets vertellen, Jax? Ik kon niet bij je wegblijven. Ik kon het gewoon niet. En ik dacht dat ik alles onder controle had. Tot het eind van die nacht, toen we bij het meer onder die roeiboot lagen. Toen heb jij me verleid, Jax, zo is het toch? Niet dat dat moeilijk was. Ik was stapelverliefd op je. Ik verlangde zo heftig naar je. Je was zo onschuldig en tegelijkertijd zo bedreven. Het was een onweerstaanbare combinatie. Voor mij, in elk geval.'

Jax zat stil en dwong zichzelf te luisteren, ook al duizelde het haar.

'Wees voorzichtig, hield ik mezelf die nacht voor. Pas op je tellen,' ging Jeremy verder. 'Ik wist dat je bijbedoelingen had. En ik meende ook te weten wat die waren. De enige reden waarom je zo nonchalant kon doen over vrijen zonder voorbehoedsmiddelen, was dat het je niet kon schelen om zwanger te raken. Of dat je al zwanger was. Ik was ook toen geen idioot. Ik wist dat er vaderschapstesten bestonden. Ik wist dat ik niet verantwoordelijk kon worden gehouden voor een kind dat ik niet verwekt had. Ik dacht dat ik overal op voorbereid was. Maar zal ik je eens wat vertellen, Jax?'

Ze schudde haar hoofd. Ze wist niet wat hij wilde vertellen. Ze wist helemaal niets meer.

'Er was één ding waar ik niet op voorbereid was. En dat was dat ik verliefd op je werd. Een paar weken later, toen je me vertelde dat je zwanger was, kon het me niet meer schelen wie de vader was. Ik vond dat het opvoeden van het kind van een ander een kleine prijs was als ik daardoor de rest van mijn leven met jou kon doorbrengen. En toen Joy was geboren, besefte ik dat het niet uitmaakte wiens kind ze was. Ik had niet meer van haar kunnen houden als ze van mij was.'

Hij keek naar Jax en zijn gezicht verzachtte opeens door een herinnering. Misschien de herinnering aan de eerste keer dat hij Joy had vastgehouden.

'Begrijp me niet verkeerd,' ging hij verder. 'Ik vond het niet erg toen Bobby Lewis in de gevangenis verdween. Ik wilde echt niet dat hij in de buurt bleef en het ons moeilijk maakte. En ik was ook opgelucht dat Joy zo op jou leek. Ik bedoel, ik zou toch van haar gehouden hebben, al was ze het evenbeeld van die man geweest. Maar toch…'

'Je wist het?' zei Jax zachtjes, vragend. Ze probeerde nog steeds te begrijpen wat hij tegen haar zei. 'Je wist het de hele tijd? Waarom… waarom heb je me niet gezegd dat je het wist?'

'Waarom niet?' Jeremy had zijn handen weer voor zijn gezicht geslagen. 'Ik weet het niet. Nu wil ik natuurlijk dat ik het had gedaan. Ik denk dat het op dat moment zo belangrijk voor jou leek dat ik het niet wist. En ik was ook bang dat je altijd zou blijven zoeken naar tekenen dat ik niet zoveel van Joy hield als van de andere meisjes als ik het je vertelde. Maar dat deed ik wel. Dat doe ik wel. Ik hou net zoveel van haar als van de anderen.'

'Dat weet ik.' Jax' keel zat dicht. En het was waar. Ze wist het echt. Achteraf was er door de jaren heen geen enkel verschil geweest in Jeremy's opstelling tegenover de meisjes. Het feit dat ze dit nu wist, maakte haar pijn alleen maar scherper. Ze hield nu nog meer van hem, zelfs al wist ze dat ze op het punt stond hem kwijt te raken.

Jeremy zuchtte diep en zei: 'Jax, ik wil je niet zo achterlaten. Maar ik kan ook niet blijven. Niet na wat er gebeurd is. Ik kan je vergeven dat je me niet verteld hebt dat Bobby Joys vader is. Maar dit? Dit kan ik je niet vergeven.'

'Waarom niet?' vroeg Jax, die zich wanhopig verzette tegen iets waarvan ze wist dat het onvermijdelijk was. 'Waarom is dit zoveel erger?'

'Omdat je opnieuw tegen me gelogen hebt.' Er was weer iets van woede in zijn stem teruggekeerd. 'En je hebt iets weggegooid wat van ons was, van ons alle zes. Niet alleen dat, Jax, je had niet genoeg vertrouwen in me om me de waarheid te vertellen. In al die jaren van ons huwelijk. En nu ook niet. Je bleef gewoon liegen. En dingen verbergen. En geheimen bewaren. Ik trek het niet meer, Jax. Ik kan zo niet leven.'

Hij wreef ongeduldig in zijn ogen en Jax besefte verrast dat hij huilde. Ze maakte deze avond veel dingen voor het eerst mee. De eerste keer dat Jeremy dronken was. En de eerste keer dat ze hem zag huilen.

Ze haalde diep adem en probeerde de tranen te verdringen. 'Jeremy, je hoeft zo niet meer te leven,' zei ze. 'Je kent de waarheid nu. De hele waarheid. En ik zal nooit meer tegen je liegen.' Terwijl ze het zei, wist ze dat het te laat was. Veel te laat.

Dat maakte hij ook duidelijk door de blik in zijn ogen, waarin een mengeling van woede en medelijden te lezen was. 'Ik hoop dat je niet zo naïef bent om te denken dat dit het laatste is wat we van Bobby Lewis zien,' zei hij zonder acht te slaan op haar smeekbede. 'Dat is namelijk het probleem met chantage. Je komt er niet van af door te betalen. Zelfs als je hem vertelt dat ik het weet van Joy maakt dat niets uit. Hij zal gewoon willen dat Joy een DNA-test laat doen. Jij en ik weten dat hij Joys vader helemaal niet wil zijn, maar de rechter weet dat niet. Dus zullen we hem waarschijnlijk weer betalen. Alles om hem maar uit haar buurt te houden, toch?'

'Nee.' Jax schudde heftig haar hoofd. 'Hij komt niet terug. Hij is de stad uitgegaan toen ik hem de cheque had gegeven. Sinds die tijd heb ik hem niet meer gehoord of gezien.'

'O, geef hem wat tijd. Die komt wel terug,' voorspelde Jeremy minachtend.

'Nee, ik weet zeker dat hij niet terugkomt,' zei Jax. 'Ik durf er mijn leven om te verwedden.'

Jeremy keek haar nieuwsgierig aan. En toen bezorgd. 'Wat heb je tegen hem gezegd, Jax?' vroeg hij met een frons.

'Ik heb niets tegen hem gezegd,' antwoordde ze. 'Maar Frankie wel. Hij was er die avond toen ik Bobby ontmoette in de Mosquito Inn, en hij merkte dat Bobby me bedreigde. Dus liep hij met hem mee naar zijn pick-up. Hij zei tegen Bobby dat hij weg moest gaan en nooit meer terug moest komen. Hij zei dat hij hem zou vermoorden als hij ooit terugkwam. Zomaar.' Jax knipte met haar vingers. 'En hij meende het, Jeremy. Frankie heeft al eerder iemand vermoord, uit zelfverdediging. En hij zei tegen me dat hij het weer zou doen. Om mij te beschermen. Om ons te beschermen, zei hij eigenlijk.'

Ze hoopte dat Jeremy een beetje gerustgesteld zou zijn, nu ze hem dit had verteld. Dat bleek niet zo te zijn. Hij zag er niet gerustgesteld uit. Alleen bozer.

'Dat is fijn,' zei hij. 'Ik vind het fantastisch om te weten dat een andere man de strijd voor me aangaat. Ik wil maar zeggen, kom op, Jax, snap je dat dan niet? Dat was een gesprek dat ik met Bobby had moeten voeren. Niet Frankie. En als je me van tevoren had verteld dat je met hem had afgesproken, had ik die avond met je mee kunnen gaan. Dan hadden we dit samen met hem kunnen oplossen.'

Toen liet Jeremy zich opeens weer achterover zakken. Hij leek niet meer dronken. Alleen uitgeput. En Jax' hart brak.

Ze stond op en liep naar hem toe met het wilde idee dat ze hem zou kunnen helpen. Troosten. Geruststellen. Het feit dat ze er zelf niet veel beter aan toe was, telde niet. Ze trilde over haar hele lichaam. En de tranen die ze geprobeerd had te verdringen, stroomden over haar gezicht.

Maar toen ze op hem afkwam, stak Jeremy een hand op.

'Nee, Jax. Niet doen,' zei hij. 'Maak dit niet moeilijker dan het is. Ik zal wat spullen in een koffer gooien en dan ga ik weg. Ik stap niet in de auto. Ik bel een vriend om me op te pikken. Iemand die me hopelijk op de bank zal laten slapen tot ik iets... permanents gevonden heb.' Hij struikelde een beetje over het woord 'permanents'.

Jax had hem toch wel verstaan. En er ging een ijskoude schok van angst door haar hele lichaam. Net als in het verleden zorgde de angst voor een nieuwe helderheid, en met die helderheid kwam een besluit. Ze kon de fouten uit het verleden niet ongedaan maken. Maar ze kon wel zorgen dat het heden een beetje gemakkelijker voor hem was. Hij had tenslotte niets verkeerd gedaan. Hij had van haar gehouden, en van Joy, ondanks de wetenschap dat Joy het kind was van Bobby. Waarom moest hij gestraft worden? Zij was degene die hen in deze positie gebracht had. Zij was degene die zou moeten vertrekken.

'Ik ga wel weg, Jeremy.' Er kwam een onwezenlijke rust over haar. 'Blijf jij maar hier met de meisjes. Ze houden van je. Ze hebben je nodig.'

'Jax, ik kan niet voor Jenna zorgen,' zei hij ongelovig. 'En voor nog drie kinderen. En dan moet ik ook nog een bedrijf leiden.'

'Nee, Jenna neem ik mee,' legde Jax uit. 'De meisjes moeten dinsdag weer naar school. En na school kan Joy de leiding nemen. Het zal je verbazen hoe volwassen ze deze zomer geworden is. Ze kan je helpen met het huishouden en het eten en met het naar bed brengen van de anderen.'

Jax dacht aan alles wat ze zou missen, de gewone dingetjes waarvan ze altijd zo genoten had, en moest een snik onderdrukken. Het deed zoveel pijn om te weten dat de mensen van wie ze het meest hield zouden lijden onder haar leugens en haar zwijgen, nu en in de toekomst. En hoewel ze geloofde dat zij degene was die weg moest gaan, was het besef van wat ze zou verliezen bijna te pijnlijk om onder ogen te zien.

Jeremy keek sceptisch. 'Waar gaan jij en Jenna dan naartoe?' vroeg hij.

Naar de enige die ik ken die een moeder en haar twee weken oude baby in huis zou nemen, dacht Jax. 'We gaan naar Caroline,' zei ze. 'De meisjes kunnen me daar elke dag na school komen opzoeken.' Ze dwong zichzelf nogmaals kalm te blijven. Dat was ze Jeremy verschuldigd. Ze zou snel en stilletjes weggaan. Zonder scène. Zonder pogingen om zichzelf te rechtvaardigen, smeekbeden om vergeving of hysterische toestanden.

Ze stond op en liep als een robot de trap op naar hun slaapkamer. Ze haalde een koffer van de bovenste plank in de kast, legde die op haar bed en begon haar kleren erin te gooien. Toen nam ze de koffer mee naar Jenna's kamer en deed ook wat van haar spulletjes erin. Het was niet veel werk. Ze zou een keer terug moeten wanneer Jeremy er niet was. Maar ze dacht aan de dingen die Jenna op korte termijn nodig zou hebben: luiers, vochtige doekjes en een stuk of tien katoenen rompertjes.

Toen ze klaar was, ritste ze de koffer dicht, droeg hem naar haar pick-up en gooide hem op de passagiersstoel. Ze haalde Jenna's autozitje van de achterbank en nam het mee naar boven. Toen ze haar uit haar wiegje tilde en haar voorzichtig in het zitje zette, bewoog Jenna, maar ze werd niet wakker. Jax maakte de gordels vast en droeg haar naar beneden. Jeremy zat nog steeds in de woonkamer toen ze die op weg naar de voordeur passeerde. Hij keek niet op.

Even werd haar zicht vertroebeld door tranen toen ze Jenna's autostoeltje op de achterbank vastzette. Ze verdrong ze terwijl ze het korte stukje naar Pearl's reed, de auto voor het eethuisje parkeerde, Jenna's autostoeltje en haar koffer naar het appartement sjouwde en aanbelde.

'Jax?' zei Caroline verrast toen ze de deur opendeed. Met een snelle blik nam ze de situatie op. De baby. De koffer. En de geschokte uitdrukking op Jax' gezicht. 'Wat is er, schat? Wat is er gebeurd?'

'Te veel,' fluisterde Jax. 'Alles is misgelopen.'

'O, liefje,' zei Caroline meelevend. Ze nam de koffer van Jax over en nam haar mee naar binnen. 'Kom erin. Vertel alles boven maar.'

En Jax vertelde het. Van het begin af aan. Ook dat was gebeurd waarvoor ze altijd bang was geweest. Ze was Jeremy kwijt. Waarschijnlijk voorgoed.

29

'Showtime,' mompelde Walker terwijl hij door de glazen deur van de Pine Cone Gallery keek en ongeduldig naar Allie zocht. Daar was ze, achterin. Ze stond voor een schilderij en was diep in gesprek met een vrouw van middelbare leeftijd. Kennelijk een klant, dacht Walker, en hij voelde een vluchtige jaloezie omdat die Allies onverdeelde aandacht kreeg.

Toen hij de deur opendeed en Allie het belletje hoorde dat eraan was bevestigd, keek ze op. Even stond haar gezicht beleefd nieuwsgierig omdat ze een andere klant verwachtte. Toen ze zag dat het Walker was, verscheen er een frons in haar mooie, gladde voorhoofd, sloeg ze haar armen streng over elkaar en boog haar lichaam weg van de ingang van de galerie en van Walker.

Dus ze ging hem gewoon negeren, besefte Walker. Alweer. Dat was een patroon geworden sinds hun gesprek in haar keuken. Ze negeerde hem. En hij stond dat toe.

Nou, vandaag niet, zwoer Walker. Vandaag was dat afgelopen. Hij was hier niet als een vriendje dat de bons had gekregen. Hij was hier als klant. En als ze zo professioneel was als hij vermoedde, zou ze met hem moeten praten. Al kostte het de hele dag om dat voor elkaar te krijgen.

Een kwartier later begon hij te denken dat het inderdaad de hele dag zou kosten. Ze stond nog steeds met dezelfde vrouw hetzelfde schilderij te bekijken. Walker, die deed alsof hij een keramiekvaas bestudeerde, luisterde mee. De vrouw vond de aquarel geweldig, of dat beweerde ze althans, maar was bang dat hij niet bij de nieuwe overtrek van haar bank zou passen. Belachelijk, dacht Walker. Wie kocht nu een kunstwerk omdat het bij de bank paste? En hoe kon Allie dat soort mensen trouwens de hele dag verdragen? Het deed afbreuk aan haar waardigheid, besloot hij. En hoewel zij er niets tegen kon doen, kon hij dat wel.

Dus wandelde hij quasinonchalant op hen af tot hij voor het doek in kwestie stond. Het was inderdaad een aquarel. De kustlijn van een meer. Een meer dat een opmerkelijke gelijkenis vertoonde met Butternut Lake. Walker vond hem mooi. En vijfhonderd dollar leek hem een heel redelijke prijs.

'Mooie aquarel.' Hij kwam nog iets dichterbij. 'Is dat Butternut Lake?'

De vrouw met de nieuwe bankovertrek keek hem een beetje nerveus aan. Ze verwachtte kennelijk dat Allie iets tegen hem zou zeggen. Maar die negeerde hem doelbewust.

Hij kwam nog iets dichterbij, tot hij op nog geen armlengte van hen af stond. De vrouw deed een stap achteruit en keek naar Allie. 'Wilt u deze klant eerst helpen?' vroeg ze met een frons.

Allies kaken verstrakten. Ze weigerde nog steeds naar hem te kijken. 'Meneer Ford ziet dat ik nu even bezig ben,' zei ze tegen de klant, niet tegen Walker. 'Hij kan een andere keer terugkomen.'

'Nee, dat kan hij niet,' zei Walker koppig. 'Hij moet je nu spreken.'

'Maar ik ben bezig.' Allie deed nog steeds of ze de aquarel bestudeerde. 'Ik zou zo denken dat zelfs meneer Ford dat kan zien.'

'Ik zie het wel,' zei Walker. 'Maar ik ga niet weg tot je met me gesproken hebt. Of tot we op zijn minst een tijd en plek hebben afgesproken om te praten.'

De klant deed verbaasd nog een stap achteruit. Ze keek van Walker naar Allie en wachtte af wat er nu zou gebeuren.

Eindelijk keek Allie naar Walker. 'Je hebt één minuut,' zei ze afgemeten. Ze gebaarde dat hij haar moest volgen naar een andere hoek van de galerie.

'Wat doe je hier?' siste ze toen ze zich een beetje hadden afgezonderd.

'Is dat niet duidelijk?' Hij keek haar recht aan. 'Ik kom met jou praten.'

'Dit is geen goed tijdstip.' Ze kleurde. 'En ook geen goede plaats. Ik ben aan het werk.' Walker probeerde zich te concentreren op wat ze zei, maar hij voelde een vreemde verwarring over zich komen. Raar dat ze dat effect op hem had. Dat had niemand anders.

Toch was het wel begrijpelijk. Ze zag er vandaag bijvoorbeeld bijzonder lieftallig uit. Ze had een getailleerde bloes aan, een kokerrok en lage pumps, en haar haar was naar achteren getrokken in een losse knot achter in haar nek. In haar oren hingen oorbellen en ze verspreidde een heel lichte parfumgeur. Jasmijn, misschien.

Hij had haar nooit in deze rol gezien. Als werknemer. Hij vroeg zich heel even af of hij die kant van haar aantrekkelijker vond dan de kant die hij al kende. De kant in het mouwloze shirtje, de afgeknipte spijkerbroek en de slippers. Hij kwam tot de conclusie dat het niet zo was. Als het om Allie ging, vond hij beide kanten van haar even fantastisch. En even onweerstaanbaar.

'Walker?' Haar ongeduld groeide. 'Ik zei dat ik aan het werk ben.'

'Ja, dat weet ik.' Hij probeerde zich te concentreren. 'En ik wilde ook wachten, maar die vrouw gaat nooit een beslissing nemen. Een aquarel van vijfhonderd dollar, in godsnaam. Ze doet alsof het een zaak van leven of dood is.'

Aan Allies gezicht te zien had hij iets verkeerds gezegd. 'Vijfhonderd dollar is veel geld,' snauwde ze. 'Voor sommige mensen, tenminste.'

'Oké, je hebt gelijk. Ik wilde niet zeggen dat dat niet zo is. Maar ik krijg onwillekeurig het gevoel dat die vrouw je tijd verspilt.'

'En jij niet, zeker?' Allie trok haar wenkbrauwen op.

Au, dacht Walker. Maar hij weigerde zich te laten ontmoedigen. 'Ik ga nu weg als jij belooft dat ik je later kan spreken.'

'En als ik dat niet doe?' vroeg Allie.

Aan die mogelijkheid had Walker niet gedacht. 'Nou, dan blijf ik,' zei hij eenvoudig.

'Dat kun je niet menen.'

'Wat heb ik voor keus, Allie? Als ik je bel, krijg ik de voicemail. En als ik je ergens in het openbaar zie, breek je bijna je nek om zo snel mogelijk uit de buurt te komen.' Ze sprak hem niet tegen.

'Geef me een kwartiertje. Meer verlang ik niet. Als je me even wilt aanhoren, beloof ik dat je daarna nooit meer met me zult hoeven praten. Tenzij je dat natuurlijk wilt.' Hij hoopte dat zijn glimlach innemend genoeg was. Ze lachte niet terug. Maar ze zei ook geen nee.

'Goed dan,' zei ze nadat ze erover had nagedacht. 'Ik praat met je zodra die vrouw weg is. En je hebt precies een kwartier.'

Voordat hij antwoord kon geven, zag hij dat de vrouw die belangstelling had gehad voor de aquarel naar de deur liep. Allie zag het ook.

'Neem me niet kwalijk,' zei Allie. Ze liep van Walker naar de vrouw. 'Ik moest even met meneer Ford praten. Hebt u nog vragen over het doek?'

De vrouw schudde haar hoofd. 'Ik geloof niet dat ik al een beslissing kan nemen,' zei ze een beetje verwijtend. Ze vond het maar niets dat Allie haar in de steek had gelaten, zag Walker. 'Misschien kan ik beter de volgende keer dat ik in Butternut ben terugkomen.'

'We zien u graag terug,' zei Allie soepel. 'Zal ik intussen wat informatie over de kunstenaar voor u pakken?'

'Graag.' De vrouw bleef bij de voordeur staan. Ze keek behoedzaam naar Walker. Er was geen genie voor nodig om te concluderen dat ze in elk geval een deel van zijn verhitte gesprek met Allie had gehoord.

Terwijl Allie de gegevens van de kunstenaar van achter de toonbank haalde, kreeg Walker een ingeving. Hij haalde zijn portefeuille voor de dag.

'Mevrouw… eh, het spijt me, ik heb uw naam niet verstaan.' Hij ging naar de vrouw toe.

'Die heb ik ook helemaal niet genoemd,' zei ze fronsend.

'O, dat klopt, ja.' Walker glimlachte vriendelijk. 'We zijn niet aan elkaar voorgesteld.'

'Nee,' zei ze. Ze was een beetje gereserveerd. Maar ook nieuwsgierig. 'Ik ben Anne Sanford.'

'Nou, Anne Sanford.' Walker haalde zijn creditcard uit zijn portefeuille. 'Dit is uw geluksdag. Ik ga namelijk die aquarel kopen. Niet voor mezelf. Maar voor u.'

'Waarom… waarom zou u dat doen?' stamelde ze.

'Waarom niet?' Walker glimlachte nog eens naar haar en hoopte dat hij nog iets van zijn oude charme had. Kennelijk wel, want ze bloosde en glimlachte een beetje onzeker terug.

Nu kwam Allie op hen af en met een boze blik op Walker overhandigde ze Anne Sanford een glanzende brochure. 'Meneer Ford,' zei ze koeltjes. 'Dat is een aardig gebaar. Maar het is niet nodig. Als mevrouw Sanford besluit dat ze de aquarel toch wil hebben, kan ze altijd terugkomen en hem zelf kopen.'

'Dat hoeft mevrouw Sanford niet te doen,' zei Walker luchtig, en hij drukte Allie zijn creditcard in handen. 'Mevrouw

Sanford – Anne – gaat nu met die aquarel de deur uit. Niet-waar, Anne?' vroeg hij, en hij glimlachte nog eens.

'Dat zal ik dan maar doen.' Ze glimlachte terug. Haar ge-reserveerdheid was totaal verdwenen. Ze zag eruit als een schoolmeisje dat net ten dans is gevraagd.

'Nou, je hoort het,' zei Walker met een knipoog tegen Allie. Ze keek hem vernietigend aan en ging de aquarel afrekenen.

Toen Walker het in bruin papier gewikkelde doek naar Annes auto had gebracht en haar gedag had gezegd, kwam hij de galerie weer in.

Allie kookte van woede.

'Wat is er nou?' vroeg hij. 'Je hebt de aquarel verkocht, toch?'

'Ik heb hem aan jou verkocht,' merkte Allie op. 'Ik wilde hem aan haar verkopen.'

'Wat maakt het uit?' Walker liep naar de toonbank, waar Allie aan het opruimen was.

'Het verschil is iets waarvan ik dacht dat jij het als zaken-man wel zou begrijpen. Ik probeer haar niet alleen een schil-derij te verkopen, Walker. Ik probeer een relatie met haar op te bouwen. Zodat ze bij haar volgende bezoek aan Butternut – en er komt een volgend bezoek, want haar zus heeft hier een huisje – terugkomt en nog iets koopt.'

Walker ademde uit. Hij voelde zich letterlijk leeglopen. 'Hoor eens, het spijt me,' zei hij. 'Dat had ik waarschijnlijk niet moeten doen. Maar Allie, ik ben wanhopig. Ik moet met je praten. En ik dacht, als ik nou eens naar de galerie ga, kan ze me niet zo gemakkelijk lozen als op elke andere plek in de stad.'

'Daar heb je wel gelijk in,' zei Allie met een zweem van een glimlach. Haar boosheid zakte een beetje. Ze ging op de hoge kruk achter de toonbank zitten en haalde een bruine papieren zak tevoorschijn, waaruit ze een in vetvrij papier gewikkelde boterham pakte. 'Als je het niet erg vindt,' zei ze terwijl ze de

324

boterham uitpakte, 'eet ik even iets terwijl we praten.' Toen corrigeerde ze zichzelf. 'Terwijl jij praat.'

'Heb je nog niet geluncht?' Hij keek op zijn horloge. Het was halfdrie.

'Ik heb het druk gehad.' Ze pakte de boterham op.

'Dan neem ik je mee uit,' zei hij snel. 'Ik bedoel, die boterham is ongetwijfeld heerlijk als jij hem hebt klaargemaakt. Maar eerlijk gezegd ziet hij er een beetje... triest uit.'

Allie keek naar de boterham, zuchtte en legde hem neer. 'Hij ziet er inderdaad triest uit,' gaf ze toe, en ze deed de boterham en het vetvrije papier weer in de bruine zak.

'We gaan naar Pearl's,' zei hij hoopvol. 'De specialiteit van vandaag is bacon, sla en tomaat. Kan iemand anders de zaak intussen even in de gaten houden? Heel even?'

'Ik kan wel een halfuurtje sluiten. Sara vindt dat geen punt als ik alleen ben. Maar het mag niet te lang duren,' voegde ze eraan toe, nog steeds zonder hem aan te kijken.

Allie hing een bordje met ZO TERUG voor het raam, deed de deur op slot en liep met Walker de straat over naar Pearl's. Het lunchuur was voorbij en op een paar treuzelaars na waren de meeste klanten vertrokken.

Caroline was er natuurlijk wel. Ze leunde tegen het buffet en praatte met Jax, die op een van de draaikrukken zat met haar baby. Walker keek even naar hen en verwonderde zich erover hoe klein de baby was. Hoe oud zou ze nu zijn, vroeg hij zich af. Een maand? Hij kon zich niet voorstellen dat iemand zoiets kleins en kwetsbaars durfde vast te houden.

Jax leek volkomen op haar gemak. Ze hield de baby rechtop tegen haar borst, zodat Jenna's wang op haar schouder lag. Ze wuifde naar Allie, maar toen ze zag dat ze Walker bij zich had, keek ze beleefd weg. Ook Caroline bleef gereserveerd. Ze kwam naar hen toe, nam hun bestelling op – twee limonade en twee broodjes met bacon, sla en tomaat – en ging meteen weer weg.

'Hoe gaat het met Jax?' vroeg Walker zachtjes, terwijl hij nog eens naar haar keek.

Allie haalde neutraal haar schouders op. 'Het gaat wel,' zei ze.

'Ze heeft haar man en drie van haar kinderen verlaten en het gaat wel?' vroeg Walker sceptisch.

'Ze ziet de meisjes elke dag,' zei Allie met een lichte frons. 'Maar voor de rest... Het ligt nogal ingewikkeld.'

'Dat zal best. Ik zag Jeremy gisteren in de doe-het-zelfzaak,' zei hij nadat Caroline de limonade had gebracht. 'Hij zag er verschrikkelijk uit. Alsof hij in geen dagen had geslapen. Ik was bang dat hij bij het elektrische gereedschap in slaap zou vallen.' Walker zei er niet bij dat hij met Jeremy meevoelde. Hij sliep de laatste tijd zelf ook niet zo goed.

'Ik weet niet hoe het met Jeremy gaat,' moest Allie bekennen. 'Maar Jax is een taaie,' zei ze trouw. 'Die slaat zich er wel doorheen. Daar wilde je toch niet over praten?' Ze nam een slokje van haar limonade.

'Nee.' Walker keek nerveus om zich heen. Hij wist dat de klok doortikte. Maar hij wilde niet onderbroken worden als hij eenmaal zat te vertellen. Hij besloot te wachten tot hun broodjes waren gearriveerd.

'Hoe is het met Wyatt?' vroeg hij dus. Hij wilde het echt weten.

Allies gezicht verzachtte meteen. 'Hij gaat sinds kort naar de kleuterschool,' zei ze trots. 'En hij geniet ervan. Hij vindt dat zijn lerares, mevrouw Conover, eruitziet als een prinses. En hij vindt het natuurlijk fijn om een beste vriendin te hebben, Jade, die in de eerste klas zit. Dat geeft hem iets om over op te scheppen op de speelplaats.'

Walker glimlachte. 'Heel belangrijk, iets om over op te scheppen. En een lerares die eruitziet als een prinses? Dat is beslist een bonus.' Hij grinnikte en iets van zijn nervositeit verdween. 'En hoe gaat het met het vissen?' vroeg hij. 'Ben jij de laatste tijd nog met hem het water op geweest?'

'Nee.' Allie schudde even haar hoofd. 'Ik heb het wel geprobeerd. Maar blijkbaar kan ik jou niet vervangen. Wyatt zegt…' Ze hield midden in de zin op. 'Laat maar,' herstelde ze zich snel.

Walker begreep het al. En als Wyatt hun vroege vistochtjes miste, wist hij precies hoe de jongen zich voelde. Hij miste ze ook. Sinds de laatste keer met Wyatt had hij zelfs niet meer gevist. Op de een of andere manier voelde het verkeerd om zonder hem te gaan.

Caroline bracht hun broodjes en toen Walker een paar minuten later opkeek, was ze verdwenen, evenals Jax en de baby en de paar andere klanten die er nog hadden gezeten. Ze hadden het hele restaurant voor zichzelf, besefte hij. Hij had dus geen excuus meer om te treuzelen.

'Hoor eens.' Zijn nervositeit kwam terug en hij prutste met zijn servet. 'Ik ben niet zo'n prater. Daarom hou ik van vissen, denk ik. Dan hoef je niets te zeggen. Je moet weten waarom ik zo deed. Laat me dus alsjeblieft uitpraten, goed? En probeer onbevooroordeeld te luisteren. Ik wil… ik wil echt dat je dit hoort.'

'Ik luister,' zei Allie met een ondoorgrondelijk gezicht.

Dus haalde hij diep adem en stak van wal. Hij begon met de dag dat Caitlin naar zijn kantoor op de werf was gekomen en hem had verteld dat ze in verwachting was. De dag waarop hij haar ten huwelijk had gevraagd. En hij ging verder met de lange, eenzame maanden die daarop gevolgd waren, waarin ze hadden samengewoond als man en vrouw, maar ook, zo bleek, als volmaakte vreemden.

Hij zorgde ervoor de schuld niet bij Caitlin te leggen. Integendeel, hij nam juist zelf alle schuld op zich. Hij had eerlijk kunnen zijn tegen Caitlin toen hij besefte dat hun huwelijk geen succes was, bekende hij aan Allie. In plaats daarvan had hij haar genegeerd en zich begraven in zijn werk. Dat was gemakkelijker dan Caitlin de waarheid vertellen, zei hij. Maar het was ook laf.

Toen hij bij het moment kwam waarop Caitlin had gemeld dat ze de baby niet meer voelde, haperde hij een beetje. Dit was nieuw voor hem, deze openheid. Hij had hier nooit eerder met iemand over gepraat. Zelfs niet met zijn broer Reid, die de meeste hiaten zelf had moeten invullen. Maar hij bleef praten. Hij kon nu niet meer terug. Niet nu er zoveel op het spel stond.

Dus vertelde hij dat hij Caitlin naar het ziekenhuis had gebracht. Over het nieuws dat ze daar hadden gekregen. Over haar plannen om zodra ze ontslagen werd bij hem weg te gaan. En dat hij haar had overtuigd om met hem naar huis te komen en hun huwelijk nog een kans te geven, hoewel hij later had beseft dat hij niet van plan was dat zelf nog te proberen. En uiteindelijk vertelde hij haar over Caitlins vertrek in de vroege uurtjes van die sneeuwochtend in januari.

Hij had de hele tijd naar zijn servetje gekeken, dat hij intussen systematisch in stukjes had gescheurd. Nu wierp hij een blik op Allie, half in de verwachting dat ze ontzet zou kijken vanwege zijn ongevoeligheid. Of minachtend vanwege zijn egoïsme. Maar zo keek ze helemaal niet. Ze keek alleen verdrietig.

'Dat was de laatste keer dat ik haar zag,' zei hij, terwijl hij nog een servetje uit de houder pakte. 'Tot ze een maand geleden hiernaartoe kwam. En misschien had ik haar wel nooit meer gezien als jij er niet was geweest, Allie.'

'Ik?' zei ze verrast.

'Jij.' Hij knikte. 'De morgen nadat we de nacht met elkaar hadden doorgebracht, besefte ik twee dingen. Het eerste was dat ik Caitlin weer moest zien. Ik wist op dat moment dat mijn relatie met haar nog niet voorbij was. Op papier was dat wel zo. Maar ik was er nog niet mee klaar.'

Allie fronste. Ze begreep het niet.

'Ik bedoel niet dat ik nog steeds om haar gaf,' zei hij snel. 'Niet in romantische zin althans. Maar ik gaf om haar als persoon. En ik was haar een excuus schuldig, Allie. Een groot excuus.

Ik had echter geen idee hoe ik met haar in contact kon komen. Waarschijnlijk omdat ze niet wilde dat ik contact met haar zou opnemen. Uiteindelijk wist ik haar op te sporen via een vriendin van haar, en ik vroeg haar of ik naar Minneapolis kon komen om met haar te praten. In plaats daarvan kwam zij hiernaartoe. Ik wist niet dat ze kwam, Allie. Anders had ik je het verteld. Later legde ze uit dat ze niet had gebeld omdat ze tot op het moment dat ze de oprit op reed niet wist of ze ermee door kon gaan. Zo boos was ze nog op me.'

Hij zag hoe Allie naar haar broodje keek en er zachtjes met een vinger in duwde. Maar ze at het niet op.

'Hoe dan ook,' ging Walker verder, 'ze verbleef een paar dagen in de White Pines en we hebben een paar keer gepraat. Ik ga niet liegen. Het was aanvankelijk een gespannen situatie. Toch hebben we gepraat. Meer dan toen we met elkaar getrouwd waren. Ze vertelde dat ze verloofd was.' Zijn gezicht klaarde op toen hij eraan dacht hoe gelukkig Caitlin had gekeken toen ze het over haar verloofde had. 'En ik heb haar gezegd dat het me speet. En dat... dat ik het mezelf nog steeds verwijt dat ze de baby heeft verloren.'

'Walker,' zei Allie hoofdschuddend. Maar hij ging door. 'Nee, het is waar, Allie, ik verwijt het mezelf. Haar dokter stak een hele preek af dat die dingen nu eenmaal gebeuren zonder dat iemand precies weet waarom. Maar zou het ook gebeurd zijn als ze zich niet zo ellendig had gevoeld? Daar twijfel ik echt aan. Dat zal ik altijd wel blijven doen.

Toch was het goed om elkaar te zien. Goed om eindelijk een eind te maken aan ons huwelijk, op een manier waarop een scheiding dat nooit kan doen. Ik denk, ik weet, dat ze iets van de boosheid die ze voelde heeft kunnen loslaten. En ik moest haar iets geven wat van haar was. Niets kostbaars. Gewoon iets wat ze had laten liggen.' Hij schudde zijn hoofd bij de gedachte aan het negligé dat een tijdje op de bovenste plank van zijn gangkast had gelegen.

'Maar, Allie?' Hij ging verder met de taak die hij zich gesteld had. 'Toen ik die ochtend bij jou in bed lag en je zag slapen, besefte ik nog iets anders...' Hij zag dat ze een lichte kleur kreeg bij het intieme beeld dat zijn woorden opriepen. 'Ik besefte dat ik doodsbang was. Doodsbang voor het feit dat ik van je hield.' Hij keek haar vast aan.

Haar bruine ogen werden groot van verbazing, en over haar gouden huid trok een nog warmere blos. Ze had geen liefdesverklaring verwacht bij de lunch, concludeerde Walker.

'Het is waar,' zei hij eenvoudig. 'En dat niet alleen, het was voor mij de eerste keer. Ik ben nooit eerder verliefd geweest. En ik vond het enorm angstaanjagend. Even raakte ik in paniek. Ik dacht dat ik een hartaanval kreeg.' Hij grinnikte bij de herinnering. 'Daarvóór dacht ik zo'n beetje dat verliefd worden iets was wat alleen andere mensen overkwam, mij niet. Ik was niet stom genoeg om het zover te laten komen. Maar toen ik jou zag, Allie – en je zag er trouwens zo mooi uit – werd ik helemaal vervuld van liefde. En ik besefte dat jij de ware bent, Allie. Ik dacht: "Help me, God, want nu ben ik de klos."'

Walker vertelde verder. 'Het eenvoudigste was geweest om je te vertellen wat ik voelde. Daar was meer moed voor nodig dan ik bezat. En toen Caitlin kwam, gebruikte ik dat als excuus om tijd te winnen. Ik wist niet dat je zo zou reageren, Allie, dat je zou zeggen dat ik voorgoed kon ophoepelen.' Hij had nog steeds moeite met die herinnering.

'Ik geloof niet dat ik het precies zo gezegd heb,' mompelde Allie met iets wat dichter bij een glimlach kwam dan hij die middag van haar gezien had.

'Nee,' beaamde hij, 'daar was je te beleefd voor. Maar al had je het gezegd, het was niet meer dan ik verdiende.'

Hij glimlachte tegen Allie en verwonderde zich erover dat

ze er zo knap uitzag in de reepjes licht die door de halfgesloten jaloezieën van het eethuisje vielen. Er was een lok haar ontsnapt uit de knot in haar nek, zag hij, en hij moest zich inhouden om hem niet van haar wang te strijken.

'Walker, ik waardeer het dat je zo eerlijk bent,' zei ze opeens, en ze ging rechtop op haar stoel zitten. 'Echt. Ik weet dat het niet gemakkelijk voor je moet zijn om me dit allemaal te vertellen. Maar ik zie niet dat het iets verandert. Tussen jou en mij, bedoel ik.'

Hij verbaasde zich over haar woorden. 'Allie, het verandert juist alles,' zei hij.

Ze leek niet overtuigd. 'Ik weet niet of dat wel zo is. Ik bedoel, het klinkt alsof je enig inzicht hebt gekregen in je verleden. En dat is een goede zaak. Maar voorzover ik weet, ben je nog steeds dezelfde man die na een nacht met mij in paniek raakte. Waarom denk je dat je veranderd bent? En waarom denk je dat je de volgende keer niet in paniek zult raken? Als er een volgende keer komt.'

Als. Dat woord stond hem niet aan.

'Hoor eens, Allie, ik was die man. Maar zo ben ik niet meer. Ik hou van je. En het feit dat ik van je hou, heeft me een soort moed gegeven waarvan ik niet wist dat ik die had. Misschien doet liefde dat met mensen. Dat weet ik niet. Ik denk dat ik nog veel moet leren.'

Ze schudde haar hoofd. 'Walker, hoe weet je dat dit liefde is? Hoe weet je dat het geen bevlieging is?'

'Daar heb ik over nagedacht,' gaf hij toe. 'Vooral omdat het allemaal zo nieuw voor me is. Dat ik niet kan slapen. Of eten. Of me op mijn werk kan concentreren. Dat ik eigenlijk helemaal niets kan doen, behalve aan jou denken. Ik geloof niet dat het een jongensachtige bevlieging is. Ik denk dat het veel verdergaat. Ik denk, of ik wil graag denken, dat ik inmiddels tot meer in staat ben. Ik wil graag denken dat ik in staat ben om van je te houden.'

Ze dacht even na. 'Dus dat gevoel dat je die ochtend had, die angst, die is weg?' vroeg ze.

Hij haalde zijn schouders op. 'Er is nog wel iets van blijven hangen, geloof ik. Maar die oude angst is voor het grootste deel vervangen door een nieuwe. De angst dat je geen deel zult uitmaken van mijn leven.'

Ze sloeg haar ogen neer en beet op haar onderlip. 'Ik weet het niet,' fluisterde ze eindelijk. 'Ik weet het gewoon niet.'

'Wat weet je niet?' vroeg hij. Hij staarde onwillekeurig naar de holte onder aan haar hals en dacht aan alle zoenen die hij haar daar gegeven had. En al het genot dat hij haar had ontlokt door dat te doen. Nu hij tegenover haar zat, was het alsof ze van elkaar gescheiden werden door een onzichtbare muur. Ze was zo dichtbij, zo verleidelijk dichtbij, maar hij kon haar niet aanraken. Hij kon haar hals niet beroeren. Hij kon zelfs de mooie vingers van haar gebruinde hand, die licht op de tafel rustte, niet aanraken. Hij nam een slokje limonade. Dit is een marteling, dacht hij. Een marteling waar voorlopig geen einde aan zou komen.

'Walker, het spijt me, maar ik weet gewoon niet of ik je wel vertrouw,' zei ze nu, zo zachtjes dat hij zich naar haar toe moest buigen om haar te verstaan. 'En het gaat niet alleen om mij. Het gaat ook om Wyatt. Als het weer niet werkt, Walker, ben ik niet de enige die gekwetst zal worden. Hij zal er ook onder lijden.'

'Dat weet ik,' zei hij snel. 'En ik weet dat het in jouw ogen een groot risico moet zijn. Maar Allie, ik kan je niet bewijzen dat ik veranderd ben als je me niet in de gelegenheid stelt.'

'Dus ik moet je maar op je woord geloven?' vroeg ze weifelend.

'Precies,' zei hij. 'Dat is precies wat je moet doen.'

'Ik… ik moet erover nadenken,' zei ze eindelijk. 'Ik kan je nu geen antwoord geven.'

Walker knikte. 'Neem zo lang de tijd als nodig is. En Allie, als je besluit dat het nee wordt, dat je het niet nog eens wilt proberen, dan hoef je niet meer bang te zijn dat je me in de rij bij de supermarkt tegenkomt.'

'Hoe bedoel je?'

'Mijn broer Reid wil dat ik terugkom naar Minneapolis. Hij probeert me al de hele zomer over te halen. Hij zegt dat ik niet fulltime meer nodig ben op de Butternut Boatyard, en hij heeft gelijk. Cliff, onze manager hier, is capabel genoeg om de zaak zelf te leiden.'

'En als we besluiten het nog eens te proberen?' vroeg ze fronsend.

'Dan blijf ik hier, bij jou en Wyatt, en houd ik de leiding over de werf. Cliff zou dan naar Minneapolis verhuizen en de rechterhand van Reid worden. Daar geef ik uiteraard de voorkeur aan. Maar als ik jou niet kan hebben, dan wil ik dit ook niet meer.' Hij maakte een gebaar om zich heen.

'Maar je houdt van je huis,' wierp ze tegen. 'En van het meer.'

'Dat is zo,' gaf hij toe. 'Maar zonder Wyatt en jou betekenen ze niets.'

'Walker,' fluisterde ze. 'Dat is wel een heel ingrijpend besluit.'

'Dat weet ik. Ik wil je niet overhaasten, Allie. Neem de tijd. Als je tot een conclusie gekomen bent, bel je me maar. Of kom langs. Dag of nacht, dat maakt niet uit.'

Hij glimlachte toen hij dacht aan de laatste keer dat ze naar hem toe was gekomen. En de hartstochtelijke nacht die daarop was gevolgd. Ze zag die glimlach en fronste. Ze wist waar hij aan dacht.

'Walker? Wat er ook gebeurt, je weet dat het niet alleen om jou en mij gaat, toch? Het gaat om jou, mij en Wyatt.'

'Ik zou het niet anders willen,' zei hij meteen. 'Het is een fantastisch jochie.' En ik mis hem, had hij er bijna aan toegevoegd. Ik mis hem vreselijk.

Ze keek op haar horloge en hij zag de verbazing op haar gezicht. Hij wierp schuldig een blik op zijn eigen horloge.

Zaten ze hier echt al zo lang? Ze moest terug naar de galerie.

Ze haalde haar portemonnee uit haar tas, maar Walker hield haar tegen.

'Ik reken wel af,' zei hij. 'Sorry dat ik je zo lang heb opgehouden.'

Ze zei hem snel gedag en toen was ze weg.

Walker ademde langzaam uit. Hij had alles gedaan wat hij kon doen. Hij had zijn zegje gezegd. Nu was het aan haar. En welk besluit ze ook nam, hij zou het moeten respecteren. Ermee moeten leven. Zo goed als hij kon.

Hij legde wat bankbiljetten op tafel. Toen keek hij naar haar bord. Ze had geen hap van haar broodje gegeten. Hij zuchtte en vroeg zich af of hij Caroline moest vragen het in te pakken, zodat hij het bij de galerie kon afgeven. Hij besloot het niet te doen. Hij wist niet of ze hem ooit nog wilde zien.

30

Caroline belde nog eens aan, maar dit keer hield ze haar vinger op de bel. Ze wist dat er iemand thuis moest zijn. Achter alle ramen brandde licht. En ergens in het huis hoorde ze het ritmische gebonk van rockmuziek. Ze ging niet weg tot iemand de deur opendeed.

Eindelijk, na vijf minuten, hoorde ze een stem. Een geïrriteerde stem.

'Ja ja, hou nou maar op. Ik kom er al aan, verdomme.'

De deur ging open en daar stond Jeremy, één bonk ergernis. Hij zag er niet uit. Zijn T-shirt was vuil en zijn spijkerbroek oud. Zijn haar was niet gekamd en hij had stoppels van minstens drie dagen op zijn gezicht. Er zaten vermoeide kringen om zijn bruine ogen.

'O, Jeremy,' zei Caroline meewarig. 'Je ziet er verschrikkelijk uit.'

'Lief van je om dat te zeggen,' gromde hij sarcastisch. Caroline fronste. Het was niets voor Jeremy om sarcastisch te zijn. Voordat Jax en hij uit elkaar waren gegaan, was hij altijd goedgehumeurd geweest, en altijd even beleefd. Het was echt verbazend hoeveel iemand kon veranderen en in hoe weinig tijd

dat kon gebeuren in de juiste omstandigheden. Of in de verkeerde omstandigheden, in Jeremy's geval.

'Mag ik nog binnenkomen?' vroeg Caroline koeltjes toen
hij geen aanstalten maakte haar uit te nodigen.

Hij haalde zijn schouders op. 'Ik neem aan dat je iets komt
doen voor Jax?'

'Eigenlijk weet Jax niet dat ik hier ben, Jeremy. Maar nu je
het zegt, ik kom inderdaad iets voor haar doen.'

'Nou, daar heb ik niets mee te maken.' Hij wilde de deur
voor haar neus dichtgooien.

'Jeremy, waag het niet die deur dicht te gooien,' zei Caroline waarschuwend.

Hij keek haar uitdagend aan, maar verloor de moed, sloeg
zijn blik neer en zuchtte. Een verslagen zucht. 'Goed dan, wat
je wilt.' Hij deed de deur verder open.

Caroline ging naar binnen en liep achter hem aan naar de
woonkamer. Daar keek ze sprakeloos om zich heen. Het was
er een enorme rotzooi. Overal lagen kleren, boeken, speel-
goed en dvd's, en op elk oppervlak stonden stapels vaat.

'Jeremy, wat is hier gebeurd?' vroeg ze ontzet, en ze zette
een grote potplant recht die was omgestoten en waaruit aarde
op het vloerkleed was gevallen.

'Drie kleine meisjes, dat is er gebeurd,' zei hij met een onverschillig schouderophalen.

En één zogenaamd volwassen man, had ze willen zeggen.
Maar ze hield zich in.

'Ik wil je wel een stoel aanbieden,' zei hij, 'maar zoals je kunt
zien zijn ze allemaal bezet.'

Caroline knikte fronsend. De twee armstoelen waren tegen
elkaar geschoven en er waren dekens overheen gehangen in
een poging een fort te maken. En op de bank lag beddengoed,
zag ze tot haar verbazing, hoewel het zo'n warboel vormde
dat ze zich afvroeg hoe iemand daar kon slapen. Toen viel haar
iets in.

Nadat haar man bij haar was weggegaan, was het te pijnlijk geweest om alleen in het veel te grote bed te slapen, dus had ze in plaats daarvan de bank gekozen. Ze vroeg zich af of Jeremy hetzelfde deed.

Ze hoorde commotie op de bovenverdieping, boze kinderkreten, gevolgd door een dichtslaande deur.

'Joy en Josie hebben ruzie,' zei Jeremy met een blik op de trap. 'Ze doen tegenwoordig niet anders dan ruziemaken. Ik weet niet hoe Jax de vrede bewaarde.'

'Zijn ze nog wakker?' vroeg Caroline verbaasd.

Hij knikte en had zelfs in zijn gemelijke stemming het fatsoen om er ietwat beschaamd bij te kijken.

'Jeremy, het is bijna elf uur,' protesteerde ze. 'Ze hadden allang moeten slapen. Morgen moeten ze naar school.'

'Ik krijg ze niet in bed,' gaf hij toe. 'Ze missen Jax. En de telefoontjes om welterusten te zeggen lijken niet te helpen.'

Carolines gezicht vertrok. Ze had die telefoontjes gehoord, in elk geval Jax' kant. Het was een zielige vertoning, waarbij Jax haar dochters om de beurt welterusten wenste terwijl ze dapper probeerde niet te huilen.

'Jeremy.' Er viel haar iets in. 'Wat denken de meisjes eigenlijk dat er aan de hand is? Tussen jou en Jax, bedoel ik?'

'Ze denken dat mama en de baby bij jou logeren omdat mama rust moet hebben,' zei hij.

Caroline zuchtte. 'En hoe lang denken ze dat dat gaat duren?'

'Ik heb geen idee,' zei hij zonder haar aan te kijken.

Ze liep voorzichtig naar de bank en ging op het randje zitten. 'We moeten praten,' zei ze met een gebaar naar het plekje naast haar.

'We praten toch al,' merkte Jeremy op.

'Nee, ik bedoel echt praten,' zei Caroline.

'Ik heb niets te zeggen,' beweerde Jeremy nors. Hij ging niet naast haar op de bank zitten. Hij trok wel een van de leunstoelen bij en liet zich nonchalant op de armleuning zakken.

'Nou, al heb jij niets te zeggen,' zei ze zonder moeite te doen de irritatie uit haar stem te weren, 'ik neem aan dat je wel wilt weten hoe het met je vrouw en je dochter gaat.'

'Dat hoef ik niet te vragen. Ik weet dat ze heel goed door jou verzorgd worden.'

Dat klopt, maar jij zou degene moeten zijn die voor hen zorgt, had ze bijna gezegd. Maar ze hield zich in.

'Ik doe inderdaad mijn best om het ze zo aangenaam mogelijk te maken,' zei ze. 'Maar er zijn dingen die ik niet kan doen. Ik kan Jax bijvoorbeeld niet laten ophouden met huilen. Dat is wat ze doet, Jeremy, de hele dag lang. Huilen en de baby voeden. Ik zou zeggen dat ze ernstig gevaar loopt uit te drogen.'

Ze glimlachte bij deze poging wat humor in het gesprek te brengen, maar Jeremy zei alleen vermoeid: 'Kom ter zake, Caroline.'

'Waar het om gaat,' zei ze, 'is dat ik wil dat jij Jax vraagt thuis te komen. Waar ze hoort. Het is het enige wat je kunt doen, dat weten jij en ik allebei, hoe boos of gekwetst je ook bent.'

'Caroline, ik heb je al gezegd dat ik dit gesprek niet met jou aanga.' Jeremy maakte aanstalten om op te staan.

'Nou, je kunt op zijn minst het fatsoen opbrengen om te luisteren naar wat ik te zeggen heb,' zei ze scherp.

Hij zuchtte en ging weer zitten.

'Jeremy, wat weet jij van Jax' jeugd?' Ze gooide het over een andere boeg.

Hij haalde zijn schouders op. 'Jax praat er niet graag over. Ik heb begrepen dat het geen keurig nette aangelegenheid is geweest.'

'Dat is wel heel zwak uitgedrukt,' zei Caroline. 'Ik zal je er iets meer over vertellen.'

'Doe geen moeite, Caroline. Als jij soms denkt dat het feit dat haar ouders allebei alcoholist waren rechtvaardigt wat ze heeft gedaan, dan ben ik het niet met je eens.'

'Het rechtvaardigt het niet,' zei Caroline zorgvuldig, 'maar het kan het wel verklaren. Wist je bijvoorbeeld dat Jax' ouders met elkaar vochten als ze dronken waren? Ik bedoel echt vechten. Lichamelijk. En als ze vochten, verstopte zij zich in een kast. Daar was ze meestal wel veilig. Het enige probleem was dat het vechten erger werd naarmate ze ouder werd. In die tijd begon ze haar toevlucht te nemen tot Pearl's. En ik mag er wel op wijzen dat ze daarvoor vijf kilometer moest lopen. Ze deed het op alle uren van de dag en de nacht. Overdag gaven mijn ouders haar een ontbijt of een lunch. En ze lieten haar het een en ander doen en betaalden haar daar iets voor. Ze mochten haar graag, uiteraard. Het was onmogelijk om Jax niet aardig te vinden. Maar ik geloof dat ze vooral medelijden met haar hadden.'

Jeremy zat er nog steeds met een strak gezicht bij en keek haar niet aan. Caroline bleef praten. 'Als Jax 's nachts kwam, liet mijn vader haar in de opslagruimte slapen. Dan legde hij daar een deken en een kussen neer en dan sliep ze boven op de enorme zakken meel die hij daar had liggen. Hij maakte haar altijd vroeg wakker, als hij naar beneden kwam om het koffiezetapparaat aan te zetten, zodat ze tijd genoeg had om naar huis te lopen en zich om te kleden voor school.

Een van die nachten herinner ik me nog goed. Het was midden in de winter. Het moet wel twintig graden onder nul zijn geweest. En Jax kwam om twee uur in de nacht aanlopen. Ze was ijskoud. Ze had de hele weg door de sneeuw gelopen. Mijn moeder nam haar meteen mee naar het appartement en legde haar in bed. Ze moet wel vijf dekens over haar heen hebben gelegd. Maar het was bijna ochtend voordat ze ophield met rillen.'

'Oké, ik snap het al,' snauwde Jeremy, die eindelijk uit zijn apathie ontwaakte. 'Ze heeft een afschuwelijke jeugd gehad. Maar Caroline, dat verklaart nog steeds niet waarom ze dit allemaal gedaan heeft. Ze heeft tegen me gelogen. Elke dag van ons huwelijk. En ik heb haar laten liegen, dat is waar. Maar dit had ik nooit verwacht. Ze heeft ons geld genomen, geld waarvoor we zo hard gewerkt hadden, en ze heeft het weggegeven. Weggegooid, eigenlijk. Zonder iets tegen me te zeggen. Ik was een dwaas en dat wist ze. Maar dat is nu afgelopen.'

Caroline schudde haar hoofd en dacht wanhopig: hij heeft het helemaal mis. Ze wist dat er een manier moest zijn om tot hem door te dringen.

'Jeremy,' zei ze opeens. 'Heeft Jax je ooit verteld waarom ze geen vaatwasser wil?'

Hij keek naar haar en fronste. 'Caroline, ik zie echt niet wat dat ermee te maken heeft.'

Ze hield vol. 'Heeft Jax je ooit verteld waarom ze geen vaatwasser wil?'

Hij schudde ongeduldig zijn hoofd. 'Ik weet het niet. Ze zei dat ze afwassen leuk vond.'

'Niemand vindt afwassen leuk,' zei Caroline. 'Voor Jax had het een speciale betekenis. Ze heeft me er eens iets over verteld. Jou waarschijnlijk niet, omdat ze je niet wilde belasten met haar ongelukkige jeugd. Ik was op een dag hier, vlak nadat jullie waren getrouwd en dit huis hadden betrokken. En ik zat in de keuken toe te kijken hoe Jax met de hand de ontbijtboel afwaste. Ik wilde haar helpen. Dat weigerde ze. En ze vertelde me dat haar familie geen vaatwerk had toen zij klein was. Helemaal niets. Niet omdat ze arm waren, hoewel er natuurlijk altijd gebrek aan geld was. Ze hadden geen vaatwerk omdat haar ouders het altijd stukgooiden wanneer ze ruzie hadden. Dus uiteindelijk zal iemand het briljante idee hebben gehad om het gewoon niet meer te vervangen. Ze aten van kartonnen borden of servetten of van helemaal niets, denk ik zo.

Die ochtend vertelde ze me dat ze elke keer als ze een bord afwaste bedacht wat een geluk het was om een bord te hebben. En hoe gelukkig ze was om jou te hebben...'

'Hou op,' smeekte Jeremy, en hij stak in overgave zijn handen omhoog. 'Ik kan er niet meer tegen, Caroline. Denk je soms dat ik niet meer van haar hou? Denk je soms dat het geen pijn doet om dit te horen? Maar het maakt niet goed wat ze gedaan heeft.'

'Nee, dat klopt,' beaamde ze. 'Niets kan dat goedmaken. Maar zie je niet waarom Jax Bobby die tienduizend dollar heeft gegeven? Zie je niet wat ze wilde beschermen? Ze wilde alle dingen beschermen waar ze aan dacht als ze de afwas deed. Heeft ze er goed aan gedaan om hem dat geld te geven? Waarschijnlijk niet. Had ze het je moeten vertellen? Waarschijnlijk wel. Maar in Jax' ogen had ze geen keus. Ze dacht dat hij jullie met rust zou laten als ze hem het geld gaf en dat jullie op de oude voet door zouden kunnen gaan. Als liefhebbend gezin.

Ik weet dat tienduizend dollar veel geld is,' ging ze een beetje ademloos door. 'En ik weet dat zij dat ook weet. Maar ik geloof niet dat ze een prijs kon zetten op wat jullie samen hadden, Jeremy. Voor haar was wat jullie hadden onbetaalbaar. Ze gaf Bobby Lewis tienduizend dollar. Eerlijk gezegd denk ik dat ze hem tien miljoen dollar had gegeven als ze die had gehad.'

Ze zweeg en wachtte met bonzend hart af. Er viel niets meer te zeggen. Dat wist ze. De rest was aan Jeremy.

Een hele tijd bleef hij roerloos op de stoel zitten. Toen boog hij voorover, zette zijn ellebogen op zijn knieën en sloeg zijn handen voor zijn gezicht. Caroline dacht dat hij zou gaan huilen. Dat gebeurde niet. Toen hij weer iets zei, klonk hij echter zo ellendig dat hij net zo goed had kunnen huilen.

'Wat moet ik nu doen?'

'Nu?' Caroline dacht snel na. 'Je moet met mij meekomen,' zei ze kordaat. 'Vraag Joy op de jongere meisjes te letten. Ga met mij mee. En neem je vrouw en dochter mee naar huis, waar ze horen.' Ze hield haar adem in. Pas toen ze hem zag knikken, kon ze weer ademhalen.

'Ik ga het tegen Joy zeggen,' zei hij. Hij kwam zwaar omhoog van de leunstoel en liep de trap op.

Nog geen vijftien minuten later maakte Caroline de voordeur van haar appartement open. Jax zat op de bank in de woonkamer de baby te voeden. Ze keek op toen Caroline binnenkwam en probeerde te glimlachen. Toen zag ze Jeremy achter Caroline.

'Jeremy?' zei ze zachtjes, vragend.

Hij knikte en ging aarzelend naast haar op de bank zitten. Hij stak zijn hand uit en streelde Jenna's donzige hoofdje, dat amper zichtbaar was boven haar babydekentje.

'Wat doe je hier?' vroeg Jax. Ze keek tegelijkertijd hoopvol en bang.

'Ik kom jullie tweetjes naar huis halen.' Jeremy's stem brak en hij nam hen allebei in zijn armen.

'Ik moet beneden nog het een en ander doen,' zei Caroline snel, maar geen van beiden lette nog op haar. Jax begon onbeheerst te snikken, dit keer van geluk. En toen ze de deur van het appartement achter zich dichtdeed, dacht Caroline dat Jeremy ook een paar tranen zou laten.

Begin jij niet ook nog, hield ze zichzelf voor terwijl ze naar beneden ging. Maar ze voelde haar traanklieren al werken. Misschien was het goed om eens lekker uit te huilen als het om een ander ging, dacht ze toen ze het restaurant opendeed. En het waren geen tranen van verdriet, maar tranen van geluk. Ze wilde naar de koffiezetapparaten achter het buffet lopen, maar bleef halverwege bij de kassa staan. Ze aarzelde, maakte hem open, tilde de geldla eruit en haalde het visitekaartje van Buster Caine voor de dag. Ze bekeek het even, maar dat duurde niet lang. De tijd drong. Als ze te lang wachtte, durfde ze niet meer.

Ze liep naar de telefoon, pakte hem op en draaide het nummer. Hij nam bij het derde rinkeltje op.

'Hallo?'

'Buster? Hallo. Met Caroline. Caroline van het eethuisje.'

Er viel een stilte. Toen zei hij geamuseerd: 'Ik weet wie je bent, Caroline.'

'Ik bel toch niet te laat?'

'Nee, hoor. Ik was nog wakker. Wat kan ik voor je doen?'

'Je kunt me meenemen in je vliegtuig,' zei ze meteen.

Er viel nog een stilte.

'Ik bedoel, als het aanbod nog geldt,' vervolgde ze snel.

'Het geldt nog steeds.'

'O, goed. Wat komt jou het beste uit?'

'Nou, dat hangt ervan af. Hoe laat ga je morgen dicht?'

'Halfvier.'

'Zal ik je dan komen halen?'

'Ja. En Buster?'

'Ja?'

'Ik verheug me er echt op.'

'Nou, dat geldt dan voor ons allebei, Caroline.'

31

Op een koele avond in september zat Allie op de trap voor het huis en probeerde haar trillende knieën onder controle te krijgen. Ze deden het weer, hetzelfde wat ze gedaan hadden op de dag van de picknick met Walker. Ze keek ernaar; ze trilden heftig en weerstonden elke poging om ze stil te krijgen. Ze sloeg haar armen eromheen, trok ze tegen haar borst en legde haar kin erop. Ze bleven trillen. Het was alsof het zelfstandige wezens waren. Alsof ze iets wisten wat zij niet wist.

En dat was belachelijk, echt. Ze zat alleen maar te wachten tot Walker kwam voor een kopje koffie na het avondeten. Ze moest iets met hem bespreken. Iets belangrijks. Ze waren allebei volwassen. Verstandige mensen. En dat zou deze avond blijken. Er was geen enkele reden voor die trillende knieën.

Ze keek op haar horloge. Kwart voor negen. Als hij op tijd was – en ze had het gevoel dat hij dat zou zijn – kwam hij over vijf minuten. Op hetzelfde moment hoorde ze zijn pick-up de oprit op komen en het grind onder zijn banden wegschieten. De koplampen kwamen in zicht en het licht viel even op haar terwijl het over de veranda gleed en tot stilstand kwam op het berkenbosje aan de rand van het meer. Walker zette de motor af en de berken verdwenen weer in de duisternis. Toen stapte hij uit de wagen en kwam naar de veranda.

'Hou op,' fluisterde Allie tegen haar nog steeds trillende knieën.

'Hallo.' Walker stak groetend zijn hand op terwijl hij de trap op kwam.

'Hoi.' Allie stond op en bad dat haar knieën het niet zouden begeven.

'Is Wyatt in de buurt?'

'Die slaapt,' zei Allie. 'Maar hij heeft zich flink verzet voordat hij in bed lag.'

Walker glimlachte. 'Ik had niet anders verwacht.'

'Ik dacht dat we misschien hier koffie konden drinken,' zei ze met een gebaar naar de veranda. 'Maar het is een beetje kil met die wind van het meer. Dus misschien moeten we toch in de woonkamer gaan zitten.' Ze was vergeten hoe vroeg de herfst zo ver naar het noorden inviel. Ze merkte nu al dat de dagen korter werden. Korter en kouder. Toen ze Wyatt vanmorgen naar school had gebracht, had hun adem wolkjes gevormd in de lucht.

'Het is inderdaad een beetje kil,' beaamde Walker, en hij liep achter haar aan het huisje in. 'Het is ook al 20 september. De laatste dag van de zomer. Dus misschien is het wel passend dat het een beetje winter lijkt.'

De laatste dag van de zomer, dacht Allie toen ze naar de keuken ging om het koffiezetapparaat aan te zetten. Dat was ze helemaal vergeten. Woonden zij en Wyatt hier echt pas één zomer? Ze dacht terug aan hun eerste avond. Het huisje was een bouwval geweest met zijn overhellende veranda en het bruine water dat sputterend uit de kranen was gekomen.

Eigenlijk waren zij en Wyatt er niet veel beter aan toe geweest dan het huisje. Vanbuiten leek alles in orde. Maar vanbinnen had alles pijn gedaan. Veel pijn.

Ze liep de woonkamer weer in en ging nerveus op de rand

van de bank zitten. Walker, die was blijven staan omdat hij niet goed wist wat hij met zichzelf aan moest, ging naast haar zitten, op een respectvolle afstand.

Ze aarzelde en probeerde woorden te vinden om te zeggen wat ze wilde zeggen, maar Walker deed het eerst zijn mond open.

'Ik heb gehoord dat jij en Wyatt weg zijn geweest.'

'Inderdaad. Een lang weekend.' Een lang weekend in de ware zin van het woord. Ze waren teruggegaan naar Eden Prairie en hadden bij vrienden gelogeerd. Ze had de opslagruimte leeggemaakt en de meeste spullen van Gregg weggegeven. Een paar dingen had ze bewaard voor Wyatt. Een gehavende hockeystick waar Gregg dol op was geweest. De gitaar waarop hij als scholier in een bandje had gespeeld. Een verbleekte trui van de University of Minnesota. Nu betekenden die spullen nog niets voor Wyatt, maar op een dag hoopte ze dat ze dat wel zouden doen.

Ze hadden nog iets anders gedaan toen ze weer in de buurt van de Twin Cities waren. Ze hadden een bezoek gebracht aan Greggs graf en hadden daar een tekening van Wyatt achtergelaten. Wyatt had met kleurpotloden een vrolijke tekening gemaakt van Allie en Wyatt voor het huisje. De lucht boven hen was blauw, met donzige witte wolken en een glimlachende gele zon erin. Wyatt had gezegd dat hij hoopte dat Gregg hem mooi zou vinden, en Allie had geantwoord dat ze dat zeker wist.

Dat vertelde ze allemaal niet aan Walker. Nog niet, in elk geval. Er was iets anders dat ze eerst moest zeggen. Maar het was moeilijker dan ze had gedacht. Dus schoof ze het voor zich uit. 'Wil je koffie?' Ze keek van hem weg. 'Hij is klaar.'

Hij knikte afwezig, alsof hij haar niet echt gehoord had.

Ze stond op en ging naar de keuken, waar ze twee kopjes koffie vulde en in allebei room deed. Toen ze de woonkamer weer in kwam, zat Walker niet meer op de bank. Hij stond voor de open haard naar het nieuwe schilderij te kijken dat erboven hing.

'Is dat…' vroeg hij verbaasd, wijzend naar het schilderij.

'Ja.' Ze gaf hem zijn koffie. 'Het is jouw steiger, gezien vanaf mijn steiger. Vind je het mooi?'

Hij keek haar niet-begrijpend aan en toen weer naar het schilderij.

'Herinner je je die aquarel nog die je in de Pine Cone Gallery voor die vrouw hebt gekocht?' vroeg Allie. 'Dit is van dezelfde schilder. Ik hou echt van zijn werk en ik wist dat hij heel vaak hier schildert, aan Butternut Lake. Dus heb ik hem een opdracht gegeven. Het is nogal groot, dus hij heeft er een paar dagen non-stop aan gewerkt. Hij kwam hiernaartoe om te schilderen terwijl Wyatt en ik in Eden Prairie waren. Het hing toen we terugkwamen.'

'Waarom dat uitzicht?' vroeg Walker.

Allie haalde haar schouders op. 'Misschien omdat ik er deze zomer de helft van de tijd dat ik wakker was naar heb zitten staren. Maar, Walker,' zei ze met een glimlach, 'als het deze keer niet lukt tussen ons, zit ik met een enorm groot aandenken aan jou in mijn maag.'

'Dus…' Hij staarde haar aan, wachtend op nadere uitleg.

'Dus… ik heb nagedacht over wat je die dag bij Pearl's zei en besloten dat ik dat vertrouwen wil hebben. In jou, Walker. In ons, bedoel ik. Ik wil het opnieuw proberen.'

'Opnieuw proberen met jou en mij?'

Ze knikte. 'Als jij dat ook nog wilt,' zei ze.

'Als ik dat ook nog wil?' herhaalde hij ongelovig. 'Allie, je maakt een grapje, zeker? Ik heb nog nooit zo graag iets gewild. Maar ik dacht niet dat jij het wilde. Niet meer, tenminste. Dus ik probeerde me op het ergste voor te bereiden. Toen ik vanavond hiernaartoe kwam, had ik het gevoel dat ik op weg was naar het vuurpeloton.'

Ze lachte. Nu ze erover nadacht, had hij vanavond ongewoon gespannen geleken. 'Dus, we gaan het doen? Het proberen, bedoel ik?' vroeg ze.

'We zouden gek zijn om het niet te doen.' Hij glimlachte naar haar. En door die glimlach viel ze bijna flauw. Hij pakte haar koffiekop en zette hem op de schoorsteenmantel, bij die van hem. En toen trok hij haar in zijn armen en vonden zijn lippen die van haar. 'Dit moeten we vieren,' zei hij tussen twee kussen door. 'Vergeet de koffie. Heb je champagne?'

'Geen champagne,' zei Allie. 'Appelsap misschien.'

'Met appelsap gaat het niet lukken.' Hij kuste haar hals, waar ze altijd zo van genoot. 'Maar er zijn andere manieren om een feestje te bouwen.'

Allies knieën knikten waarschuwend, maar ze wilde iets tegen Walker zeggen voor het te laat was.

'We zullen het vieren,' zei ze, huiverend van verlangen. 'Dat beloof ik. Maar eerst wil ik een paar basisregels opstellen.'

'Nu meteen?'

'Nu meteen,' zei ze. Het verleden leerde dat haar zelfbeheersing niet lang zou standhouden in het bijzijn van Walker.

Hij hield op met zoenen, maar liet haar niet los. 'Oké, zeg het maar.'

'Laten we erbij gaan zitten,' stelde ze voor, en ze maakte zich voorzichtig van hem los. Hij volgde haar naar de bank en ze gingen zitten.

'Walker, Gregg was een goede echtgenoot,' zei ze plompverloren.

'Dat weet ik,' antwoordde Walker automatisch. Als hij zich verbaasde over dit onderwerp, liet hij het niet merken.

'En een goede vader,' voegde ze eraan toe.

'Dat weet ik ook.'

'Ik ga hem niet vergeten, Walker. En als ik mijn zin krijg, gaat Wyatt hem ook niet vergeten.'

'Ik wil ook niet dat een van jullie beiden hem vergeet,' zei Walker eenvoudig.

Ze knikte. Ze geloofde hem. 'Ik ben het Gregg verschuldigd om hem niet te vergeten, en ik ben het mezelf en Wyatt ook verschuldigd. Ik wil niet dat zijn leven er niet meer toe doet. Maar ik weet ook dat ik mijn eigen leven moet leiden. En ik wil dat het een gelukkig leven wordt. Lange tijd wilde ik niet gelukkig zijn. Ik dacht dat het op een bepaalde manier mijn verantwoordelijkheid was om om Gregg te rouwen. Fulltime. Bijna alsof het een baan was. Iedereen die Gregg kende, weet dat hij dat niet gewild zou hebben. En ik wil het ook niet. Niet meer. Het zal moeilijk worden om het evenwicht te bewaren, in elk geval in het begin. Om de herinnering aan Gregg levend te houden en tegelijkertijd gelukkig te zijn.'

Even bleef Walker haar bedachtzaam aankijken en nadenken over wat ze gezegd had. Maar toen hij reageerde, leek hij precies de woorden te kiezen die Allie moest horen. 'Er is geen enkele reden waarom het niet allebei kan,' zei hij. 'Gregg herdenken én gelukkig zijn. Vooral omdat je gelukkig was toen je met Gregg was. En hoewel ik Gregg niet gekend heb, zal ik jou en Wyatt helpen waar ik kan om de herinnering aan hem deel te laten worden van jullie leven. Ik bedoel, het is niet meer en niet minder dan ieder van ons verdient. Om met liefde te worden herdacht door de mensen van wie we hielden. De mensen die van ons hielden.'

Allie knikte, bijna in tranen. Maar ze voelde zich ook opgelucht. Ze haalde diep adem en terwijl ze uitademde, voelde ze de spanning uit haar lichaam wegtrekken.

'Dank je.' Ze schoof iets naar hem toe.

'Je hoeft me nergens voor te bedanken,' zei hij. Hij pakte haar hand. 'Nu wil ik ook iets zeggen.'

Ze trok haar wenkbrauwen op.

'Zoals ik al zei, heb ik Gregg niet gekend,' begon hij. 'Toch heb ik het gevoel dat ik hem iets verschuldigd ben. Omdat de twee mensen die hij heeft achtergelaten, allebei heel bijzonder zijn. En het minste wat ik voor hem kan doen, is goed voor ze zorgen. Dus ik ga van jullie houden en jullie beschermen en jullie nooit ofte nimmer kwetsen. En hoewel beloften doen nog vrij nieuw voor me is, Allie, is dit een belofte waaraan ik me wil houden.'

Allie slikte de brok in haar keel weg. 'Walker, mag ik je iets vragen?'

'Wat je maar wilt,' zei hij. En ze wist dat hij het meende. Er was niets wat deze man niet voor haar zou doen.

'Kun je… kun je me gewoon vasthouden?' vroeg ze.

'Ik denk het wel,' zei Walker terwijl hij haar in zijn armen nam. 'Ik bedoel, ik zal het proberen,' verbeterde hij zichzelf en hij begroef zijn gezicht weer in haar hals. 'Ik zal mijn uiterste best doen om je alleen maar vast te houden. Ik moet je wel waarschuwen, Allie. Ik heb zo vaak aan je gedacht, aan ons samen, dat ik niet weet of het me lukt.'

'Nou, probeer het toch maar.' Allie kroop dieper weg in zijn armen.

Walker probeerde het inderdaad, een tijdje. Maar het leek onvermijdelijk dat ze weer begonnen te zoenen, en niet lang daarna had Walker haar naast zich op de bank geduwd en maakte hij haar bloes open.

'O, mijn knieën hadden zo gelijk,' mompelde Allie terwijl ze naar hem keek.

'Wat zei je?' Hij keek op van de knoop die hij net had losgemaakt.

'Ik zei: "We kunnen dit hier niet doen",' verbeterde ze snel. 'Wyatt ligt in de andere kamer te slapen.'

'Bedoel je dat ik je niet kan zoenen?'

'Het is niet het zoenen waar ik me zorgen over maak.'

'Dus je bent bang dat we Wyatt wakker zullen maken?' vroeg hij voor de duidelijkheid.

Ze knikte.

'Dezelfde Wyatt die in mijn huis door een urenlange onweersbui heen sliep en in het jouwe door een bevalling? Ik denk dat hij ook wel door een beetje vrijen heen kan slapen, jij niet?'

'Een beetje?' vroeg ze half in ernst.

'Oké, een heleboel,' gaf hij toe.

Ze lachte, maar gaf zich gewonnen. 'Goed dan, maar je moet weg voordat hij morgenochtend wakker wordt. Ik wil hem hier niet mee overvallen. We moeten de juiste manier vinden om het hem te vertellen.'

'Absoluut,' beaamde Walker. Maar hij ging niet verder met haar bloes. In plaats daarvan pakte hij haar op, droeg haar naar haar slaapkamer, sloot de deur en legde haar op het bed. Daar kleedden ze elkaar langzaam uit, genietend van elk moment, en toen vrijden ze met zo'n tederheid dat Allie tranen in haar ogen kreeg.

Toen ze later in elkaars armen lagen, zag Walker een van die tranen op haar wang glinsteren. 'Je huilt,' zei hij verrast. Hij kwam op een elleboog omhoog en veegde de traan zachtjes met zijn vingers weg. 'Wat is er?'

'Niets,' zei ze eerlijk. Ze raakte zijn gezicht aan, dat verstrakt was door bezorgdheid om haar. 'Er is niets. Ik ben alleen zo gelukkig. Ik geloof niet dat ik nog gelukkiger zou kunnen zijn.'

'Zelfs niet een beetje?' vroeg hij met een speelse zoen.

'Ik geloof van niet.' Ze zoende hem terug.

'Weet je het zeker?' Hij liet een plagende vinger over haar blote buik glijden.

'Oké. Misschien kan ik nog iets gelukkiger worden,' gaf ze toe, en ze trok hem weer naast zich.